ERUIT jij!

ERUIT JIJ!

Gerry Velema

Callenbach

Wil je meer weten over Gerry Velema en de boeken die ze geschreven heeft,
kijk dan op www.gerryvelema.nl

Postbus 5018, 8260 GA Kampen
www.kok.nl

Omslagillustratie Roelof van der Schans
Omslagontwerp Hendriks.net
Layout/dtp Gerard de Groot
ISBN 978 90 266 1485 9
NUR 284/285
Leeftijd vanaf 14 jaar

Ware liefde
blijft zichzelf gelijk,
of men haar alles toestaat
of alles weigert.

Goethe

De gecursiveerde woorden in dit boek
worden achterin toegelicht

Dit boek draag ik op aan Vriendschap

Inhoud

1. Hardjònò

1 december 1941

'Hoor je hem? Hij is heel dichtbij.'
Ik hoor niks.
'Daar, Thomas,' Hardjònò wijst. 'Daar, achter die bladeren. Hij heeft oranje vleugels.'
Ik volg de vinger en probeer in het groen iets oranjes te ontdekken.
'Ach, hij vliegt net weg. Zie je hem? Daar gaat hij, kijk dan, dáár, Thomas!'
Ik knipper, gluur en tuur met mijn ogen, maar ik zie niet wat Hardjònò ziet.
We kijken elkaar aan. Hardjònò schiet in de lach.
'Domme *tòtòk*. Er mankeert iets aan jullie ogen en oren!'
Ik haal mijn schouders op.
'Ik zal een bril nemen,' zeg ik. 'Waarom zie jij dat allemaal wel en ik niet? Soms denk ik dat je me gewoon voor de gek zit te houden.'
Hij wijst op het resultaat van zijn jacht. Met zijn katapult heeft hij drie kleine vogels uit de bomen geschoten. Hij drukt de verrekijker in mijn hand.
'Kijk dan vaker door dit dure ding van je.'
Ik ben met Hardjònò mee de wildernis in. Ik ruik melatti, maar kan in de dichte begroeiing de geurende struik niet ontdekken.
'Kom mee, Thomas!' Hardjònò sluipt voor me uit. Mijn sandaal glijdt weg in de blubber. Sluipen zoals Hardjònò dat doet, kan ik niet. Ik kan hem wel volgen, meelopen.

Hoewel we echte vrienden zijn, gaat er geen dag voorbij of

ik merk wel iets wat me laat zien hoe verschillend we zijn. Ik ben geen Javaan van geboorte, Hardjònò wel.
'Waarom schoot je deze vogel niet?' vraag ik.
Met een ruk draait Hardjònò zich om.
'O, ik ben zeker weer dom...' zeg ik bij voorbaat.
'Nee, dat is het niet, maar dit vogeltje is zeldzaam. Ik herkende hem aan zijn roep. Dat we hem gezien hebben, is uniek.'
'Jíj hebt hem gezien.'
Hardjònò gaat er niet op in. Hij is mijn meester in het bos. 'En vergeet niet, Thomas, je moet nooit in het wilde weg schieten op alles wat beweegt.'
Ik voel me nog meer een tòtòk, terwijl ik achter hem aanloop, dieper de wildernis in.
'Ik moet je nog iets anders laten zien,' zegt Hardjònò. 'Vorige week was ik hier ook. Toen heb ik een gave plek ontdekt. Zo beschut als een nest van een arend. En een uitzicht, Thomas, tot ver over de rivier.'
'Dat wil ik zien! Breng me erheen, Djonie.'
Hij lacht naar me. Ik volg hem op de voet. Wat we nu doen, is voor mij het allermooiste dat er bestaat: door het wild struinen met Hardjònò. Ik weet wat ik aan hem heb, nou ja, meestal. Ik weet waar hij woont, dat zijn vader Madurees is en zijn moeder Javaan. Ik weet welke dingen Hardjònò uit de slaap houden, zoals hij ook van alles weet van mij. We hebben het over wat we later willen worden, over meisjes, maar ook over de ruzies bij Hardjònò thuis en ik heb hem weleens verteld over mijn vader.
Hardjònò wenkt dat ik op moet schieten. Hij gaat zo veel sneller dan ik over het bospad. Ik wil ook niet aan thuis denken. Ik ben veel liever hier, samen met hem.
Wat gaat hij snel. Ik versnel mijn pas. Zijn hemd is doorweekt van het nat dat aan de struiken hangt. Lenig beweegt hij zich onder zware begroeiing door. Dat lukt mij

niet. Ik moet dieper onder de takken bukken, vanwege mijn lengte. Mijn haren en hemd zijn ook doorweekt. Even kijk ik omhoog. Zelfs uit de kruinen van de bomen blijven zware druppels naar beneden vallen. En toch heeft het sinds de ochtend niet meer geregend.

Ineens staat Hardjònò stil. Ik loop tegen zijn rug op en grijp hem bij zijn schouders vast.
'Een slang,' fluistert hij. 'Naar achteren, Thomas, zachtjes...'
Een slang? Wat voor slang? Is hij giftig? Hardjònò duwt mij zacht achteruit. De slang mag ons niet zien bewegen. Het is alsof we een dans opvoeren, zo vloeiend schuiven we naar achteren. Hardjònò moet me leiden; ik zou het verschrikkelijk vinden als hij door mijn onbeholpenheid in gevaar komt. Ik druk mijn lichaam tegen hem aan, zo voel ik precies wat ik moet doen. Stil, bijna onzichtbaar. Het gaat goed, tot een overhangende tak me in mijn rug steekt. Ik kan mijn lippen nog stijf op elkaar houden, maar de tak breekt met een harde knak af. Hardjònò staat meteen stil. Ik voel dat hij zijn adem inhoudt. Zelf bijt ik mijn lip stuk. Ik durf ook niet over zijn schouder te kijken. Er komen op Java nauwelijks slangen voor, maar in gedachten zie ik de verschrikkelijkste exemplaren: een reusachtige python of een cobra; misschien is het een giftige boomslang? En is hij vlakbij? Volgt hij ons? Wat duurt het lang voor Hardjònò weer uitademt. Weer die zachte druk. Ik moet achteruit. Twee passen, drie passen en dan ineens is er een snelle beweging die me meetrekt.
'Draaien en rennen! Zo hard je kunt, Thomas!' Ik let niet meer op glibbergrond, maar ren voor mijn leven. Het zweet gutst van mijn lijf af. Ik doe mijn best Hardjònò voor te blijven, hij blijft in de gevaarlijkste positie tot we veilig zijn.

Kapot laat ik me even later tegen de stam van een flinke kanariboom vallen. Hardjònò slaat lachend tegen mijn schouder aan. Ook hij kan niets zeggen vanwege de ademnood, ik krijg kloppen op mijn rug. Dat was rennen, alsof er een tijger ons op de hielen zat.
'Wa... wat was er?' krijg ik uit mijn longen geperst. Hardjònò lacht en lacht maar. Ik snap het niet en het maakt me wat argwanend.
'Je was bang, hè? Zeg het maar eerlijk,' hijgt hij en wijst met zijn vinger naar me.
'Natuurlijk was ik bang.' Ik houd mijn armen omhoog. 'Waarom moesten we eigenlijk zo hard rennen? Ik bedoel, die slang kan toch niet...'
Hij geeft geen antwoord. 'Zag je iets anders of zo?' Geen zinnig woord krijg ik eruit.
'Jij was zelf ook bang,' zeg ik. 'Maak mij maar niks wijs, Hardjònò.'
Hij blijft lacherig en ontwijkt mijn kritische blik.
'Wat was het eigenlijk voor een slang?'
Hij ligt alweer dubbel van de lach. Waarom zegt hij nu niet even iets.
'Je hebt me toch niet voor een slang zo laten rennen...' Ik loop bij hem weg. 'Dat kan helemaal niet, een slang rent niet...'
'O ja, er was een slang, Thomas! Een geringde slang,' zegt Hardjònò nu. 'Ik dacht eerst een boomslang, maar deze had een rode puntstaart.'
'Was hij giftig, denk je?'
'Dat gaan we mijn vader vragen,' zegt Hardjònò. 'Die weet het vast...' Hij komt op me af en wil me vastpakken. Maar ik ontwijk hem.
'Als je maar wel weet dat ik heus niet blijf wachten tot je vader thuiskomt,' wijs ik zijn voorstel af. 'En zeg op nu... waarom moesten we zo rennen... Anders ga ik direct...'

'Ach toe, Thomas, je gaat toch wel eventjes met me mee.'
Dit doet hij nu altijd. Hij wil me altijd langer bij zich houden dan ik wil blijven. 'Je weet dat mijn moeder het zo gezellig vindt dat je er bent.'
'Ja, en jij weet hoe gezellig ik het vind als jij eindelijk eens bij mij komt,' val ik ineens uit. 'Jij hebt nog nooit mijn koffergrammofoon gezien! Ik heb hem al een half jaar, Hardjònò! Jij komt nooit bij mij. Het lijkt wel alsof je denkt dat we schurft hebben.'
Hij schrikt van mijn uitval.
'Ben je boos, Thomas?'
Ik snap het zelf ook niet. Nog geen kwartier geleden beschermde hij me met zijn eigen lijf tegen dat slangenbeest. Maar hij liet me ook mijn longen uit mijn lijf rennen voor niks... Hij lacht maar en ik weet niet waarom. In het bos moet ik op hem vertrouwen, maar buiten het bos? Op school? In het zwembad, als vrienden onder elkaar... Het ergert me dat ik altijd bij hem moet komen en dat hij altijd wil dat ik langer blijf. Ben ik daarom boos?
Nee, dat is het ook niet helemaal... Ik begrijp soms niets van hem. Ik recht mijn rug, voor vanmiddag heb ik het wel gezien.
'Laat maar zitten!' mompel ik. Hoe zal ik hem iets uitleggen dat ik zelf niet snap.
'Thomas!' Ik hoor ongerustheid in zijn stem.
'Ik vind de weg zelf wel!' roep ik terug.

Na tien minuten sjouwen richting de *kampong*, hoor ik hem ineens weer. Hijgend haalt hij me in. Hij zegt niets, maar gooit zomaar losjes zijn arm weer om me heen. Alsof er niets gezegd of gebeurd is. Tien minuten alleen, tien minuten afstand. Lang genoeg om elkaar alweer te missen en de afstand te willen overbruggen. Ik kan niet tegen ruzie. Ik kan ook niet boos blijven. We kijken elkaar aan en

lachen allebei maar wat. Hij knijpt in mijn arm en ik klop op zijn schouder. Ik ben net zo opgelucht als hij.
'Ik kan maar één kopje thee blijven drinken...' zeg ik.

Ik weet niet wat ik ervan denken moet. Mijn vader liet Amat gisteren alle boeken van de kamer zien. Hij schreeuwde dat Amat goed moest beseffen dat er voor een oproerkraaier geen plaats is in zijn huis. Amat speelt hoog spel. Hij leest niet alleen communistische boekjes, maar hij praat die Soekarno ook na. Amat zei gisteren aan tafel dat de Nederlanders de baas over ons spelen. Ik wil er niet naar luisteren, maar hij bestookt me met feiten en cijfers. Hij drukt ze onder mijn neus en zegt dat ik het moet lezen. Ik moet niet geloven wat anderen over Soekarno zeggen, maar het zelf onderzoeken. Daar heeft hij wel gelijk in, maar ik ben er ook een beetje bang voor. 'Lees het zelf wat onze leider ervan zegt, Djònie. Moet je zien wie hier het meeste verdient? De Javaan die zo hard werkt? Wie is rijk op Java? Wie verdient er het meest aan onze thee, onze koffie, onze olie, onze suikers? Wie doet het werk en wie krijgt het geld? Doe je ogen open, Hardjònò!'

2. Sinterklaasavond

5 december 1941

De plaat van Glenn Miller is afgelopen. Ik loop naar mijn draaitafel en wind hem op. Ik zal nog een keer luisteren, misschien helpt het me. Met de drie voor algebra* voel ik me flink belabberd. Wat moet ik ermee? Ik leg het repetitieblaadje op mijn bureau. Een vette rode drie! Straks komt het kerstrapport. Ik hoor mijn vader al zeggen: 'Heb ik het je niet gezegd, Thomas: je hebt geen wiskundeknobbel! Dat wordt niks met al die grootse plannen van je. Je houdt je bezig met kinderfantasie, jongensdromen, maar je bent niet realistisch. Of je wilt of niet: je lijkt op mij! Je hebt meer gevoel voor taal dan voor exact. Word leraar, net als ik!'
Maar ik word geen leraar. Samen met mijn opa in Groningen heb ik andere plannen. Ik ga dezelfde kant op als opa Werkman. Na de HBS ga ik naar Nederland toe. Mijn opa zal ervoor zorgen dat ik naar de zeevaartschool op Terschelling ga. Volgens hem is dat de beste opleiding van heel Europa. Alleen gaat dat niet met een drie voor algebra. Ik moet op het eindrapport gemiddeld een zeven staan op alle wiskundige onderdelen. Ellendige drie! Hoe haal ik die nu weer op? Ik pak het proefwerkblaadje weer op. Formules. Zie je wel, ik heb er niets van begrepen. Het komt allemaal door meneer Van de Heuvel. Die man kan niet uitleggen.
Mijn vader wordt boos als ik onvoldoendes verzwijg. Dat doen lafaards, volgens hem. De straf die hij weet te bedenken voor een laffe zoon is niet mals. Ik moet het hem dus

* wiskunde bestond in die tijd uit algebra, meetkunde en stereometrie

vertellen voor hij het van iemand anders hoort, van één van de andere docenten. Mijn vader geeft namelijk les op mijn HBS.
Een laffe zoon. Wat hoor ik dat vaak van hem. Ik moet altijd oppassen dat ik niet tot die categorie ga behoren. Laf. Ik wil opa nog een keer vragen of mijn vader weleens een slecht cijfer verzwegen heeft. Dat zou pas echt laf zijn! Mij zo op de kop zitten voor iets wat hijzelf ook gedaan heeft. Maar voorlopig kan ik mijn opa niet meer schrijven. Door de oorlog in Nederland ligt alle overzeese post stil.

Ik had het dinsdag meteen moeten zeggen toen ik de repetitie terugkreeg. Of in de loop van woensdag, maar ik stelde het steeds uit. Woensdagavond zou nog kunnen, maar dat was vlak voor zijn vertrek. Mijn vader moest weer naar Magelang voor een militaire oefening. De school ging dicht en wij waren vrij. De sultan vierde zijn verjaardag. Maar de meeste Nederlandse mannen zijn meteen opgeroepen voor militaire dienst. Hier op Java volgen de meeste mensen wat de oorlog in Azië gaat doen. Japan voert al jaren oorlog in China, dat is niets nieuws. Maar het feit dat Japan en Duitsland het zo goed met elkaar kunnen vinden, geeft nieuwe zorgen. Iedereen is bang dat Japan Nederlands-Indië* gaat aanvallen. De Japanners azen al langere tijd op onze olie.

Ik leg mijn repetitieblaadje terug. Ineens weet ik het! Natuurlijk! Ik ga Hardjònò om bijles vragen. Dat ik dáár niet eerder aan gedacht heb. Als hij me helpt, ga ik die formules heus wel begrijpen. In de tweede klas heeft hij me ook al eens flink geholpen. Hij kan het me uitleggen.

* Toentertijd een kolonie van Nederland. Nederlands-Indië bestond uit verschillende grote eilanden, zoals Java, Borneo, Celebes en Sumatra. Vanaf het uitroepen van de onafhankelijkheid (1945) wordt Nederlands-Indië Indonesië genoemd.

Hardjònò is een geniale student. Hij studeert aan onze Nederlandse HBS omdat iemand in hem gelooft en hem een kans wil geven. Op een bijzondere manier, via zijn moeder, heeft hij contact gekregen met een rijke dame uit Nederland. Zij betaalt zijn studie en hij schrijft haar ieder half jaar een verslag. Er zijn niet zo veel Javanen op onze school, maar dat Hardjònò bij ons naar school gaat is volstrekt helder. Zijn cijfers spreken voor zich. En de mijne ook! Verdraaid, ik moet echt dat rotcijfer zien te veranderen, nog voor het kerstrapport.
Ik overzie mijn bureau. Het ligt bezaaid met restanten van mijn knip- en plakwerk naast briefjes met rijmwoorden. Mijn hand glijdt over de troep heen. Boeken, schriften, knipsels. Morgen moet ik gaan opruimen. Vanmiddag moest ik nog gedichten maken voor sinterklaas. Mijn vader, met zijn talenknobbel, maakt altijd de beste gedichten, maar inmiddels kan ik er ook wat van. Dat geldt zeker voor één gedicht...

Hoor ik mijn moeder roepen? Zou ze al willen beginnen? Terwijl mijn vader er nog niet is? Hij kan elk moment thuiskomen. Waarom zouden we niet nog even langer wachten? Ik heb echt geen zin in sinterklaas met zijn drieën. Daar is toch niets aan. Eén gedichtje prop ik ver weg in mijn la, die hoeft niemand te lezen. Daarna loop ik via de *emper* naar onze woonkamer.

'Thomas, we gaan beginnen,' roept Lissie. Ze zit al ongeduldig op de bank te wippen. Mijn moeder komt binnen. Ze draagt zelf het dienblad met drinken. Doela, onze huisbediende in zijn onberispelijk witte kostuum, loopt achter haar met een rieten mand.
'Ja, Thomas, het is al bijna negen uur. Lissie moet straks naar bed,' zegt mijn moeder.

Ik kijk naar de cadeautjes in de mand. Het zijn er veel minder dan vorig jaar.
'Er is niks aan zonder papa,' zeg ik.
'Ach Thomas, toe, maak het niet moeilijker dan het al is.' Ze bedankt Doela vriendelijk. Hij groet ons en wenst ons een prettige avond toe. Hij kan nu naar huis. Mijn moeder doet enthousiast: 'Moet je zien wat Sita heeft gekocht!'
Ik kijk naar de pakjes, maar Lissie ziet wat mijn moeder bedoelt: er is slagroom!
'Chocolademelk met slagroom!' roept Lissie en meteen pakt ze een beker van het dienblad af.
'Smullen! Toe, Thomas, neem ook gauw.' Lissie hapt in een lepeltje vers opgeklopte room.
Ik bekijk mijn zusje van opzij. Haar paardenstaart danst bij alle bewegingen mee. Wat is ze nog een kind. Als zij maar haar cadeautjes krijgt. Of mijn vader er nu wel of niet bij is, maakt haar niets uit. Negen jaar nog maar en zo naïef als de geit van Hardjònò.
Ik ben nauwelijks aan de chocolademelk begonnen, of Lis is al klaar en wil beginnen met uitpakken. We missen vanavond mijn vaders stem, misschien dat mijn moeder daarom het vaste ritueel om eerst samen te zingen, overslaat. Geen 'Zie ginds komt de stoomboot...'

Ik vind het belachelijk, die militaire oefeningen op 5 december. Denken ze nu echt bij het KNIL* dat morgen die oorlog met de Japanners kan uitbreken? Natuurlijk gebeurt dat niet, dat kan ik ze zo wel vertellen. De Jappen dreigen wel, maar dreigen is niet hetzelfde als aanvallen. Ik heb gehoord dat Java het best beveiligde stukje Nederlands-Indië is. Nou dan! Mijn vader kan gerust thuiskomen. Alles beter dan hier in mijn eentje bij mijn moeder zitten. Ze

* KNIL: Koninklijk Nederlands Indisch Leger

heeft zo'n dwingende blik: Of ik even leuk mee wil doen? Of ik om Lissie wil denken...

'Mam, weet u, Annette Havekamp is echt mijn hartsvriendin!' vertelt Lissie enthousiast. Ze duwt mij ondertussen het volgende pakje in de handen.
'Jouw beurt, Thomas, maar eerst het gedicht voorlezen!' zegt ze. Maar ze gaat weer snel verder met haar verhaal.
'We sliepen in een tent in de tuin. O, dat was zo spannend, we hoorden zelfs een uil. Echt waar. Hij was vlakbij. We zijn heel dicht tegen elkaar gaan liggen, met onze armen stijf om elkaar heen. Maar het was niet echt eng hoor... We deden alsof.'
Lissie merkt dat ik ook luister.
'Jij hoort die uil toch ook regelmatig, Thomas?'
Ik grinnik en frutsel met het pakje. Er zitten zes touwtjes omheen, stevig dichtgeknoopt.
'Ik heb vanmiddag jullie tent gezien,' zeg ik. 'Hij is heel mooi gemaakt.' Lissie straalt.
'Hij mag tot oud en nieuw blijven staan van mevrouw Havekamp.'

Ik zag de tent omdat ik vanmiddag bij de tuin van de familie Havekamp iets moest regelen. Sita, onze *baboe*, heeft me van de week geleerd hoe je een wajangpop kunt maken als surprise. Ik heb er eentje gemaakt voor Judith. Zij is de oudere zus van Annette en zit sinds kort bij mij in de klas. Ze is opvallend mooi, leuk, aardig, ze is... Nou ja, ik heb in elk geval heel erg mijn best gedaan op die pop. Er zijn veel symbolen in verwerkt voor geluk en gezondheid. Alle goeds dat ik haar toewens. Het gedichtje voor haar is nu veilig opgeborgen. Wat heb ik genoten van dit geheimzinnige klusje voor sinterklaas: anoniem iets leuks voor een ander doen. Het moeilijkste was om vanmiddag mijn sur-

prise en gedicht onopgemerkt bij de familie Havekamp af te geven.
Doela heeft me geholpen. Hij is bevriend met de tuinjongen van de familie Havekamp. Aan het eind van de middag heb ik het cadeau bij het achterhek aan de tuinjongen gegeven. Die heeft het aan de baboe gegeven en zij heeft het bij de andere cadeautjes gelegd. Vanmiddag was ik er nog zo blij mee. Toen ging ik er helemaal vanuit dat we met z'n vieren sinterklaas zouden vieren. Dit is niks! Drie, misschien wel vier keer, niks.

Het pakje van Lissie heb ik eindelijk open. Wat zou er in zitten? Het is niet groot en het ruikt sterk naar goedkope zeep. Ik merk dat ze op mijn reactie let. Eerst haar gedicht:

Thomas, leuke boy,
sint zegt tegen jou ahoy,
even denken, wat sint jou zal schenken,
een heel jaar je best gedaan,
pas goed op voortaan.

'Nee maar, een auto van zeep? Dat zal lekker wassen,' doe ik enthousiast. 'Wat leuk van je, Lis,' zeg ik. 'Bedankt Sinterklaas!'
'Maar hoe weet je nu dat ik het heb gemaakt?' vraagt Lissie. Ze zit bijna op mijn schoot. Ik knuffel haar even, maar druk haar dan terug op de bank. Háár hoef ik in elk geval niet op schoot te hebben.

3. De eerste spanningen

8 december 1941

Ik word gewekt door onze kippen. Ze krijgen eten van onze tuinjongen. Hun enthousiaste getok dringt mijn slaapkamer binnen. Ik kijk op mijn horloge, hoe laat is het eigenlijk? Ik spring overeind en vlieg mijn bed uit. Waarom heeft mijn vader me niet gewekt? We moeten zo naar school.
Snel naar de badkamer om me te *mandiën*. Vlug vul ik de *gajong*, het waterpannetje, en gooi het water over mijn hoofd. Dat verdrijft de laatste sufheid. Ineens zie ik levensgroot de rode drie voor mijn ogen. Nu kan ik het niet meer uitstellen. Voor we naar school gaan moet ik mijn vader erover vertellen! Ik ben er gisteren mee in slaap gevallen.
Ik schiet in de kleren. Wat gaat hij ervan zeggen? Ik haal een kam door mijn haar. Hoe zeg ik het? De boeken duw ik in mijn schooltas. Ik moet er ook direct bij zeggen dat ik bijles neem bij Hardjònò! Dan ziet mijn vader dat ik de onvoldoende echt wel serieus neem.

Tot mijn verbazing zitten mijn ouders al aan tafel en zijn ze zelfs al begonnen aan het ontbijt. Dat doen ze nooit. Ik voel iets zwaars hangen. Ik wil wat leuks zeggen, maar ik kan alleen aan de drie denken! Mijn ouders reageren nauwelijks op mijn binnenkomst. Ook niet op Lissie die na mij aan tafel schuift. Mama groet ons wel, maar zonder op te kijken. Mijn vader bestudeert een lesboek. Hij is zich nu nog aan het voorbereiden voor school. Hij komt tijd tekort.

Ik moet het hem zeggen. Twijfel zeurt in me: zie je dan

niet, Thomas, hoe druk je vader is? Moet je hem nu ook nog lastig vallen met jouw onvoldoende?
Maar als ik niets zeg... Als ik het nu weer niet zeg....
'Papa.' Ik zeg het te zacht. Niemand hoort het. Het zweet breekt me uit.
'Toe, Thomas, ga eten, zo veel tijd heb je niet meer,' zegt mama, terwijl ze haar boterham in stukjes snijdt. Lissie vraagt iets aan mijn moeder.

Mijn vader kijkt op. Ineens. Hij kijkt me recht aan. Zijn strenge blik verlamt me. Hij weet het. Hij weet het allang. Hij is al boos. Nu zal hij zeggen dat ik een laffe zoon ben die slechte cijfers verzwijgt.
'Zet jij de radio even voor me aan, Thomas,' zegt hij. 'Graag op de nieuwszender!'
Wat?! O, natuurlijk! Hoe kan ik het vergeten? Het is bijna half zeven. Hij wil altijd om deze tijd het nieuws horen. Ik doe mijn best de juiste zender te vinden. Mijn vader houdt niet van een slordige afstemming. Dat geeft gekraak en geruis. Het is een kunst om de radio-ontvangst zo helder mogelijk te krijgen. Dáár ben ik een expert in.
Een bekende vrouwenstem zegt duidelijk:
'Dan volgt nu, dames en heren, eerst een ingelaste mededeling van de landvoogd.' Ik zie mijn ouders opkijken: een ingelaste mededeling? Wat betekent dit? Papa's ogen staan strak gericht op de radio. Mama recht haar rug. Ik blijf op mijn hurken bij de radio zitten.
'Landgenoten, zo dadelijk richt het woord tot u, de landvoogd van Nederlands-Indië, de jonkheer Tjarda van Starkenborgh Stachouwer.'
Het is nog even stil en dan horen we de ernstige stem van de landvoogd. Hoe meer de landvoogd zegt, hoe witter mijn vader wordt.
Er is door Japan een aanval gedaan op de vloot van de

Amerikaanse marinebasis Pearl Harbor op de Hawaï eilanden. De hele vloot is zwaar getroffen. Men vreest duizenden doden en gewonden.
Mijn moeder heeft haar hand op die van mijn vader gelegd, hij wrijft er afwezig over heen.
'Vanwege deze daad van agressie jegens onze bondgenoten,' zo spreekt de stem, 'kondigt de Nederlandse regering in Londen thans aan, dat ons land gezien kan worden als in staat van oorlog met Japan.'
Ik schrik nog meer van het onverwachte lawaai dat ontstaat als mijn vader opspringt van zijn stoel. De stoel valt met veel kabaal om.
'Belachelijk!' roept mijn vader.
'Herman!' Mijn moeder pakt geschrokken mijn vader vast, maar hij schudt haar van zich af.
'Hoor je dat, Ans?' Zijn stem schiet uit. 'Hoor je wat ze doen? Die gekken in Londen verklaren de oorlog aan Japan. Hoe halen ze het in hun hoofd!' Hij graait door zijn haar, het wordt er niet beter door. Ik kom langzaam overeind. Mijn benen trillen een beetje.
'Typisch bureaucratie! Wat denken ze nu? Ons eigen land bezet, en nu moeten wij hier met anderhalf man en een paardenkop die Japanners een lesje leren?'
Mijn moeder dribbelt achter mijn vader aan. Ik druk mezelf tegen de muur, mijn handen spreiden zich langs de lambrisering.*
'Niet doen, Herman,' zegt mijn moeder. 'Beheers je alsjeblieft... toe nou... De Amerikanen zijn er toch ook nog. Onze bondgenoten.'
'Denk dan na!' schreeuwt hij zoals ik hem nog nooit heb zien schreeuwen naar mijn moeder. 'Wie zijn hier eerder? De Amerikanen of de Japanners?'
Ineens zie ik het witte gezicht van mijn zusje. Ze zit er zo

* wandafwerking

verloren bij, ik ga naar haar toe en leg mijn hand op haar schouder. Ze kijkt naar me op.
'Wat is er?' vraagt ze.
'O, lieve help...' zegt mijn vader. Hij doet zo raar. Moet ik iets doen? Water halen of misschien iets zeggen?
Dan verandert zijn houding. Hij slaat zijn armen om mijn moeder heen. Trekt haar tegen zich aan. Hij doet het zo ruw en onbehouwen dat ik even bang ben dat hij haar pijn zal doen.
'Er komt oorlog.' Ik herken amper zijn fluisterstem. 'Oorlog...' Over haar schouder kijkt hij mij aan. Ik schrik bij het oogcontact. Alsof hij mijn hulp zoekt. Ik weet niets. Dan wenkt hij ons, Lissie en mij. Raar, zo onrustig. We komen niet. Zoals mijn ouders nu doen, heb ik nog nooit meegemaakt. Zelfs niet toen oma Werkman onverwachts overleed en we een telegram kregen.

Vraag me niet hoe het mogelijk is, maar een flink uur later zitten mijn vader en ik toch op de fiets. Nu zijn we allebei te laat.
Iedereen heeft haast, auto's toeteren. We moeten uitwijken voor een man die zijn *barang* verliest: er rolt een lege petroleumbus over straat, een kip ontsnapt uit een bamboemand, terwijl sappige tomaten zich rollend verspreiden over het wegdek. Het is altijd druk in het centrum van Jogyakarta. Hoeveel mensen zouden nu al weten wat wij net gehoord hebben voor de radio?

We zeggen niets tegen elkaar, mijn vader en ik. Ik pieker er niet over hem nu nog te vertellen van mijn drie. Laat maar zitten. Mijn vader zei direct al dat hij verwacht nog voor de middag weer een oproep in huis te hebben voor Magelang. Hij denkt dat de school tijdelijk dicht zal gaan, omdat je met alleen vrouwelijke docenten niet alle gaten in het lerarenkorps kunt opvangen. Ik kijk even opzij. Wat ken ik hem nu eigenlijk? Ik weet niet wat ik ervan moet vinden. Het idee alleen al dat hij gaat vechten tegen de Jappen. Ik kan het me nauwelijks voorstellen. In een militair uniform zeker? Neem dan opa Werkman. Opa heeft zijn hele leven bij de Koninklijke Marine gewerkt. Dat past ook helemaal bij het stevige postuur van mijn opa, maar mijn vader...

Het schoolplein staat vol. Leerlingen mogen de school niet in. Mijn vader haast zich naar binnen. Hij zal het vervelend vinden dat hij zo laat is. Er is vast een groot overleg gaande. Ik zie meneer Van de Heuvel ook aan komen rennen. Gelukkig voor mijn vader, dan is hij niet de enige die te laat is.
Waar is Hardjònò? Als we een paar dagen vrij krijgen, kunnen we misschien gaan zwemmen of vissen. En voor algebra moet ik hem ook vragen. Maar terwijl ik op het plein Hardjònò zoek, zie ik elke keer Judith. Ze staat niet ver bij me vandaan te kletsen met Yenny Kochick. Judith's vader, een koffiehandelaar, vond Java veiliger dan Celebes. Daarom is Judith hier komen wonen. Heel verstandig van meneer Havekamp. Ten eerste natuurlijk omdat Java bijna niet te veroveren is, en ten tweede: door zijn besluit zie ik Judith bijna elke dag.
Judith is bevriend met Yenny, de dochter van onze tandarts. Ik vond Yenny altijd het leukste meisje van onze klas. Maar Judith... ze overtreft Yenny. Ze is niet alleen mooier en vrolijker, maar ook een beetje uitdagend zelfs. Ik ben echt niet de enige die graag naar Judith kijkt. Hielke Bakker of Eddi Ram kunnen er ook wat van. Maar ik ben wel de enige van de klas die precies tegenover haar woont!

Bij de grote kanariboom, midden op het schoolplein, ontdek ik Hardjònò. Hij staat wat verscholen achter de boom, samen met een paar jongens die ook uit de kampong komen. Zou hij het al gehoord hebben? Hardjònò weet vaak meer dan ik, over wat er in de wereld gebeurt. Dat komt deels door zijn interesse, deels door door zijn broer, Amat. Amat met zijn communistische voorkeur... Hardjònò vertelt me weleens waar Amat mee thuiskomt. De wildste verhalen over ons, de zogenaamd blanke uitbuitende klasse... Wat een onzin.

Ik ben bijna bij Hardjònò als de rector naar buiten komt, samen met een paar leraren. Ook mijn vader staat erbij. De rector vraagt om stilte. Echt stil wordt het niet. De vogels blijven zingen en stadsgeluiden mengen zich voortdurend met de stem van de rector.
'Ik moet je zo nog iets vragen,' fluister ik tegen Hardjònò.
Hij knikt even.
Ik zie de mond van de rector bewegen, maar versta hem amper. De wind blaast flarden geluid onze richting op.
'School... agressie... leraren... voor onbepaalde tijd...'
Na een tijdje lopen de leraren weer de school binnen. Om mij heen gaat iedereen weer verder met kletsen. Ik geloof niet dat de oorlog indruk maakt. In elk geval veel minder dan vanochtend bij mijn ouders. Misschien is oorlog ook meer een zaak van onze ouders. Wij zijn gewoon weer een paar dagen vrij!
'Hoe stom,' zegt Hardjònò. 'Wat denken ze toch onmisbaar te zijn.' Zijn opmerking verbaast me. Ik hoor iets van cynisme in zijn stem.
'Hoe bedoel je dat?' vraag ik, terwijl we oplopen naar de fietsenhok.
'Ach, laat maar,' zegt hij. 'Ik vind het gewoon niks dat we geen school hebben. En wie weet hoe lang dit gaat duren?'
'Weken!' zegt een jongen die vlak bij Hardjònò woont en een klas lager zit.

'Maanden zul je bedoelen!' vindt Hardjònò zelf.
'Ga nu toch gauw,' zeg ik. 'Hooguit een paar dagen. Langer dan een week gaat dit vast niet duren. Die Jappen zullen nog raar op hun neus kijken als ze Java aanvallen... En... natuurlijk gaat de school dicht, Hardjònò.'
We kijken elkaar even aan. Ik voel dat hij iets voor me verzwijgt.
'Je snapt het toch zelf ook wel,' houd ik aan, 'een paar vrouwen kunnen toch niet de hele HBS draaiend houden?'
'Laat maar. Wat wilde je me nog vragen?' gooit Hardjònò het over een andere boeg. Hij heeft zijn fiets al te pakken en bindt zijn schooltas achterop vast.
'Ik heb een drie van Van de Heuvel gekregen.'
'Een drie? Op die repetitie over de toepassing van formules?' Hij schiet in de lach. Dit is een cijfer dat hij nooit zal halen. 'Dat is heftig, Thomas, en nu?'
'Ophalen natuurlijk. Dat is voor mij de reden waarom de school niet te lang dicht moet zijn. Voor het kerstrapport komt, wil ik een herkansing krijgen. Ik ga er zelf om vragen bij meneer Van de Heuvel.'
'Maar die zit toch ook bij het KNIL?' zegt Hardjònò.
'Toe nou, Djonie, denk na!' Ik houd zijn stuur vast. Zijn wiel klem ik tussen mijn benen. 'Dat cijfer moet omhoog. Wil je me helpen? Net als vorig jaar. Als jij me wat bijles geeft, geloof me, dan haal ik het op, zodra dit oorlogsgedoe voorbij is.'
Zijn ene wenkbrauw staat een stuk hoger dan de andere.
'Je onderschat het, Thomas,' zegt hij zacht.
'Wát? Die formules?'
Hij kijkt me niet aan zoals anders. Hij praat tegen me, terwijl hij naar de grond kijkt. Wat heeft hij toch? Is hij opeens verlegen?
'Die formules zijn een makkie! Ook voor jou, als je het maar even door hebt.'

'Ja precies, als je het door hebt... Dat is het nu net!' mopper ik. 'Ik heb ze niet door.'
Ik probeer Hardjònò te begrijpen, zowel de dingen die hij zegt, als ook de dingen die hij niet zegt.
'Ik ga je wel helpen. Het is niet zo moeilijk als Van de Heuvel beweert. Kom je na het weekend bij me langs, als we nog vrij zijn...'
Opnieuw roepen zijn vrienden dat hij moet opschieten.
'Wacht!' zeg ik. 'Hardjònò, ik begrijp je nog niet. Wát onderschat ik dan, als het niet die formules zijn!'
Hij kijkt alle kanten op, behalve de mijne. Zijn handen wringen ongedurig om het stuur.
'De dingen die gaan komen,' zegt hij zo zacht dat ik hem bijna niet kan verstaan. Ik kom nog wat dichterbij. Geen oogcontact, terwijl ik vlak voor hem sta. 'Er gaat zo veel veranderen, Thomas.' Hij weet iets wat ik niet weet. Verzwijgt hij iets belangrijks voor me? Dit is me nog nooit overkomen met hem.
'Wil je beweren dat onze school zonder Nederlandse leerkrachten wel kan doordraaien?' Het lijkt me zelf te dol voor woorden.
'Nee!' Hij zucht even. 'Laat nu maar, je begrijpt het toch niet,' zegt hij.
Ik voel me een echte tòtòk.

Ik lees ze, boekjes over Soekarno en Hatta. Publicaties over hun idealen. Ik las zelfs over een Nederlandse man, Douwes Dekker. Hij heeft zich jaren geleden al uitgesproken voor een betere verdeling van de rijkdom van ons land. Zelfs een Nederlander...
Sinds ik dit gelezen heb, knaagt er iets: het ís toch ook oneerlijk? Kijk dan zelf naar de verhoudingen! Spelen ze niet de baas over ons? Nee, niet Thomas! In ieder geval niet Thomas. Maar zijn vader dan? Wie heeft het geld, wie de

macht, wie het aanzien? De blanke plantagehouder waar mijn vader werkt, of de blanke vrouwen voor wie mijn moeder verstelwerk verzorgt? Wie heeft het hier voor het zeggen? Javanen of Nederlanders? Nederlanders en de Indo's, de hielenlikkers die er alles aan doen om maar zo Hollands mogelijk te zijn op Java... Waar kan ik als Javaan nog trots op zijn?

4. Amat Batam

7 januari 1942

Ik heb me nooit afgevraagd waarom ik de enige in de klas ben, die weleens bij Hardjònò thuis komt. Toch is het zo. Net zoals het ook een feit is dat ik Hardjònò maar niet kan overhalen een keer bij mij thuis te komen.
De kampong waar Hardjònò woont, is voorbij de grote *kali* die Jogyakarta in tweeën splitst. Ik cross over het slingerpad. Hardjònò gebruikt altijd deze sluiproute als hij naar school fietst. De kampong ligt een paar kilometer uit het centrum. Ik trap stevig door. Het is nu droog, maar dat zal vast niet zo heel lang meer duren. We zitten midden in de regentijd.
Het is al de derde keer dat ik naar Hardjònò ga sinds school dicht is. We hebben geen kerstrapport gekregen. Ik heb nu nog meer kans mijn drie op te halen. Dat is een meevaller voor me. Door de bijlessen van Hardjònò begin ik al meer van dit lastige hoofdstuk te begrijpen.
Hij moet opgehaald worden, die drie! Want hoe dan ook, ik zal naar die zeevaartschool gaan. Het lijkt me zo mooi om ooit met mijn opa's schuit te mogen varen! Op de meren in Friesland. Als ik eenmaal de papieren op zak heb voor stuurman of kapitein kom ik terug naar Java. Hier in Java draait alles om de zeevaart! Ik kan hier bereiken wat ik maar wens: een eigen schip, vrachtvervoer, zeevervoer, pleziervaart, misschien ga ik ooit nog weleens een rederij beginnen.
Hardjònò gelooft weinig van mijn plannen. Hij praat soms net zoals mijn vader, alleen maar omdat ik wat moeite heb met algebra.

‘Volgens mij zoek je je toekomst in de verkeerde hoek,’ vindt Hardjònò. Ik luister niet naar hem. *Waar een wil is, is een weg*, zegt mijn opa altijd. En ik wil! Ik wil ontzettend graag. Daarom zal het gaan lukken ook.
Opa staat op een foto, in uniform. Een brede man, stevige nek, bolle kop met een grote witte snor. Ik was net tien toen hij me de foto gaf. Opa is een man, zoals hij me zelf toen vertelde, die gewend is commando’s te geven.
Als ik dat vergelijk met mijn vaders werk: lesgeven en proefwerken nakijken, dan weet ik wel wat ik later wil gaan doen. Opa is tien keer stoerder dan mijn vader. Nee, mijn vader lijkt al evenmin op zijn vader, zoals ik niet op hém lijk.
Maar mijn plannen moet hij serieus nemen. Hij mocht van zijn vader toch ook worden wat bij hem paste. Nou dan! Waarom laat hij me niet mijn eigen weg zoeken. Ik wil niet op hem lijken.

Ineens krijg ik door hoe hard ik aan het fietsen ben. Het zweet gutst van mijn voorhoofd af. Gelukkig, ik ben er al bijna. Daar is de grote waringinboom. Hier ga ik rechtsaf.
Ik haal een groepje koelies in. De kampong ligt dicht bij een grote suikerplantage. Veel mannen en vrouwen uit de kampong werken daar. De vader en twee oudere broers van Hardjònò werken er ook. Volgens Hardjònò tegen een hongerloontje, hoewel hij volgens mij nooit honger heeft.
Ik ontwijk de diepe kuilen, glibber langs een modderpoel. Een paar keer moet ik flink bellen voor de beesten op de weg. Alles loopt maar los, van varkens tot kippen. Vooral met die laatsten moet je goed uitkijken. Die rennen zo tussen je spaken.

In de verte zie ik het schuine pannendak van het huisje waar Hardjònò woont. Het erf van de familie Batam is altijd

keurig geveegd. Zodra ik mijn vriend zie, begin ik als vanzelf te lachen. Hij doet hetzelfde, zo gaat dat tussen ons. Hij is bezig met zijn moeder in het tuintje. Het is een klein lapje grond, zoals de meeste mensen hier dat hebben. Ze verbouwen er wat groenten en kruiden voor eigen gebruik. Hardjònò wil wuiven, maar hij heeft zijn handen vol. Mevrouw Batam houdt hem haar mand voor, zodat hij zijn handen kan legen. Ik zie ze bezig. Hardjònò over zijn moeder gebogen. Wat een verschil in lengte tussen die twee. Mevrouw Batam is één van de kleinste vrouwen die ik ken, maar ook één van de aardigste Javaanse vrouwen.
Nu springt Hardjònò over de heg die hun gewassen moeten beschermen.
'Thomas!' groet hij opgewekt. Ik rij met mijn fiets recht op hem af en hij grijpt mijn stuur beet. Ik groet mevrouw Batam. Of ze nu in de tuin werkt of dat ik haar tegenkom op de markt of ergens in de stad, ze draagt altijd een kleurige sarong.
'Kijk, Thomas!' zegt ze vriendelijk. Ze toont me de mand met de oogst van deze middag: tomaten, komkommers, een paar aubergines en wat pepers.
'Nu ga ik gauw thee voor jullie maken,' zegt mevrouw Batam. 'En je moet me zo dadelijk alles vertellen, Thomas, vooral hoe het met je moeder is.' Met vlugge pasjes loopt ze het huisje in.
Wij volgen haar niet naar binnen. Vanaf de kleine veranda zien we wolken overdrijven.
'Zou het droog blijven?' vraag ik. 'Ik zou nog wel even naar het bos willen, of naar dat ene plekje waar je lekker kunt zwemmen. Het is bloedheet!'
Het maakt niet uit wat we doen, praten kunnen we overal. En we discussiëren heel wat af samen.
'Zie je die natte plek daar bij de buren?' Hardjònò wijst naar de grond op het erf van het buurhuisje.

'We hebben vanochtend hun oude haan geslacht. Dat was me toch een beest om te slachten.' Hij begint me meteen te vertellen hoe de slacht in zijn werk is gegaan en vergeet mijn vraag te beantwoorden. Om eerlijk te zijn luister ik zelf ook maar half. Ik tuur tijdens zijn verhaal over de haan die zonder kop zeker tien minuten bleef doorrennen, veel naar binnen. Een onbeleefde gewoonte van me. Elke keer als ik hier ben, ga ik vergelijken. Alles is zo anders dan bij ons thuis, kleiner. Het ruikt hier lekkerder, geuriger. Het voelt ook anders. Ze gaan anders met elkaar om dan wij. Soms denk ik dat er ruzie is en dan zegt Hardjònò dat er niets aan de hand is. Bij ons thuis doen wij soms alsof er niets aan de hand is, terwijl er wel ruzie is.
Ik kijk naar de rieten mat op de vloer. De vloer zelf bestaat uit aarde, dat elke dag wordt geveegd. Het huis heeft maar een paar kleine vertrekken. Toch is het allemaal heel netjes. Hardjònò slaapt met een paar broers op één kamer.

'Wie heb je daar bij je?' hoor ik. Zijn vader is thuis. Dáár heb ik niet op gerekend.
'Thomas Werkman, vader,' antwoordt Hardjònò. Hij haalt zijn schouders naar me op. Hij weet dat ik een beetje bang ben voor zijn vader. Meneer Batam is geen Javaan, maar een Madurees.
'Laat hem binnenkomen,' hoor ik Hardjònò's vader zeggen.
Ik buig me om door de lage deuropening naar binnen te gaan. Tot mijn grote schrik zit naast Hardjònò's vader ook Amat aan tafel.
'Dag meneer Batam,' zeg ik zacht.
Er volgt een korte, stuurse groet. Meneer Batam lijkt altijd boos te kijken. Dat is zijn uitstraling. 'Hij kan niet anders,' heeft Hardjònò me een keer uitgelegd. Madurezen zijn nu eenmaal een temperamentvol en strijdlustig volk. 'Hij bedoelt er niets persoonlijks mee, Thomas.' Maar ik vergeet

het steeds als ik vlak voor meneer Batam sta.
'Jij wilt toch ook suiker in de thee, Thomas?' vraagt mevrouw Batam. 'Drie of vier schepjes suiker?'
Ik moet lachen om haar vraag.
'Mag het ook twee schepjes zijn?'
'Twee maar.' Ze geeft me een knipoogje. Javanen zijn zulke zoete kauwen.

'Je vader...' zegt meneer Batam.
Waarom tikt hij zo met zijn vingers op de tafel?
'Je vader is zeker weer weg? Hebben jullie al iets van hem gehoord?'
Zo gaat het al weken. Iedereen wil weten of er al nieuws is van het front.
'Nee meneer, we hebben nog niets gehoord.'
'Hmm.' Het tikken gaat door.
'Ik vind het zo naar voor je moeder,' zegt mevrouw Batam. Ze zet de thee op de tafel neer.
'Hmm,' meneer Batam schraapt zijn keel.
'Het gaat ze toch niet lukken,' zegt Amat ineens. Hij kijkt me niet aan. 'Jullie zullen ze heus niet kunnen tegenhouden en wij zijn er ook nog.' Ik weet het zeker dat hij het tegen mij heeft. Hij praat snel, gejaagd, zonder me aan te kijken.
'Amat!' zegt Hardjònò.
'Zwijg jij, met je domme gezwets,' roept meneer Batam. Hij heeft zijn hand al opgeheven. Gaat hij Amat slaan? Ik zou de kleine kamer wel uit willen gaan. Ik voel me teveel in een familiecrisis.
Amat zwijgt niet. Waar haalt hij de brutaliteit vandaan? Nota bene in bijzijn van zijn vader en moeder snauwt hij: 'Wacht maar af, je gaat het allemaal zelf zien.' Deze keer kijkt hij me wel aan, zijn ogen gloeien van haat.
Meneer Batam staat al. Zijn vuist vliegt op Amat af, maar

die duikt net op tijd weg. Amat rent naar de deur. Zijn stem trilt van boze emoties. Priemend richt hij zijn vinger op mij: 'Let jij op mijn woorden! Ze komen. Dat houdt je vader niet tegen. Ze zullen alles terugpakken wat jullie geroofd hebben en het ons teruggeven. Alles!'
Mijn rug voelt klam aan. Alsof een nare koelte me doet huiveren. Ik kijk van de één naar de ander. Wat moet ik hiermee? Wie kan me dit uitleggen? Waarom haat Amat mij, wat heb ik hem gedaan?
Meneer Batam stuift Amat achterna. Ik hoor hem schreeuwen dat Amat excuus moet maken. Mevrouw Batam staat met haar rug naar ons toe. Ik zie hoe ze met een puntje van haar sarong haar ogen droogwrijft.
Hardjònò duwt me naar buiten. Weg van zijn ouders die zich zo schamen voor hun zoon. Alle goede gewoonten zijn door Amat overtreden, terwijl de *adat* zo belangrijk is.

5. Alles wordt anders

8 maart 1942

Java is gevallen. Ik kan het niet geloven. Zelf heb ik nog geen Jap gezien, nog geen kogel horen fluiten. De radio zei vanmorgen dat ze een laatste bericht voor ons hebben. Hoe kan dit nu? We waren zo sterk. Wij met elkaar. Wij, de geallieerden. De Amerikanen, de Engelsen, de Australiërs. Kille woorden worden uit de radiokast gespuugd. Ik durf mijn moeder niet aan te kijken. Ze is lijkbleek. Rillingen lopen over mijn rug. Ik heb kippenvel op mijn armen, terwijl het minstens dertig graden is.

'Na acht dagen hardnekkige tegenstand moesten we ons overgeven. Het is nooit de bedoeling geweest dat we alleen tegen een dergelijke overmacht zouden vechten – hulp bleef helaas uit. Zo meteen zullen de Japanners Bandoeng binnentrekken. Het Nederlands-Indisch leger houdt op te bestaan. God zegene onze koningin, ons vaderland, ons dappere leger. Wij zullen voor het laatst het Wilhelmus laten klinken en dan zal deze omroep zwijgen.'

De bekende klanken van ons volkslied maken me misselijk. De Jappen hebben van ons gewonnen. Mijn moeder grijpt mijn hand vast.
'Thomas, ik voel me niet goed.'
'Ik ook niet.'
We zitten tegen elkaar aan geplakt. Ik heb mijn armen stijf om haar heen geslagen. Zo deed papa het ook, toen... die laatste keer bij het ontbijt.
'Stil maar mama, het komt wel goed, toch?'

'Hoe zou het nu met papa zijn?' huilt mijn moeder. 'We hebben verloren. Waar is hij nu?'
Ik probeer haar tranen weg te vegen. Af en toe wordt alles bij mij ook wazig. Ik ben blij dat Lissie nog slaapt. We blijven een hele poos zo zitten, ook als de radio allang is stil gevallen.

Later die morgen begin ik weer over mijn vader. Ik vraag mijn moeder:
'Zal papa nu snel naar huis komen? Ik hoop het zo.'
'O, Thomas!' Ik hoor een verwijt. 'Hoe kun je dat nu vragen? Ze hebben hem vast gevangen genomen.' Ik zie haar lip trillen. Als ze nu maar niet weer gaat huilen.
'Misschien is hij ontsnapt of ergens ondergedoken,' probeer ik nog.
'Ja, of doodgeschoten of gewond. Die Jappen zijn zo wreed...' Mijn moeder slaat haar handen voor haar mond en stopt midden in haar zin. Ik zeg niets meer. Ze wil de ontbijttafel in orde maken. Ik zie dat ze diepe borden gebruikt en de lepels terug legt in de la. Ze herhaalt wel drie keer: 'Wat heb ik nu nog nodig?'
Ineens zegt ze: 'Je weet toch wel wat ze op Borneo hebben gedaan en in Solo. Ach, kijk mij nou met dat bestek in de war zijn. Ik heb messen en vorken nodig en geen diepe borden.' Met veel lawaai, iets Wat ze Doela nooit zou toestaan, ruilt ze de borden om.
'Nee, je vader komt nog niet thuis. Voorlopig zien we hem hier niet...' Ze loopt bij me weg. Even denk ik dat ze me vergeten is, maar dan zegt ze dat ik niet meer over hem moet praten en zeker niet waar Lissie bij is.

Werken! Niet zeuren, maar aanpakken. Opa's woorden. Dat ga ik doen. Ik merk dat hij gelijk heeft. Hard ploeteren in de tuin doet me ontzettend goed! Ik besteed er de hele

morgen aan. Wroeten in zwarte aarde. Onder mijn nagels zitten zwarte randen. Ik verander van een schooljongen in tuinjongen. Onze eigen *kebon*. Hetzelfde overkomt mijn moeder: van een welvarende dame is ze veranderd in onze wasvrouw, schoonmaakster, strijkster, naaister, kokkie. Alles!
Vorige maand heeft ze al ons personeel moeten ontslaan. Er is geen geld voor hun salaris. Er komt al een tijd lang geen stuiver meer binnen. Een dubbele baan heeft mijn vader, maar geen inkomen! Noch van school, noch van het KNIL.
Geld is een groot probleem. Ik merk het aan zo veel dingen. Daarom werk ik hard in de tuin, ik verzorg de kippen, raap de eieren, besproei onze planten. Ik repareer het dak. Onze schutting heb ik verstevigd nadat hij tijdens een harde wind was omgewaaid. Ik plak de band van Lissie's fiets. Je wordt reuze handig in zo'n oorlog.

De middag heb ik nodig om de eerste gewassen te poten. Het is een idee van Sita om zelf groenten en kruiden te gaan verbouwen. Zij geeft me instructies en ik voer het uit. Tijdens het werk laat ik mijn gedachten de vrije loop. Verloren. Capitulatie. Maar hoe gaat het verder? De school? Komen de leraren wel terug? Ze kunnen de school toch niet dicht laten? Ik wil er weer naartoe. De HBS is maar een tussenstap. Hoeveel tijd verlies ik met de oorlog? Die drie van algebra staat er nog steeds. Ik krijg niet eens de kans te laten zien dat ik nu wel de toepassingen van de formules onder de knie heb. Dankzij Hardjònò heb ik het helemaal onder de knie gekregen. Nu wil ik verder.

Het laatste contact bij Hardjònò was niet echt leuk. De invloed van Amat op mijn vriend bevalt me niks. Terwijl Amat zich zo onbeschoft gedroeg, zei Hardjònò achteraf

Amat wel te kunnen begrijpen. Dat sloeg alles!
'Hoe kun je dat nu zeggen?' vroeg ik hem.
'Thomas, er is echt heel veel scheef gegroeid in dit land. Vooral in de verhoudingen tussen blanken en Javanen. Er heerst hier op Java zo veel onrecht. Pas als je ogen daarvoor open gaan, dan zie je het ook.'
'Zeg eens iets anders dan dat ik beter uit mijn doppen moet kijken!' heb ik hem verweten. Hij wilde meer argumenten aanvoeren, maar ik had oog noch oor voor beschuldigingen over Nederlanders. Scheve verhoudingen? Het is Hardjònò zelf die niet bij mij thuis durft te komen. Hoe kan hij dan weten hoe Sita en Doela bij ons behandeld worden?
We hebben steeds minder contact. Het is net alsof hij zich van mij terugtrekt. Soms bekruipt me de angst hem te verliezen. Het komt allemaal door Amat en die boekjes en propagandablaadjes over Soekarno en zijn verboden partij. Hardjònò leest dat spul ook. Ik mag toch hopen dat hij die onrealistische plannen van de communisten wel doorziet?

Als het avond wordt, ga ik me wassen. We gaan zo eten. Ook het eten is sterk veranderd. We eten 'goedkoop', met weinig vlees en weinig groenten. Sita is het enige personeelslid dat ons trouw is gebleven. Zelfs zonder betaling wil ze mijn moeder blijven helpen in de keuken. Als ik nu mijn opa zou moeten schrijven, schreef ik hem:
'Beste opa, momenteel geen HBS, maar tropische tuinbouwkunde; mijn docente is Sita, onze baboe.'

Pas aan tafel valt me op hoe moe mijn moeder eruitziet. Haar hoofd steunt op haar handen.Het eten ruikt lekker. Dat hebben we te danken aan Sita, die weet met weinig het smaakvolste gerecht te maken. Het doet me wel iets dat Sita zonder betaling mijn moeder werk uit handen neemt.

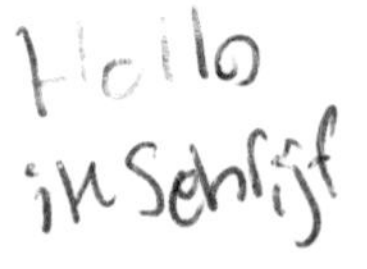

Vanmiddag is mijn moeder nog naar het ziekenhuis geweest, waar ze als vrijwilliger werkt. Ik wilde dat ze thuis bleef en ging rusten.
'Ze rekenen in het ziekenhuis op me, Thomas. Er moeten noodverbanden gemaakt worden.'
'Maar als u moe bent, dan hoeft u toch niet te gaan,' zei Lissie.
'Maar ik wil het juist wel doen. Stel je voor dat het noodverband voor je vader is. Het is gewoon belangrijk dat we als vrouwen dit voor het ziekenhuis doen.' Ik zag Lissie bezorgd naar mijn moeder kijken.
'Misschien is papa niet gewond, hoor,' zei ik snel om Lissie op te beuren.
'Nee, misschien is hij allang dood,' zei Lissie toen.
'Lissie! Zoiets mag je niet denken,' riep ik meteen.
Mijn moeder stond op en rende de eetkamer uit. Even later hoorde ik het slot van haar slaapkamerdeur.
'Kijk nu wat je ervan krijgt als je domme dingen zegt,' verweet ik mijn zusje.
'Nou, het kan toch,' zei Lissie.
Ze kwam bij me staan. Haar ogen waren vochtig. Ze sloeg haar armen om mijn hals.
'Ach,' zei ik zacht, 'we zijn allemaal ongerust over papa.'

Als ik na een lange dag uitgeput mijn bed op zoek, kan ik niet slapen. Ik lig languit onder de klamboe. Java is gevallen. 'Je weet toch Thomas, wat ze op Borneo en in Solo hebben gedaan?' Op Borneo stonden bij de landing van de Jappen onze olieraffinaderijen in brand. Natuurlijk! Je geeft de vijand toch geen brandstof. Uit wraak hebben de Jappen ter plekke honderden Nederlanders doodgeschoten. Zelfs verpleegkundigen uit het ziekenhuis. In Solo hebben de Jappen de gevangenis open gesteld. Alle criminelen konden vrijuit gaan. Met toestemming van de nieuwe machthebber zijn ze op roofpad gegaan, speciaal bij Nederlanders. Heel wat huizen van blanken en Indo's zijn geplunderd. Verschillende Nederlanders zijn in elkaar geslagen, niemand was er om hen te beschermen. Verschrikkelijke verhalen over deze acties kwamen vorige week al onze kant op. En nu is het ook op Java een feit: de Japanners hebben het hier voor het zeggen. De strijd is voorbij. Ik kan niet slapen. Er klinkt een ritmische dreun in mijn hoofd: verslagen, overgegeven, Java is gevallen... Mijn hoofd is een platenspeler geworden...

6. Japanners

12 maart 1942

Drie eieren hebben de kippen gelegd. Ik wil ze naar de keuken brengen, zodat Sita er wat lekkers van kan maken. Er klinkt een fietsbel op de straat. Over de heg heen zie ik Yenny fietsen. Yenny belt altijd als ze bij ons langs fietst. Ik mag haar graag, ze is vriendelijk en mooi. Maar sinds Judith tegenover me woont...
'Ga je zwemmen?' roep ik.
'Ja, ik haal Judith op. Kom jij ook nog?' roept ze terug.
Mijn duim gaat omhoog. Natuurlijk kom ik! Het zwembad is nog het enige wat leuk is. Ik maak direct haast. In de keuken druk ik Sita de eieren in de handen. Op haar vragen reageer ik nauwelijks. Mijn veldfles vul ik snel met koude thee. Ik ren naar de waslijn en gris mijn zwemspullen eraf. Alles frommel ik in een zwemtas en dan stuif ik het huis uit. Ik wil geen minuut missen, maar op het pad bots ik tegen mijn moeder op. Ze komt net terug uit het centrum.
'Mam,' vraag ik. Wat ziet ze er slecht uit. En haar ogen... Heeft ze weer gehuild?
'Mam, is er iets?' Ik heb mijn hand op haar schouder. Is ze altijd al zo mager?
'Ga je zwemmen?' vraagt ze.
Ik antwoord niet, maar loop weer met haar naar binnen, ze loopt direct door naar haar slaapkamer en wenkt me mee te komen. Behoedzaam doet ze de deur dicht en gaat op het bed zitten.
'Het is heel erg.'
Haar stem is fluisterend. Hees bijna.

'Is er iets met papa?'
Ze schudt haar hoofd.
'Ik hoorde het pas bij de bank.'
Ik ga naast haar zitten. Wat lijkt ze moe.
'Het wordt allemaal nog veel erger dan ik gedacht heb, nog veel erger...' Haar handen houdt ze tegen haar open mond gedrukt. Ze lijkt zo oud.
'Mama!' Toe, ze moet het zeggen.
'Al ons geld is waardeloos geworden!' Ik lees wanhoop in haar ogen. Haar onrustige handen pulken overal aan. 'We hebben echt niks meer.' Ze haalt haar schouders op, alsof ze zelf niet begrijpt wat ze zegt. 'Vanaf morgen kun je alleen met *Nippon* geld betalen. Dat geld moet je eerst bij hen verdienen.'
Ze loopt naar een kleine bergkast. Even later gooit ze brieven voor me neer. Ik herken opa's handschrift. Als ik haar aankijk, beduidt ze dat ik moet kijken wat erin zit. Postwissels! De waarde staat er op: tien gulden, vijf gulden, vijfentwintig gulden.
Mijn moeder komt weer naast me zitten. Ze let niet op me, maar zit bijna ongegeneerd, wijdbeens naast me. Er is niets meer over van mijn keurige moeder.
'Ze zijn van opa Werkman. De laatste postwissel kwam vlak voor de oorlog in Europa uitbrak. Ik heb ze expres verstopt en er nooit met je vader over gesproken.'
'Niet?'
'Ach, je weet hoe hij is, Thomas. Het geld zou meteen gebruikt worden voor een mooiere auto.' Ze glimlacht mat. 'Ik wilde het juist bewaren voor iets speciaals. En juist nu, deze maanden, nu er geen salaris binnenkomt, heb ik het geld zo goed kunnen gebruiken. Ik hoopte dat we hiermee de oorlog zouden doorkomen, maar wat moeten we nu...'
Haar stem breekt ineens.
'Verdraaid, Thomas toch!' Haar hand veegt de wissels van

het bed. De enveloppen vallen op de grond.
'Waardeloos! Ik kan er nog geen brood voor kopen!'
Ik raap ze op.
'Verdraaid!' herhaal ik zacht.

Toch ga ik zwemmen. Mama jaagt me de deur uit. Ze moet zelf bezig met de was. Ik denk dat Judith en Yenny me al ver vooruit zijn, maar tot mijn verbazing haal ik hen in. Dat komt door een flinke verkeersopstopping midden in het centrum. Alles staat daar helemaal stil. Dichterbij merk ik dat de rijweg zo veel mogelijk vrij wordt gemaakt. Iedereen drukt zichzelf op de stoep. Vanaf hier kan ik Judith en Yenny aan de overkant zien. Iemand roept in het Maleis dat iedereen moet buigen voor de nieuwe machthebbers. Ik wil me nog een keer oprichten om de straat uit te kijken, maar een man stoot me aan.
'Niet doen, ze komen er al aan.'
Ik hoor een vrachtauto. Vanuit mijn ooghoeken zie ik soldaten er in staan en daarna volgt een colonne soldaten op fietsen. Allemaal Japanners. Om me heen staat het zwart van kinderen. Ze waaien met papieren Japanse vlaggetjes. Wie heeft ze dat zo snel gegeven? Er klinken overwinningskreten!
'Banzai! Banzai!'
Nu komt de capitulatie dichterbij: Jappen lopen zomaar door Jogya! Niemand zegt: hè, wegwezen jullie! Mijn hart gaat als een gek tekeer. Wat zien ze er raar uit. Zulke korte benen, scheve ogen, vreemde lange flappen aan hun hoofddeksels, geweren, lange bajonetten.
Ik zoek de overkant: als er maar niets gebeurt met Judith of Yenny. Het duurt lang voor de stoet voorbij is. Er staat zweet in mijn handen en ik heb een droge mond...

Als we weer fietsen ontdekken Judith en Yenny mij. Ze

wuiven en wachten even op me. We zeggen niets over wat we net hebben meegemaakt. Eigenlijk zijn we stil tot bij het zwembad. Pas daar, bij de fietsenstalling worden we weer wat vrijer. De meisjes zijn zonder een duidelijke reden lacherig. Ze steken me zelfs een beetje aan. Ze lachen om van alles. Ik begrijp er niets van, maar ga er ook zeker niet naar vragen. Zo snel ik door het poortje binnen ben, zoek ik de jongens op.
'Hè! Thomas!' Ik hoor Eddi Ram al roepen. 'We zijn hier!'
Vanuit het zwembad zie ik de blonde kop van Hielke boven alles uit. De reus van onze klas. Hij zwaait naar me.
'Onze spullen liggen daar op het veld!' roept Eddi. Ik zoek Hardjònò. Is hij er ook? Ik wil hem vertellen wat ik net heb meegemaakt. Ik wil weten hoe hij reageert, maar ik zie hem niet.
Mijn handdoek en zwemtas gooi ik bij de spullen van de jongens neer. Er ligt ook een bal. Straks misschien een partijtje voetballen?
Ik ren naar het water. Ik wil zwemmen, duiken! Het koele water in. Ik wil alles van me af laten glijden. Dat van mama, dat van die 'krompoten'. Ineens word ik onverwacht ingehaald door Yenny en Judith. Ik zie wat ze willen: voor mij het water in duiken, maar dat laat ik niet zomaar gebeuren. Ik maak een spurt om precies vlak voor Judith het water in te springen. Een stevig bommetje met zo veel mogelijk opspattend water. Ik hoop dat ze flink nat wordt en hard gaat gillen.
Ik duik naar de bodem en zwem zo laag mogelijk. Net zo lang als mijn longen het volhouden. Dit is heerlijk! Ik zou als een vis over de bodem van de zee willen glijden. Het is zo stil onder water.
Als ik weer boven kom, moet ik me eerst oriënteren. Ik schud mijn hoofd en haren. Waar is iedereen? Dan ben ik ineens oog in oog met Judith. Ik zie kuiltjes in haar natte

wangen. Wat is ze mooi.
'Wat kun jij lang onder water blijven, zeg,' zegt ze.
'O, ik kan nog veel meer,' roep ik. 'Let jij maar eens op!'
Snel klim ik het bassin uit en kijk of Judith nog op mij let. Ja hoor, ze wuift naar me en Yenny ook. Ik zal haar eens wat laten zien. Terwijl ik de trap naar de hoogste springplank oploop, hoor ik Yenny gillen dat 'Thomas een salto gaat maken'. Prima, nog meer aandacht.
In het water maken andere zwemmers zich aan de kant. Ik spring omhoog, kronkel rond, duik als een speer in het water, kom weer boven met een lach, maak grote wilde slagen om weer aan de kant te komen. Alles doe ik voor één meisje. Judith! Ze moet zien wat ik allemaal kan!

7. Ons zwembad

15 maart 1942

Zonder school zijn de dagen lang en saai. Er is thuis zo weinig te beleven. Lissie is zo veel mogelijk bij de buren en mijn moeder is vaak somber. Ik ben het liefst in het zwembad. Hele middagen lang. Daar zie ik verschillende jongens van school; we zwemmen en zwammen en spelen waterpolo. Vanmiddag wist ik niet hoe snel ik weer weg kon uit huis. Als ik straks thuiskom krijg ik vast te iets te horen over het tuingereedschap dat ik nog niet heb opgeborgen.

'Hé! Moet je daar kijken!' roept Eddi. Ik heb geen zin om te kijken. We liggen net bij te komen van een fanatiek wedstrijdje snelzwemmen. De zon warmt me en droogt mijn lichaam. Ik lig op mijn rug met mijn ogen dicht.
'Niet te geloven zeg, het zijn Jappen!' hoor ik Hielke naast me zeggen. Meteen zijn mijn ogen open. Bij de ingang komen een stuk of zes Japanse soldaten aangeslenterd. Eén van hen is te dik voor het ijzeren draaihekje. Hij klimt over het hekwerk heen.
'Ze betalen niet eens,' zeg ik.
'Wat komen die hier doen?' vraagt Eddi.
'Zwemmen natuurlijk!' zegt Hardjònò, hij ligt tussen Hielke en mij in. 'Wat dacht je anders.'
'Laat ze verzuipen,' zegt Hielke met een volle mond. We eten vers gebakken maïskoekjes van Eddi's moeder.
'Wat een herrie maken die spleetogen,' roept Hielke. ' Waar zit meneer Bodegraven? Hij gaat er toch wel iets van zeggen?'

'Houd je gedeisd, Hielke,' waarschuwt Hardjònò. 'Voor het beledigen van een Japanner kun je een flink pak slaag krijgen.'
'Pardon?' zeg ik.
'Wat ben je goed ingelicht, Hardjònò,' hoor ik Eddi op een nare toon zeggen. 'Door je broer zeker?' Wat weet Eddi Ram van Amat Batam af?

'Moet je zien, ze gaan niet eens naar de badhokjes,' roept Hielke.
'Die zorgen voor verbetering op Java!' smaalt Eddi. Ik zie hem bijna vals naar Hardjònò loeren. 'Zie je je vriendjes daar, Hardjònò? Vanaf nu gratis zwemmen en je uitkleden waar je maar wilt.'
'Nou, ja, waar slaat dit op?' roep ik tegen Eddi Ram. 'Wat heb jij ineens?' Maar hij negeert me en blijft Hardjònò aankijken.
'Verbeteren?' Hielke kijkt voor me langs naar Eddi. 'Man, dit is toch gewoon onbeschoft?'
'Er zijn nu eenmaal mensen die geloven dat de Jappen verbetering meebrengen. Die het toejuichen dat ze hier komen op ons mooie Java.' Die Ram zit gewoon te genieten van onze aandacht. Ik wil er niet aan meedoen. Hardjònò kijkt niet op of om.
'Blij met de Jappen, ga nu toch gauw,' zegt Hielke. Ik vraag me af waarom Hardjònò niet van zich af bijt. Waarom zet hij Eddi niet op zijn nummer?
Eddi roept al weer:
'Er verbetert heel wat, niet waar Hardjònò? Hoe laat is het volgens jou, Thomas?' vraagt Eddi.
Ik kijk op de grote klok die boven de ingang hangt.
'Drie uur!'
'Fout dus, het is half vijf Tokyotijd.'
'Doe niet zo raar,' zeg ik.

‘Wat een onzin,’ roept Hielke. ‘Tijd is tijd, dat verandert niet zomaar.’
‘Het is officieel verboden om Nederlands te spreken op straat of in andere openbare gelegenheden, bijvoorbeeld zoals hier in het zwembad,’ sart Eddi. ‘Zullen we maar in het Maleis verder gaan, voor alle zekerheid...’
Dit sfeertje bevalt me niets.
‘Tòtòks mogen straks ook niet meer naar school.’ Eddi kijkt Hielke en mij aan, de enige blanken.
‘Geloof je het zelf?’ zeg ik. ‘Niet welkom op de school waar mijn vader leraar is...’
‘Zeg dat het zo is, Hardjònò! Jij weet het allemaal toch zo goed?’
Hardjònò zegt nog steeds niets. Zijn hoofd is gebogen, zijn mond verbeten. Eddi gaat er nog eens goed voor zitten. ‘En volgens mij...’ Zijn vinger gaat omhoog, wijzend naar Djonie en mij. ‘Volgens mij kun je die bijlessen van Hardjònò ook wel vergeten, Thomas. Ik zal het wel overnemen van hem!’
‘Je kunt de pot op!’ roep ik kwaad. Wat een rotvent is die Eddi Ram! Hij lacht, haalt zijn hand door zijn natte haar.
‘Dat vriendje van jou zal zich precies houden aan de regels van de Jap. Eén daarvan is dat je een Nederlander geen les meer mag geven.’

Is dit echt waar? Ik kijk Hardjònò aan. Zijn donkere ogen flikkeren fel. Zo kwaad heb ik hem nog nooit eerder gezien. Ineens lijkt hij op Amat of misschien wel op zijn vader. Ik zie iets Madurees in hem. Zijn stem klinkt onvast: ‘Eddi Ram, je weet niet waar je over spreekt.’ Dan kijkt hij me aan. ‘Thomas, ik heb altijd mijn best voor je gedaan.’ Het klinkt verontschuldigend, maar dat is immers niet nodig. Ik geloof Eddi echt niet.
‘Maar natuurlijk, Djonie!’ Ik wil veel meer zeggen. Ik wil

bevestigen, harde woorden wegnemen, ik wil vrienden zijn...
'Lafaard!' Eddi stuift omhoog. Met zijn voet tikt hij tegen de blote schouder van Hardjònò aan: 'Je durft het niet eens tegen Thomas te zeggen!'

'Kijk dat nu!' roept Hielke er doorheen. Hij zit op zijn knieën en rekt zich uit. 'Die Jappen lopen in hun blote kont!'
We zijn even afgeleid. Zes bijna blote jongens springen enthousiast het water in. Ze maken bommetjes, precies zoals wij dat ook doen. Ze gooien elkaar nat, lachen, duiken, borstcrawlen door het water. Het zijn spelende jongens geworden, die Japanse soldaten.
In een rap tempo wordt het zwembad verlaten door de andere zwemmers. Twee Jappen lopen naar de duikplank. Ze dragen alleen een klein lendendoekje voor hun geslachtsdeel, maar van achteren zie je het billenwerk.
Die Jappen vertrouw ik niet helemaal, maar dat vreemde gedoe tussen Eddi en Hardjònò begrijp ik helemaal niet.
'Ik ga weg!' Ik sta meteen op.
'Hoor je dat,' sist Eddi fel. 'Heb je nu je zin, Hardjònò?'
'Toe Eddi, houd alsjeblieft je kop,' zeg ik. 'Zo denkt Hardjònò helemaal niet.'
'O nee, o nee?' Eddi gaat er zelf ook bij staan. 'Omdat hij niet eerlijk is tegen je. Dit is wat je wilt, Hardjònò, zeg het dan tegen Thomas: het Javaanse rijk helemaal voor jullie alleen...'
'Mag ik weten wáár jullie het in vredesnaam over hebben,' roept Hielke.
Hij gaat erbij staan en is meteen de grootste van ons vieren.
'Nee, wacht even, Thomas, laten we dit uitpraten, want ik hoor zo veel onzinnigheid.' Hielke zet zijn handen in zijn zij. Maar ik wil niets meer horen. Waar is mijn tas, mijn

veldfles? Waar heb ik mijn handdoek neergelegd om te drogen?
'Wie heeft er met je gepraat, Eddi Ram,' zegt Hardjònò. 'Je vader soms? Als je het zo graag weten wil: Ja, ik juich de dag toe dat Indonesië onafhankelijk wordt.'
Ik blijf staan, mijn mond valt open. Nooit eerder heb ik Hardjònò iets dergelijks horen zeggen. Onafhankelijk? Zegt hij dat? Ik zie vanuit mijn ooghoeken hoe Eddi Ram vals lacht om mijn reactie.
Dit kan Djonie niet menen. Dit zijn praatjes van extreme inlanders, van nationalisten, van revolutionairen, van mensen zoals, nou ja... zoals Amat.
'Eindelijk de waarheid!' Eddi geniet. 'En vertel er nu ook maar bij dat jullie denken dat die Jappen daar jullie een handje komen helpen.' Eddi gooit olie op het vuur. Hardjònò kijkt niemand aan. Ook mij niet.
'De Nederlanders hebben ons in ieder geval niet geholpen,' zegt hij donker.
'Wat?' Hielke grijpt Hardjònò vast. 'O nee? Dan mag jij mij even uitleggen wat wij hier doen! Mijn vader, Thomas zijn vader en al die andere Nederlanders die hier zijn!'
Hardjònò laat zich heen en weer schudden door Hielke. We letten nauwelijks meer op de Jappen die in het zwembad nog steeds erg luidruchtig bezig zijn. Hardjònò drukt zijn handdoek tegen zijn lijf.
'Jullie zijn hier voor jezelf. Het is pure zelfverrijking,' zegt hij als Hielke hem weer loslaat. Ik kan mijn oren niet geloven. Dit heeft hij niet gezegd. Ik kijk naar hem alsof ik hem voor het eerst zie.

'Hoe durf je dat te zeggen!' Hielke balt zijn vuisten en dreigt er mee. Ik spring tussen Hielke en Hardjònò in.
'Nee, toe nou even, jongens,' zeg ik gejaagd. 'Het is vast anders bedoeld! Toe Hardjònò, je moet beter uitleggen wat

je bedoelt en geen rare dingen zeggen... Jij bent toch geen fan van die Soekarno...'
Hardjònò houdt zijn mond, mijn maag draait even om. Ik knipper met mijn ogen. Ken ik hem niet door en door? Is dit mijn vriend met wie ik drie jaar optrek? Hij zwijgt... en wie zwijgt...
'Jullie zien het zelf!' Triomf in die rot stem van Eddi. 'Zijn broer is altijd bezig met propagandablaadjes van de verboden partij van Soekarno. Ze willen allemaal hetzelfde: Azië voor Aziaten!'
Achter ons springt weer iemand in het water. Ik hoor jongens roepen, maar ik versta ze niet.
'Als jij nu even je kop houdt!' schreeuw ik in paniek naar Eddi. 'En jij moet wat duidelijker zeggen wat je bedoelt, Hardjònò. Zeg iets wat waar is. Zeg dat Eddi liegt!'
'Vuile communist,' sist Eddi.
'Je liegt, Eddi Ram.'
Ik haal diep adem. Zie je wel, ik dacht het al, het is een misverstand. Maar dan hoor ik Hardjònò zeggen:
'Voor jou is communist een ander woord voor rotzak? Dat is te mooi om te geloven, nationalisten of communisten zijn allemaal rotzakken, maar helaas voor je: het is niet waar. Wij zijn geen rotzakken! Het enige wat wij willen is dat Indonesiërs zelf van de rijkdom van ons land kunnen profiteren.'
Hielke kijkt me heel even aan. Ik hoor het bonzen van mijn hartslag, als klotsend water, in mijn oren.
'We gaan voor onszelf en niet langer voor de rijkdom van de Nederlanders of voor verwennerij van die mislukte halfbloeden.'

'Mislukte halfbloeden?' roept Hielke. 'Lieve help, Hardjònò, wat zeg je nu weer?'
Ik sta perplex. Dacht ik dat ik Djonie kende... zoiets grofs

heb ik nog nooit gehoord! 'Wáár heb je het over?' stamel ik. 'Bedoel je daar mensen zoals Eddi en Yenny mee?'
Hij draait zijn hoofd een andere kant op. Verlegenheid? Schaamt hij zich voor zijn woorden? Hij vervreemdt van me, zoals het gezicht van iemand verandert die zich dieper en dieper in het water laat zakken.
'O, wat zijn jullie trots op die zogenaamde beschaving van jullie,' hoor ik hem zeggen. Ik schud mijn hoofd. 'Niemand van jullie weet dat Soekarno al jaren in ballingschap zit, zonder een eerlijk proces.'
Hij slingert zijn rugtas over zijn blote schouder. Zijn handdoek bungelt over zijn andere schouder. 'Dat horen jullie niet van jullie brave vaders. We hebben toch met staatsrecht geleerd over het verdrag van Genéve?' Hij leest ons hier de les, terwijl Jappen spelen in ons zwembad. Mijn geniale vriend.
'Het elimineren van je tegenstander, zonder een eerlijk proces, is een kenmerk van dictatuur. Dat hebben de Hollanders gedaan. Nou dan!'
'Verrotte koelie!' schreeuwt Eddi. Hielke en Eddi stuiven nu samen op Hardjònò af.
'Stop!' gil ik, maar het helpt weinig.
'Koelie? Zei je koelie, Eddi Ram?' Hardjònò's stem schiet uit. 'Kijk naar jezelf!'
Ik ben bang dat Hardjònò zelf ook gaat meppen, wie moet ik dan beschermen tegen wie? Al begrijp ik er niets van, hij is en blijft mijn vriend.
'Duizendmaal liever een koelie uit een kampong, dan zo'n verknipte Aziaat als jij.'
Ik stap even achteruit. Nu is er geen houden meer aan! Eddi mept op Hardjònò's schouder. Hielke scheldt en probeert een klap op Hardjònò's hoofd te geven. Ik werk ze zo veel mogelijk tegen.
'Rennen, Hardjònò,' roep ik. Ik vang de stompen op met

mijn schouder en mijn rug en armen. Hardjònò maakt zich uit de voeten, zo hard hij kan.

8. Hoog is de prijs

Daar staan we dan. Achter me hoor ik het krassende geluid dat de verende duikplank al jaren maakt. Er springt weer iemand. Onbegrijpelijk, die spelende Jappen in het verlaten zwembad. Net zo onbegrijpelijk als de ruzie. Ik wil hier weg. Ik ontwijk de blk van Hielke en Eddi als ik zeg: 'Laat ik ook maar gaan!'
Ze verwijten me niet eens dat ik Hardjònò heb geholpen weg te komen. Ik raap mijn spullen op en loop zonder nog iets te zeggen het veld af. Hielke zegt dat hij ook geen zin meer heeft te blijven. Eddi wil ik niet eens meer aankijken.
Ik loop het grasveld af. Eenmaal uitgekleed in het badhokje, kom ik weer tot mijn positieven. Wat is er aan de hand met Djonie? Ik kan het hier niet bij laten, ik moet achter hem aan. Hij was lopend, als ik opschiet haal ik hem misschien nog in. Hij moet me uitleggen wat hij nu eigenlijk bedoelt. Hij heeft zulke rare dingen gezegd. Dit kan hij niet menen. Als hij het wel meent, zijn we dan nog vrienden? Dan staan we lijnrecht tegenover elkaar. Ik heb mijn hele leven nog nooit iets anders gehoord dan dat we als Nederlanders goede plannen met Java voorhebben. Ook met de bevolking, zeker. Dat we ze aan werk helpen, aan ziekenhuizen, aan industrie. Onafhankelijkheid? Dat is toch net zo bizar als dat Groningen onafhankelijk zou willen zijn. Dát moet ik hem zeggen.

Pas bij de kruising met de Breedelaan, waar Hardjònò richting de kampong moet, haal ik hem in. Ik herken hem van ver. Hij loopt niet hard. Sjokkend en met zijn hoofd gebogen. Hij kijkt amper om zich heen. Zijn zwemtas bungelt

nog aan zijn schouder. Als ik naast hem kom fietsen, doet hij eerst net alsof hij me niet ziet en hoort.
Zijn ogen zijn rood, gezwollen. Zou hij gehuild hebben?
'Djonie, hé... wat was dat nu zo pas? Je zei zulke erge dingen.'
Hij kijkt de andere kant op.
'Dat kun je toch niet menen? Man, ik schrok ervan. Even eerlijk: wat die Eddi Ram zei sloeg natuurlijk nergens op. Dat was onzin, maar wat jij zei... Ik begreep het niet, Djonie. Hé, hallo... ik fiets hier hoor, aan deze kant...'
Hij geeft geen antwoord. Ik kan mijn evenwicht niet langer bewaren. Het fietsen gaat zo langzaam. Ik stap af en loop met hem op. We lopen een poos naast elkaar. Af en toe wijken we van elkaar, omdat we oude vrouwtjes passeren of een groepje kinderen.
Ik zorg meteen dat ik weer naast hem kom te lopen, al lijkt het dat het Hardjònò niets kan schelen waar ik loop.
'Moet je even horen, ik ga niet eerder bij je weg, voor je me antwoordt!' zeg ik duidelijk. 'Je moet het me uitleggen wat je net allemaal hebt beweerd!'
Het duurt nog zeker een kilometer voor hij begint te praten. Pas op de brug over de kali, hoor ik zijn stem weer. Uit zichzelf deze keer. Hij spreekt zacht, ik moet goed luisteren om hem te verstaan.

'Meneer Ram heeft me drie jaar lang laten weten dat ik inlander ben. Een bevoorrechte inlander.'
'Dat is toch ook zo, wat is daar erg aan?' vraag ik.
Zijn ogen gloeien als hij me aankijkt. Waarom begrijp ik het niet?
'Als jij je repetitie terugkreeg, dan zei hij dat je goed gewerkt had, maar tegen mij zei hij elke keer hoe uitzonderlijk het was dat ik als arbeidersjongen van die hoge cijfers haalde. Dat een Javaan nog hoger scoorde dan een Indo of

een Nederlander. Kijk, het was abnormaal. Met de nadruk op abnormaal.'

Ik lach even.

'Maar Hardjònò,' probeer ik, 'Dat zijn toch muizenissen. Het was vast aardig van hem bedoeld. Meneer Ram is best aardig.'

Zijn gezicht krijgt een verbeten, grimmige trek.

'Dat dacht je maar, Thomas.' Zijn stem klinkt afgemeten en bitter. 'Hij deed het al die jaren om mij op mijn plek te zetten. Elke keer weer. Of ik wel goed besefte waar mijn wortels lagen. Ik was het koelie-kind dat kansen kreeg... Ik moest wel heel dankbaar zijn dat iemand mijn onderwijs betaalde. Ik mocht vooral niet klagen. Wat kwam ik zeuren over een beoordeling: mijn cijfer was al zo hoog voor een Javaan. Het is allemaal zo oneerlijk als wat. Ik vrat genadebrood en weet je Thomas... dat smaakt niet.'

Ik wil iets zeggen.

'Niet alleen meneer Ram, maar ook andere leraren konden er iets van. Jij hebt zulke dingen nooit gemerkt, maar ik wel. Ik heb je lang, misschien wel te lang in de waan gelaten dat het hier allemaal pais en vree is op Java. Bij jou pasten niet de verhalen die ik thuis hoorde. Jij hebt geen idee hoe inlanders zich behandeld voelen in de huizen van de Hollanders of op de plantages waar jullie de baas zijn. Kijk maar niet zo... En nu was daar die Eddi. Eddi Ram! Mensenlief, wat een hekel heb ik aan die vent. Hij praat net zoals zijn vader. Je hebt het zelf kunnen horen.'

'Hardjònò, natuurlijk. Ik vond het ook verschrikkelijk wat Eddi er allemaal uitkraamde. Ik geloofde er ook geen woord van. Maar wat jij...'

Ineens blijft hij staan. Zijn hand komt op mijn stuur te liggen. Aan de ene kant is het zo vertrouwd, zoals altijd. Maar zijn ogen zeggen iets anders. Hij kijkt onderzoekend, vra-

gend, maar ook nog iets anders. Is het verdriet? Of is hij bang?
'Thomas, er is zoveel mis met dit land.'
'Dat zeg je me veel te makkelijk,' zeg ik snel.
'Maar het is echt zo. Het feit dat jij niet ziet wat ik zie, dat jij hier een mooi beschermd leven leidt en de armen niet kent noch hun zorgen betekent niet dat het niet waar is wat ik zeg.'
'Hoe bedoel je dat?' vraag ik.
'Neem mijn buurman. Hij heeft altijd hard voor zijn baas gewerkt. Nu is hij al een jaar ziek. Wie niet werkt, zal ook niet eten.'
'Ja, logisch toch...'
'Vind je dat echt, Thomas? Een gezin met zeven kinderen weet niet meer hoe ze hun eten en medicijnen moeten betalen. De baas laat zich niet eens zien bij zijn zieke werknemer. Sterker nog: hij kent hem niet eens!'
In een flits zie ik het vermoeide gezicht van mijn moeder.
'Ik weet heus wel wat zoiets betekent. Als je maar wel weet dat wij sinds een paar maand ook geen inkomen meer hebben...' zeg ik.
'Ja, omdat er nu oorlog is,' zegt hij hard, maar direct laat hij er een stuk zachter op volgen: 'Thomas, alles gaat anders worden hier op Java. Het spijt me voor je.'
Hij wacht even. Ik weet niet wat ik tegen hem moet zeggen. Ik wilde nog dat argument van Groningen gebruiken. Ik wil nog zo veel meer zeggen, maar op de één of andere manier maken zijn woorden indruk. Die zieke buurman ken ik wel en de kinderen ook. Ik kom immers, als enige van onze klas, bij Djonie thuis. Ik kijk op en zie dat Hardjònò me aanstaart.
'We kunnen geen vrienden blijven, Thomas.' Zijn adamsappel beweegt. Zijn hand streelt de mijne. Ik weet zeker dat hij dit niet wil zeggen. Ik weet het gewoon zeker. Hij is

gek, hij is in de war of betoverd.
'Zeg dat niet, Djonie...' pleit ik.
'Ik weet wat ik zeg. Ik weet het heel goed. Ik kies voor mijn vaderland, Thomas. Ik heb er lang genoeg over nagedacht. Ik wil dat we zelfstandig worden. Onafhankelijk.'
In mijn oren klinkt het als vloeken.
'Djonie, nee...' ik schud mijn hoofd.
'Jawel, ik vind het de moeite van proberen waard. Een Indonesië zonder jullie. Uiteindelijk zijn jullie vreemden. Jullie horen hier niet eens. Jullie horen in Europa thuis.'
'Wil jij liever een Java zonder mij?' stamel ik. Hij slaat zijn ogen even neer.
'In elk geval zonder vreemden die hier de dienst uitmaken. Die grote winsten halen uit onze thee, koffie, cacao en olie.' Zijn stem klinkt harder, bijna geforceerd.
'Maar ik dan?' Hij reageert er niet op.
'Ze denken dat we stom zijn, maar Soekarno is een intellectuele man. Een Javaanse denker. Ik geloof hem. Als ik de kans krijg wil ik hem helpen. Ik wil alles op alles zetten in deze strijd om onze onafhankelijkheid te winnen.'
Ik voel me een geslagen hond. Die felle manier waarop Hardjònò tegen me praat.
'Mijn kinderen moeten me later niet verwijten wat ik nu mijn ouders verwijt: ze hebben niets gedaan om het land terug te krijgen in eigen bezit en onder eigen Indonesisch bestuur. Het is een oerdrift, Thomas: vrij zijn!'
'Maar je bent vrij! Je bent even vrij als ik. Het is onzin, Djonie!'
Eén hand op mijn stuur, één hand op mijn schouder. Hij heeft samengeknepen ogen. Zijn mond is een harde lijn en toch weet ik zeker dat hij vecht om zijn emoties voor me te verbergen, mijn vriend...

'Het spijt me Thomas, voor jou. Voor mezelf spijt het me

net zo erg. Je weet hoeveel ik om je geef. Maar ik moet wel. Dit is mijn overtuiging, mijn ideaal. Voor idealen moeten mensen een prijs betalen. Soms een hoge prijs.'
'Ik ben je vriend!' zeg ik. 'Zoiets doe je niet met vrienden...'
Hij schudt zijn hoofd.
'Ga alsjeblieft weg, blijf uit mijn buurt. Ga Java uit! Ga voor mijn part terug naar je eigen land, je vaderland. Nu zal gaan gebeuren wat je niet geloofde toen Amat het tegen je zei: de Jappen zijn gekomen. We zullen strijden tot jullie weg zijn. Wacht die strijd niet af, Thomas: ga en red je leven.'
Mijn mond valt open. Ik kan hem niet volgen.
Zijn handen trekt hij terug. Hij houdt me niet meer vast.
'Djonie...' Hij kan niet zo dom zijn dat hij dit niet begrijpt. 'Denk na: dit is ook míjn land... en wij... we zijn broeders, toch van dezelfde moeder Java?'
Hij legt zijn vinger op mijn lippen.
'Niet meer, Thoom. Zeg alsjeblieft niets meer...'
'Maar waarom? Hardjònò, waarom?'
Hij doet een stap naar achteren. Schudt zijn hoofd en draait zich dan ineens om. Hij zet het op een lopen. Met elke stap die hij zet, groeit de afstand. Het heeft geen zin hem achterna te gaan. Wat voel ik me waardeloos.

9. Eddi Ram

24 maart 1942

Eddi Ram moet beslist niet denken dat hij de plaats van Hardjònò kan innemen! Ik heb wel vaker gemerkt dat Eddi mijn vriendschap zocht, maar ik had aan één vriend genoeg. Nu ziet hij zijn kans. Maar Eddi is geen Hardjònò. En toch, wat Hardjònò nooit één keer gedaan heeft, doet Eddi wel zomaar: hij komt met veel plezier mijn koffergrammofoon bewonderen.
Ze kunnen bij ons in de klas allemaal iets: Eddi speelt gitaar, Hardjònò ukelele, Judith viool, Yenny kan goed zingen en ik kan niks! Maar ik heb iets anders: de koffergrammofoon. Niemand van de klas heeft zoiets. Ik heb zelfs al een kleine verzameling platen. Die doen wat ik niet kan! Muziek én indruk maken!

Eddi zit op de grond. Om hem heen liggen de platen. Elke keer pakt hij weer een hoes op en bewondert het.
'Je hebt 'Over the Rainbow', dat is dé plaat, man! Hij is constant op de radio. Kun je die even opzetten?'
'Natuurlijk.' Ik sta op om de plaat te wisselen. 'Ik draai hem grijs,' vertel ik hem. Glenn Miller wordt behoedzaam van de draaitafel gehaald en ik leg Judy Garland er weer op. Ik wind de grammofoon op en we luisteren geduldig één keer, twee keer, drie keer achter elkaar naar Judy. Eddi neuriet zacht de melodie mee.
Ik kijk naar buiten. Er is nog veel te doen in de tuin. Ineens heb ik het gehad voor vandaag. Eddi mag nu wel weer naar huis. Ik wil mijn moeder nog een poosje helpen.
'Heb jij Judith nog gezien?' vraagt Eddi. Zo gaat het elke

keer als hij hier komt. Wat zeurt hij toch steeds over haar. Hij wil altijd precies weten wanneer ik haar voor het laatst heb gesproken. Ik zeg niets.
'Haar vader is zwaar gewond geraakt.' Nu heeft hij mijn aandacht.
'Ja', gaat Eddi verder, 'tijdens gevechten in de bergen. Ze hebben het over de Tjiaterpas, in de buurt van Bandoeng. Het moet de laatste slag zijn geweest met heel veel doden en gewonden aan onze kant.'
'Dat is erg!'
Hij gaat er nog eens goed voor zitten.
'De familie heeft deze week een kaart ontvangen via het Rode Kruis.'
'Vreselijk,' zeg ik. Zou... Kan het zijn... Zou mijn vader daar misschien ook gevochten hebben? 'Is hij naar een ziekenhuis gebracht?'
Eddi haalt zijn schouders op.
'Ze mogen blij zijn als hij het overleeft. Het is er beslist niet zacht aan toe gegaan. Die Jappen voeren executies uit en dat soort dingen. Het verdrag van Genéve geldt blijkbaar niet voor de *Tenno Heika*.'
Ik zal straks Judith een briefje sturen. Ja, haar laten weten hoe afschuwelijk ik dit voor haar vind. Eddi praat en ik bedenk een tekst:

Dag Judith, wat erg van je vader.
Ik leef met je mee, ~~je vriend~~, (nee natuurlijk niet)
je klasgenoot, Thomas.

'Jullie wonen gelukkig dicht bij elkaar,' zegt Eddi en lacht veelzeggend.
'Ach, ik zie Judith niet veel hoor.' Het irriteert me. Laat hij niet denken dat Judith en ik hele dagen bij elkaar over de vloer komen. 'Mijn zusje Lissie komt wel bij Annette, maar ik niet.'

'Wat doe jij dan de hele dag?' vraagt Eddi. Sinds een paar dagen zijn de scholen weer open, maar wel alleen voor Javanen en voor Indo's met meer dan vijftig procent Aziatisch bloed. Tot nu toe mogen zowel Eddi als Yenny wel naar school. Ik sta op.

'Ik ben in elk geval niet de hele dag bij Judith!'

Eddi lijkt het te begrijpen dat ik uitgepraat ben. Hij staat nu ook op.

'Zeg, Thomas, ik moet weer naar huis.'

Ik loop voor hem uit naar buiten. Zijn fiets staat bij de poort. Eddi treuzelt. Hij staat uitgebreid de jonge tomatenplantjes te bekijken. Waarom loopt hij niet even door. Ik heb geen zin meer in hem.

'De vader van Hielke is ook opgepakt.' Ik schrik. Dokter Bakker?

'Ze pakken iedereen op. Alle volwassen blanken. Kijk uit, Thomas, je hebt je lengte tegen. Straks denken ze dat je al achttien bent.'

'Hallo, ik ben pas zestien.' Is er soms nog iets?

'Hij was toch vrijgesteld van dienstplicht. Hoe kunnen ze dat nu zomaar doen?'

'Ze hebben hem nodig, weet je. Zeker met al die...' Hij aarzelt even. 'Nou ja, hij is ondergebracht bij de andere krijgsgevangen hier in de stad...' Hij kijkt me aan met een blik van 'snap je het al?'

Mijn hoofd draait op volle toeren: Krijgsgevangenen, gewonden, hier in onze stad? Dokter Bakker... mijn vader... Ik kijk hem met ogen vol vragen aan.

'Ze hebben ze gezien. De krijgsgevangenen, jongens van school. Ze herkenden duidelijk leraren van onze school.'

'Hoe weet je dat? Is dat zeker?' Ik kan het bijna niet geloven.

'Gisteren kwam Yenny bij me. Ze heeft Hardjònò gesproken en hij heeft ze zelf gezien. Meneer Van de Heuvel, de rector en ook je vader.'

'Mijn vader! Hier in Jogya! En dat vertel je me nu pas!' Soms begrijp ik niks van die Javaanse omslachtigheid.
'Hardjònò heeft mijn vader gezien?'
'Dat heeft hij tenminste beweerd, maar ik wil je wel waarschuwen. Je weet wie het zegt, Thomas. Hoe betrouwbaar zijn de woorden van zo'n hielenlikker?'
Ik hoor hem nauwelijks meer. Het is zo lang geleden dat ik iets van Hardjònò gehoord heb, ik mis hem zo verschrikkelijk. Hij heeft mijn vader gezien! Ik voel de zon op mijn huid. Er tintelt iets. Hij heeft me een hint gegeven. Dit is een teken van trouw. Natuurlijk. Ik wist het wel. Het zou weer goed komen.
Ik kan altijd al op Djonie rekenen, zelfs nu! Ik kan wel lachen en huilen tegelijk. Mijn vader, Hardjònò heeft mijn vader gezien. Dit moet mijn moeder horen, het allerbeste nieuws sinds maanden.
'Wacht even!' Ik ren weg, op zoek naar mijn moeder.

Soekarno is vrij, maar ik sta niet zo hard te juichen als Amat! Ik mis Thomas. Soms kan ik niet slapen en dan zie ik zijn bleke gezicht weer voor me. Thomas begrijpt onze situatie niet. Japan wel. Die erkent tenminste ruiterlijk dat ons volk leiders kent. Met die leiders wordt nu gepraat hoe Indonesië zelfstandig zal worden. Ze zullen ons helpen en wij helpen hen. Amat heeft zich meteen als hulpsoldaat aangemeld en mijn twee andere broers, Oto en Darbo, staan te popelen om ook onder de wapens te gaan. Arme vader. Hij vindt de oorlog zo erg. Ik wil zelf ook niet vechten. Ik zou niet kunnen vechten tegen iemand met blauwe ogen.

10. Krijgsgevangenen

25 maart 1942

We gaan proberen of we mijn vader kunnen vinden. Eddi en ik fietsen samen door het centrum van Jogya. Er is ook iets in het straatbeeld veranderd: overal zie je op de daken van belangrijke gebouwen de Japanse vlag wapperen. Even beweeglijk als het spiegelei in de lucht, is de drukte op de grond. Mannen duwen hoog opgeladen handkarren voor zich uit. De stoep zit vol met Javaanse vrouwen uit de *desa's*. Iedereen probeert op straat iets te verkopen of te kopen. Handelaren prijzen hun waren aan.

Eddi en ik moeten in de wijk Wirobrojan zijn, aan de overzijde van de kali Tjodé. Het is een wat vervallen en oude wijk. Vanaf de brug gaan we lopend verder.

'Dat geeft ons tijd om goed om ons heen te kunnen kijken,' zegt Eddi.

Ik knik en zet mijn fiets tegen die van Eddi aan. Nooit gedacht dat ik nog zo veel met Eddi zou optrekken.

Mijn moeder draaide gisteren helemaal door. Ze wilde meteen mijn vader opzoeken. Ze wilde hem zo graag zien, maar dat zou veel te gevaarlijk zijn. Ze huilde als een kind toen Sita en onze overbuurvrouw, mevrouw Havekamp, op haar in praatten het niet te doen. Nu ga ik in haar plaats, samen met Eddi. Dat is minder gevaarlijk.

Ik heb een tas met etenswaren bij me. Mama heeft hem propvol gestouwd, ook al betekent dat voor ons minder eten. Maar stel je voor dat ik hem zie en de tas aan hem kan geven.

Ik kijk om me heen. Vervelend dat hier bijna geen blanken lopen. Wel katten en zwerfhonden. Aan de rechterkant van de straat zien we al snel een flink gebouw. Er is een muur om heen, met daarboven pas aangebrachte glasscherven. Daar klim je niet zomaar over heen. Achter die muur hoor ik stemmen, geschreeuw. Ik kan het niet verstaan, waarschijnlijk Japanse commando's.
'Hoe krijgen we ze nu te zien?' zucht ik.
'Geen idee, ze laten ons vast niet toe op het terrein,' zegt Eddi.
Ik dus de tas met etenswaren tegen me aan. Die mag ik niet weer meenemen naar huis. 'Als je papa niet vindt, zorg dan in ieder geval dat de tas bij de gevangenen komt. Anders gooi je hem maar over de omheining heen.'
Ze heeft makkelijk praten. Moet je zien hoe hoog de omheining is en bovendien wordt zo'n actie meteen opgemerkt. Er lopen overal immers mensen.

'Ietsje langzamer, Thomas.' Eddi pakt mijn arm vast.
We komen bij een hek. Hier kun je door het traliewerk wel naar binnen kijken.
'O, wacht even, Thomas, mijn veter zit los,' roept Eddi pal voor het hek. Hij bukt zich meteen en blijft extra lang prutsen met zijn veters. Een paar Japanners staan met hun geweren achter het hek naar ons te kijken. Ik snap de actie. Eerst kijk ik ongeïnteresseerd de weg af en daarna kijk ik even om me heen en natuurlijk ook naar binnen. Niet te opvallend. Wat een mannen en wat lijken ze veel op elkaar. Waar is mijn vader? Ze dragen allemaal hetzelfde groene legeruniform. Waarom zie ik hem nu niet? Ik ben hier speciaal voor hem. Zo veel mannen... Ze zitten op de grond. Ze zitten voor elkaar. Ik kan zo nooit mijn vader vinden. Eddi komt omhoog en fluistert:
'Er zijn ook gewonden. Kijk daar, Thomas, die mannen met

hun verband. Er is ook eentje die niet lopen kan. Rechts van ons. Zie je ze?'
Zit mijn vader daar soms bij?
'Lĕkas, lĕkas!' Betrapt. Er rent meteen een Javaanse jongen op ons af. Hij zwaait met een stok. Om zijn arm draagt hij een band met daarop de Japanse vlag. Hij is een hulpje van de Jappen. We maken dat we wegkomen. Op de meest rustige kant van de omheining waag ik het om de tas over de muur te gooien. Of hij de gevangenen bereikt is onzeker. Of hij in goede handen terecht komt weten we ook niet. Of het briefje van mama voor 'Herman' ooit door mijn vader wordt gelezen...
We gaan weer naar huis. We hebben niets ontdekt of bereikt.
Bij het toegangshek staat een stel mensen te kijken en te dringen. We doen gelijk met ze mee, zonder precies te weten waarvoor. We wringen ons met de ellebogen naar voren. Het hek is open. Er staan Japanners bij met hun sabels en geweren en lange bajonetten. Vanuit het plein wordt een groep mannen het hek uitgejaagd. Als een kudde slachtvee. Het is afschuwelijk om te zien. Wat zijn die mannen bang en onzeker.
'Ze weten niet welke kant ze op moeten,' fluistert Eddi.
'Ik begrijp het ook niet. Wat willen die Jappen van ze?' zeg ik zacht.
Met een dribbelpasje rent iemand vlak voor Eddi en mij langs. Hij doet iets niet goed en krijgt meteen een mep van een Jap die voor ons staat. Zijn gezicht bloedt. Hij rent terug en krijgt even verderop weer een mep van een andere Jap.
Om me heen wordt gelachen, geroepen en gewezen. Het verbijstert me dat mensen hier plezier in hebben. Een enkeling staat met zijn hand voor zijn mond te kijken, net zo geschokt als ik ben.

'Wat moeten ze toch?' vraag ik. Dit is een bruut spelletje!
Eddi wijst voorzichtig, laag achter de rug van iemand anders: 'Daar Thomas, let op die berm. Volgens mij moeten ze daar gaan staan.'
Ik zie dat Eddi gelijk heeft.
'Maar waarom? Ze gaan ze toch niet...'
'Bukken! Naar beneden, buigen!', hoor ik een gevangene roepen. 'Bukken en trekken!'
Steeds meer mensen beginnen het 'toneelstukje' te begrijpen. Ik hoor ze lachen:
'Kijk die blanken grasjes trekken. Het lijken wel geiten!'
Duidelijker hoor ik hoe de mannen elkaar toe roepen: 'Gras trekken! Onkruid wieden.'
'Kambing!' Mijn keel lijkt schuurpapier. Mijn vader? Wordt hij als een geit behandeld?
'Alsjeblieft Eddi, laten we weggaan.'

'Hé, meneer de directeur!' roept een jonge Javaan die vlak bij ons staat. 'Kent u me nog? Ik moest tevreden zijn met een baantje als tuinjongen...' roept hij in het Maleis, 'Nu kunt u zelf zien hoe leuk wieden is!'
Er wordt weer gelachen. Ik duw mensen aan de kant. Wegwezen. Ik word gek hier. Dit wil ik niet meemaken. Iemand schreeuwt dat hij zijn voorman herkent. Waarom is er geen medelijden?
'Vernederen,' fluistert een kleine Javaanse vrouw die ik passeer. 'Daar gaat het om!' Ik durf haar niet aan te kijken als ik haar passeer. Het is net alsof ze weet waarom ik hier ben. Ik voel haar kleine hand even licht op mijn rug. 'Ga naar huis, jongen!' zegt ze zacht. Ik raak Eddi even kwijt in de drukte. Paniek zit in mijn benen. Ik wil rennen. Weg van hier. Ineens lopen we weer samen op.
'Walgelijk!' zegt Eddi. Ik heb hem nog nooit zo kwaad gezien.

'Kunnen we wat sneller lopen?' zeg ik, maar Eddi houdt me tegen.
'Nee, juist niet. Dan vallen we extra op. Rustig, Thomas. Beheers je.' Hij heeft me weer vast bij mijn arm en bepaalt het tempo.
We gaan aan de overkant van de weg lopen. Onze ogen blijven speuren naar iets bekends. Ineens zie ik iets.
'Wacht even. Daar achterin. Nee, er gaat iemand voor staan. Wacht, ik zie het weer.' Mijn ogen fixeren zich op een gebogen figuur.
'Zie je je vader?' vraagt Eddi.
'Nee, nee toch niet. Ik dacht het even.'
'Aan deze kant van ons! Is dat niet meneer Van de Heuvel?' vraagt Eddi. Ik wil blijven staan, maar Eddi duwt in mijn rug.
'Zacht doorlopen, alleen langzamer,' fluistert hij. 'Ja, volgens mij is het Van de Heuvel en naast hem zie ik Van Sloten staan. Zie je ze ook?'
Ik kan hem niet meer antwoorden. Ik weet het zeker. Hij is het! Die man met dat grote verband om zijn hoofd. Die gebogen man, met zijn handen op de grond. Voorovergebogen, met ogen die strak mijn richting opkijken. Of lijkt dat maar zo? We kijken elkaar aan. Ik voel het, of is het omdat ik het zo graag wil? Het is zo'n afstand.
'Hij is het!' zeg ik.
'Ja hè, Van Sloten en Van de Heuvel. Ze zijn het.'
'Nee, mijn vader...' Ik kijk naar papa en hij naar mij.
Eddi klopt me onverwacht op de rug en lacht hard.
'Niet meer omkijken, Thomas. Ze hebben ons door.'
Ik doe het toch, nog één keer. Mijn vader staat rechtop. Zijn hand is half omhoog, hoger durft hij niet. Een groet.
Eddi sjort aan mijn blouse.
'Niet meer kijken, maar praat met me over muziek. Ja natuurlijk! 'Over the Rainbow', lach Thomas, toe nou, doe mee!'

Eddi schakelt zo snel om. Alsof we al uren over muziek kletsen en lol maken samen. Ik kan het niet. Mijn vader. Dat grote verband? Wat is er gebeurd? Eddi gebaart druk en zwamt van alles. Slaat me lachend op mijn schouder. Nee, laat niemand denken dat we gekomen zijn voor de gevangenen... Wat ik moet ik thuis nu zeggen?

11. Stokslagen met adat

15 mei 1942

Mijn moeder ligt met migraine in bed. Ze denkt dat het van de warmte komt. Volgens mij niet. De krijgsgevangenen zijn weg uit de school. Niemand weet waar ze naartoe zijn. Sinds de dag dat we dát gehoord hebben, gaat het niet goed met mijn moeder. Ze stelt steeds dezelfde vragen. Ik word er gek van: Waar zou papa nu zijn? Hoe zou het met hem gaan? Zou hij nog gezond zijn?
Ik heb haar niet eens gezegd dat hij gewond was. Ik heb het mooier gemaakt dan het was: dat mijn vader naar me lachte en zwaaide. Dat hij zo blij was met de etenstas. Een paar dagen liep mijn moeder te zingen. Ik hoop maar dat ik niet al te erg gelogen heb. Nauwelijks vier dagen later hoorden we dat ze weg waren.

Vandaag ga ik naar de markt. Ik wil bij *pak* Wiardjo groenten en kruiden kopen voor mijn moeder. Ik fiets stevig door. Er lopen veel werkeloze mensen op straat. Mensen die, net als ons personeel, hun baan bij de blanken hebben verloren.
Pak Wiardjo ziet me aankomen. Meestal wuift hij naar me, maar dit keer niet. Ik moet flink onderhandelen met hem, heeft mijn moeder gezegd. De tijd dat we betaalden wat er gevraagd werd, is voorbij. Het kraampje staat precies op de hoek van de *pasar*. Ik zet mijn fiets neer en loop erheen.
'*Selamat pagé*, pak Wiardjo,' zeg ik zoals altijd.
'Ja, ja, zeg het maar.' Hij doet kortaangebonden en groet niet.
'Ik zou graag wat groenten en kruiden bij u kopen.'

'Dat zal moeilijk gaan.' Hij loopt bij me weg en begint spullen goed te leggen, die allang goed liggen.
'Ik zou graag wat Spaanse peper willen, *roedjak*, sperzieboontjes en vier tomaten. Mijn moeder vraagt ook om wat mandarijntjes.'
Er komt een andere klant. Meneer Wiardjo laat me staan en helpt eerst het kleine vrouwtje naast me. Dit heb ik nog nooit meegemaakt.
'Ah, Spaanse peper, mevrouw,' hoor ik pak Wiardjo zeggen. 'U treft het, u treft het. Dit is juist de laatste die ik heb. Alstublieft, mevrouw.'
'Maar meneer,' bemoei ik me ermee, 'ik was hier eerder dan zij.' Meneer Wiardjo legt de peper in de boodschappenmand van de Javaanse vrouw. Zelfs nu reageert hij niet op me. Zou hij de laatste tijd ook zo tegen mijn moeder doen? Wat bezielt hem toch?
'Hallo Thomas,' klinkt het ineens achter me.
'Hé Judith!'
'Lukt het je iets te kopen?'
'Lukt het?' zeg ik somber. 'Daar zeg je iets. Het is toch normaal dat je op de pasar tomaten kunt kopen.'
Ze komt vlak naast me staan. Judith is niet erg verlegen. Ik ruik haar frisse geur. Ze bekijkt de marktkraam van Wiardjo en zegt:
'Hij is duur, joh. Je kunt beter ergens anders je tomaten kopen. Loop maar even mee.' Ze wacht niet op een reactie, maar gaat al voor me uit. Ik zie Wiardjo kijken. Dit heeft hij vast niet verwacht. Net goed voor hem. Terwijl ik achter Judith aanloop, bekijk ik onbeschaamd haar mooie figuur.

We komen midden op de pasar uit. Daar brengt Judith me bij een vrouw uit de desa. Naar de gewoonten van het eiland, heb ik grote kans dat haar tomaten vanochtend pas zijn geplukt. Ze lacht vriendelijk naar ons. Ze heeft niet

veel tanden meer en die ze laat zien, zijn bruin.
'Ze is een stuk goedkoper dan de meeste handelaren,' zegt Judith.
'Vier tomaten graag!' zegt Judith in het Maleis.
'Ook graag wat van die boontjes,' zeg ik.
Judith begint meteen gedreven aan een onderhandeling. Wat doet ze dat goed, ondertussen drukt ze mij de spullen in de handen. De prijs die Judith eruit haalt, had ik nooit gekregen. Wat heeft ze een mooie lach, en dat haar en die lippen van haar...
'Mooi prijsje!' complimenteer ik haar.
'Onderhandelen, Thomas Werkman!'
'Nou, jij kunt er wat van.'
'Ik ben een koopmansdochter, moet je maar denken,' lacht Judith.

We lopen samen terug naar mijn fiets. Judith gaat door naar Yenny. Ik wil al opstappen.
'Thomas, mag ik je iets vragen?' Voor de eerste keer merk ik iets van verlegenheid bij Judith. Mijn hart slaat een slag over.
'Klopt het eigenlijk dat jij een platenspeler hebt?'
'Ja, zeker!'
'Wat leuk, zeg. Vind je het goed, als ik een keertje kom luisteren?'
Ik weet niet wat ik hoor.
'Als je er geen zin in hebt, hoeft het echt niet hoor.' Ik begin al te knikken. Natuurlijk lijkt me dat wat!
'Je weet zelf, Thomas, hoe saai de dagen zijn. Ik verveel me soms en jij... nou, jij woont toch het dichtstbij.'
'Maar ik vind het heel leuk dat je komt!'
Ze lacht en ik lach terug.
'Ja, natuurlijk!' zeg ik nog eens.
Ik heb zin om haar aanraken. Mijn hand gaat al naar haar

schouder toe, maar ik durf niet goed.
'Zal ik morgen dan komen?' Ze pakt mijn hand zelf vast. Ze knijpt erin. De vlammen slaan me uit.
'Wil je dat ik Annette meebreng of Yenny of eh... zal ik alleen komen?'
'Nee... prima, eh... ja, alleen is ook prima, hoor. Kom morgen maar!'
Ze groet me en ik stap op mijn fiets. Ik doe het mechanisch, want ineens stormt het in me. Geen Spaanse peper, de roedjak ben ik helemaal vergeten, maar morgen komt Judith wel bij me. Ik sta in brand. Ik ga morgen plaatjes draaien. Leve mijn platenspeler, leve de muziek van Judy Garland en Benny Goodman!
Er toetert een auto, hij moet voor me uitwijken. Ik slinger door. Judith komt morgen. Voetgangers springen snel aan de kant. Judith komt bij mij!

Ik moet ze wel gezien hebben, maar mijn hoofd was er niet bij. Ik was zo vol met prettige en juist allemaal niet-oorlogse gedachten, dat ik nauwelijks aandacht had voor de vijf Japanse soldaten die ik passeerde. Ik geloof dat ik nog wel in hun richting heb geknikt, maar meer ook niet.
Ik let pas op de Jappen als ik hun geschreeuw achter me hoor. Eén van hen holt met me mee en remt mijn fiets af door aan de bagagedrager te gaan hangen. Ik kom tot stilstand.
Een hoop Japans geschreeuw waar ik niets van begrijp. Ik wordt meteen ingesloten. Wat is er aan de hand? Wat heb ik niet goed gedaan? Ze praten druk en zijn bijzonder verontwaardigd. Eén van hen richt zelfs zijn geweer op me. Judith is allang weg. Ik word bang: ze gaan me hier toch niet zomaar neerschieten?
In een ommezien zijn we omringd door een grote groep sensatiebeluste toeschouwers.

'Buigen!' roept iemand in het Maleis. 'Je hebt niet gebogen!'
Hoe kan dat? Ja toch, ik heb ze toch wel gegroet.
'Toe dan gauw, jij domme tòtòk: buig diep!' hoor ik iemand roepen uit het publiek.
De fiets wordt uit mijn hand geslagen. Mijn tomaten... ze worden uit mijn handen geslagen met zak en al. Een Jap gaat er zomaar op staan.
Ik buig voorzichtig, onzeker, bang dat er onverwachts iets met me gaat gebeuren. Een soldaat maait ongeduldig met zijn geweer. De kolf raakt precies mijn schouder.
'Dieper!'
Ik buig nu zo diep ik kan. Mijn handen raken de grond. De zak geplette tomaten ligt vlak naast mijn hand. Dieper kan ik niet. Is het zo goed? Houden ze nu op? Ik krijg een stomp, een trap. Iets hards prikt in mijn rug. Waarom doen ze dat? Ik doe nu toch wat ze van me verwachten?
Ze blijven maar schelden en dan ineens, onverwachts, sla ik tegen de vlakte door een enorme mep in mijn gezicht. Het duizelt me voor mijn ogen. Ik kan niet blijven staan, maar val neer. Meteen loopt mijn mond vol met bloed. Zoet bloed. Ik krijg een flinke trap tegen mijn kont. Mijn handen en armen beschermen mijn hoofd en verder blijf ik muisstil liggen.
Onverwachts houdt het op. Met één glurend oog zie ik ze weglopen. Meteen komt er iemand op slippers aangesneld. Ik zie kleine vrouwenvoeten en een sarong.
'Kun je staan, Thomas?' Ik herken haar stem. Mijn oren suizen. Ik moet nadenken.
'Laat hem, mama. Gaat u alstublieft met me mee.'
Wat? Die stem ken ik ook. Zegt híj dat? Hardjònò? Dit kan hij me niet aandoen! Mijn lichaam trilt. Ik wil kijken, ik wil hem aankijken.
'Laat mij hem maar optillen.'
Iemand schuift een arm onder me door. Het is een man

die ik niet ken. Hij helpt me overeind.
'Houd dit tegen je mond, Thomas. Ach jongen, wat bloed je uit je mond.' Mevrouw Batam drukt een lap tegen mijn mond. Mijn mond is opgezet, vreemd, dof en dik. Waar is hij? Ik wil hem aankijken. Durft hij werkelijk te zeggen: laat hem maar, mama? Alles draait om me heen, ik durft me amper te bewegen. Ik zie hem niet.
'Kom mama! Bemoei u niet met hem!' Alweer! Hij moet achter me staan. Ik wil hem in de ogen zien en probeer te draaien, maar de man houdt me te stevig vast. Laat hij het recht in mijn gezicht zeggen. Hij breekt onze band kapot, ons ooit zo plechtig gesloten jongensverbond.
'Adat Hardjònò, adat!' zegt mevrouw Batam streng. 'Het is Thomas! Die laten we hier niet liggen, nooit!'
'Kun je lopen, jongen?' vraagt de man die me vasthoudt. Ik probeer het. Mijn benen knikken. Mevrouw Batam heeft mijn fiets opgeraapt. Ik grijp het stuur vast. Ja, het lukt om te staan. Ik leun op mijn fiets en wordt losgelaten. Nu pas kan ik draaien. Langzaam. Ik wil hem zien. Wat een mensen staan er hier. Daar! Daar staat hij. Tussen hen in, zo vlakbij en zo ver weg.
We kijken elkaar recht aan. Adat, Hardjònò! Zijn kaak staat gespannen. Mijn kaak is gezwollen. Zijn ogen staan hard, mijn rechteroog zit dicht.Wat doe je, Hardjònò? Wat doe je met onze afspraak? Hij slaat zijn ogen neer en beweegt licht met zijn schouders. Wat betekent dat? Dan draait hij zich om en loopt weg.
'Hardjònò toch,' zegt mevrouw Batam. 'Ik schaam mij diep voor mijn zoon.' Haar hand wrijft zonder ophouden over mijn rug. Liefdevol, teder.
'Ik zal je naar huis brengen, Thomas.'

Ineens kan ik het niet meer verdragen. Ik duw haar hand weg. Ik schud me los. Ik wil haar hulp niet en ook niet van die onbekende man. Ik mompel iets van 'bedankt' en grijp mijn fiets beter vast. Wat denkt die Javaan wel... Denkt hij nou echt dat ik dit van hem pik? Met mijn wiel duw ik helpers aan de kant. Ook ik ben onbeleefd.

'Laat me!' roep ik kwaad. Ik strompel weg. 'Ik red me heus wel.' Als een dronkeman. Schiet op met je adat! Schiet op met je zoon...

Mevrouw Batam rent nog achter me aan. Haar handen zoeken me.

'Blijf van me af!' Ze ziet mijn tranen. 'Ik hoef geen hulp!' roep ik hees. 'Ik hoef niks van jullie. Laat me met rust!'

'Alsjeblieft Thomas. Toe jongen, laat me je helpen!' De onbekende man pakt haar schouders vast en houdt haar tegen.

'Laat hem, mevrouw. Hij wil het niet. Hij vindt zijn huis wel.'

De adrenaline golft door mijn lichaam. Ik kan wel janken. Elke stap maakte me bozer. Het lopen gaat steeds beter. Ik zal thuiskomen. Op eigen kracht. Heus wel. Een uur later strompel ik bij mijn moeder binnen. Ik heb geen tomaten, geen Spaanse peper, boontjes of roedjak. Wel twee losse voortanden en een vriend minder.

12. Stroken papier

20 juli 1942

Na het marktincident vindt mijn moeder het maar niks als ik ergens heen wil. Dat gaat al twee maanden zo. Ze is bang dat me iets overkomt of erger nog: dat de Jappen me oppakken. Leg maar eens aan een opgewonden Jap uit dat ik nog maar zestien ben, als hij vindt dat ik achttien lijk. Mijn moeder komt zelf nog amper buiten. Zo bang is ze.
'Moet ik je duwen?' roep ik naar Judith. Ik heb haast, deze keer. Normaal gesproken vind ik het heerlijk om langzaam met Judith op te fietsen, maar deze keer moet ik thuis iets belangrijks vertellen. We komen net terug van een bezoekje aan Yenny Kochick. Haar vader, die tandarts is, heeft me gevraagd of ik hem twee dagen in de week wil assisteren. Dit is precies een baantje voor mij, want ik verveel me grandioos zonder school. Bovendien heeft meneer Kochick gezegd dat hij me er een kleinigheid voor zal geven.
Wat fietst Judith toch sloom! Het laatste stuk versnel ik mijn tempo. Zodra ik onze tuin binnenkom, spring ik van mijn fiets af. De fiets gooi ik tegen de heg aan en ik ren het huis in.
'Mam! Mam, moet u horen!'

Natuurlijk ben ik blij dat ik Judith nu bijna elke dag zie en spreek! We werken elke morgen samen aan zelfstudie om niet te veel achterop te raken. Een idee van Judith. Onze moeders vonden het meteen goed. We overhoren elkaar, we lezen dezelfde hoofdstukken door. We proberen uit te zoeken wat er met de opgaven wordt bedoeld. En onder-

tussen zijn we samen! Het mooiste dat ik me kan voorstellen. Vanmiddag moesten we naar Yenny voor extra uitleg. We kwamen niet goed uit de Franse grammatica.
Gisteren kwam tante Els, zo noem ik de moeder van Judith. Ze legde zomaar geld op de keukentafel. Nippongeld. Omgerekend was het wel zo'n tachtig Nederlandse gulden, best veel geld. Lissie stond er met haar neus bovenop.
'Krijgen wij dat geld, tante Els?' vroeg ze.
'Het is voor je moeder,' zei tante Els. 'Voor je registratie, Ans!'
Mijn moeder werd rood en sloeg de handen voor haar gezicht.
'O nee, Els, nee, dat kan ik niet aannemen,' stamelde ze.
Maar tante Els pakte de polsen van mijn moeder vast en trok ze van haar gezicht.
'Je neemt het wel aan! Hoor je me! En je gaat morgen meteen die kaart halen.'
Mijn moeder wilde iets zeggen, maar tante Els onderbrak haar.
'Ineens wist ik het waarom jij geen stap buiten de deur durft te zetten. Jij zit zonder geld en je durft het me niet eens te zeggen! Maar nu moet je even goed naar me luisteren Ans: de volgende keer waag je het niet om je zorgen niet met me te delen.'
'Toe, Els! De kinderen.' Mijn moeder keek verlegen naar ons. Ik slingerde zelf heen en weer tussen medelijden met mijn moeder en dankbaarheid voor het kordate optreden van tante Els.
'Ans, stop hiermee! Je mag je niet schamen. Niet in deze omstandigheden. Laten onze kinderen goed beseffen op welke manier wij het hoofd boven water houden.'
Ze keek mij en Lissie aan. Ze sloeg haar arm om de schouder van mijn moeder. Er schitterde iets fels en krachtigs in haar bruine ogen.

'Kijk naar ons, Lissie en Thomas! Wij zijn vriendinnen. Dat is nu ontzettend hard nodig. Vooral nu jullie vaders er niet zijn. Alleen door elkaar te helpen, gaat het ons lukken. Begrepen? Die Jap krijgt ons met zijn ellendige pestplannetjes niet klein!'
De Japanse registratie. Mama had het me verteld. Iedereen boven de achttien moest zich op straat kunnen legitimeren. De kaart koste maar liefst tachtig Nederlandse guldens voor een vrouw. Dat had ze niet. Daarom ging ze de deur niet meer uit.

Voor de tweede keer roep ik mijn moeder. Ik heb goed nieuws.
'Mam!' Ze roept niet terug. Ik zie allemaal stroken papier hangen op de meest vreemde plekken. Wat moet dat voorstellen? Heeft mijn moeder... Nee, het zijn langwerpige stroken met Japanse tekens er op. Vreemd. Op de koelkast, de oven, de keukentafel. Wat is betekent dit?
Ik ren over onze binnenplaats. De deur van mijn vaders werkkamer is open. Daar hangen ze ook: op het bureau, de bureaustoel, de ladekast, de bureaulamp, mijn vaders bibliotheekkast.
'Mama!' roep ik luider. Ze moet thuis zijn. Er klopt iets niet.
'Mama, waar bent u?' In de woonkamer. Ook hier, overal diezelfde stroken met van boven naar beneden geschreven tekens. Ik ren langs de slaapkamer van mijn ouders. De veranda op. Ik word er bang van. Waar hangen ze niet? Het hangt overal...

Ik ren naar mijn slaapkamer. Gooi de deur open. Daar zit mijn moeder en hier hangen ze ook: op het hoofdeinde van mijn bed. Aan mijn bureau, op de platenspeler. Mijn moeder heeft haar handen gevouwen in haar schoot, de schouders afgezakt, het hoofd gebogen.

'Mam?' Op het aquarium, mijn lamp, mijn stoel, mijn boekenkast.
'Mama, wat betekent dit allemaal? Wat is er met u?'
Ze richt zich op en ik zie dat ze heeft gehuild.
'Alles, Thomas, ze willen alles hebben,' zegt ze mat.
'Wie? Wat? Hoe bedoelt u, mama?'
Ik laat me op mijn knieën vallen. Ze pakt mijn hand vast en legt die tegen haar natte wang.
'Ik kan het niet helpen, Thomas. Het spijt me zo voor je. We moeten hier weg en alles achterlaten...' Haar stem breekt. Op dat moment komt Lissie binnen.
'Mam, op mijn poppenhuis zit geen papiertje. O... dag, Thomas.'
Ze kijkt mijn kamer rond.
'Nee, hè, Thomas, ze willen zelfs je aquarium en ook je koffergrammofoon. Wat zijn ze gemeen. We nemen het gewoon mee naar het andere huis.'
Het weerlicht in mijn hoofd.
'Een ander huis?' Ik kijk mijn moeder geschrokken aan.
'Het spijt me, jongen,' huilt mama. 'Het spijt me zo...'
'Moeten we hier weg?'
Ze knikt en meteen komen er nieuwe tranen.
'We moeten alles achterlaten. Ze nemen alles in beslag, lieverd. Er was vanochtend een Japanse officier. Hij wil hier wonen. Met zijn gezin. En alles waar een strook papier ophangt, wil hij hebben. Ik was er al bang voor. Dit gebeurt overal, Thomas, nu zijn wij aan de beurt.'
'Nee!' zeg ik. 'Nee! Dat gaat niet door.' Ik moet iets doen. Ik moet het voorkomen. Ik moet iets bedenken om het tegen te houden! Dit is ons huis. Hier hoor ik en hier is Lissie zelfs geboren.
'Het kan ook niet om papa,' roep ik kwaad. Ik bijt het mijn moeder toe, alsof het toch haar fout is. 'Hij komt hier terug en dan zijn wij er niet!'

'Maar Thomas,' bemoeit mijn eigenwijze zusje zich ermee. 'Mama heeft gezegd dat het maar voor even is. Alleen zolang de Jappen de baas spelen. Maar natuurlijk jagen we die weer weg en komt papa ook weer thuis en zijn wij hier weer. En dan maken we alles heel goed schoon, ja toch mama?'
'Ik heb al met tante Els een huisje gevonden,' zegt mijn moeder. Ze droogt haar tranen en gaat staan. 'Ik wist dat ze zouden komen, vroeg of laat...'
'Hoe bedoelt u? Met tante Els?' roep ik.
'We zullen gaan samenwonen. Het kan niet anders. De Jappen hebben hun huis ook gevorderd. We moeten het samen gaan doen. Els Havekamp, haar meisjes en wij. Dat is verreweg het beste. Goedkoper en we denken dat het ook veiliger is.'
Dit is blijkbaar ook nieuw voor Lissie.
'Meent u dat, mama? Gaan we in één huis wonen en mag ik dan met Annette op één kamer slapen?'
Ik schiet in de lach, ondanks alles. Die Lissie toch! Die ziet ook werkelijk overal voordeel in.
Mijn moeder kijkt me aan. Haar hand legt ze op mijn schouder. Hij voelt warm en zwaar.
'Jij bent de oudste Thomas. Ik hoop zo op je hulp. We hebben niet veel tijd en er is nog zo veel werk te doen. Help me alsjeblieft uit te zoeken wat we nog wel mee mogen nemen. Mijn hoofd draait ervan.'
Ik zeg haar maar niet wat voor warboel het bij mij is. Ik hoor een grimmige stem sneren: 'Je zult het zelf zien! Ze gaan komen en alles van jullie inpikken en ons teruggeven!' Ik weet precies wie het gezegd heeft: Amat Batam, Hardjònò's broer.
Het is alsof ik ontwaak. Alles inpikken? Nooit! Ik ruk de strook van mijn koffergrammofoon af.
'Maar deze krijgen ze niet! Nooit!'

Lissie slaat haar armen om mijn middel.
'Goed zo, Thomas!'
'Maar Thomas,' roept mijn moeder.
'Nee, ze krijgen niet mijn platen en niet mijn platenspeler.'
'Zo is dat!' zegt Lissie.
'Maar jongen, dat gaat niet. Ze hebben alles opgeschreven,' zegt mijn moeder. 'We kunnen niet anders. Daar krijgen we moeilijkheden mee.'
'Ik vertik het!' zeg ik. 'Ik ga aan...' In gedachten ben ik al bij Hardjònò... Nee, dat kan natuurlijk niet. 'Ik vraag Eddi Ram wel of hij zolang het nodig is op de platenspeler wil passen.'
Lissie danst om me heen en applaudisseert voor me.
'Goed gezegd, Thomas! En ze krijgen ook nóóit mijn poppenhuis!'

Ik wil hier weg. Ik moet hier zelfs weg. Uit Jogyakarta. Ik kan het gewoon niet langer. Iedere keer als ik de stad inga, loop ik het gevaar oude bekenden van school tegen te komen en dat in de nieuwe situatie. Ik heb ze gezien: Thomas, Judith, Eddi, Yenny, leraren van school. Het is afschuwelijk. Vooral Thomas, hem wil ik nooit meer tegenkomen. Hij zal me aankijken. Hij hoeft niets te zeggen, ik ken zijn vraag. Die vraag houdt me wakker: 'Wat ben je voor een vriend! Waar sloeg die waardeloze houding van jou op?' Wat heb ik gedaan daar op de pasar. Amat zegt dat dit de prijs is. Het kan niet anders. 'Ze laten Java nooit vrijwillig los...' Dat geloof ik eigenlijk ook. Thomas? Die wil hier blijven... Als ik moet vechten, geef me dan onbekenden. Misschien kan ik die wegjagen...

13. De koffergrammofoon

2 augustus 1942

Ik mijd het drukke centrum. Liever met een omweg naar Eddi fietsen, dan de kans te lopen een Jap tegen te komen die wil weten hoe oud ik ben. Zo kom ik door een buurt waar ik niet vaak ben geweest. Een paar keer maar. Het moet zijn geweest met verjaardagen van Hielke Bakker. De buurt brengt herinneringen naar boven. Hielke's vader is opgepakt, maar waar is Hielke zelf eigenlijk gebleven? Ik heb hem zolang niet gezien. Ik neem me voor het straks aan Eddi te vragen. Hij weet via school vaak veel meer dan ik van allerlei bekenden.

Ik wil naar Eddi Ram. Mijn moeder vond het veel te gevaarlijk dat ik op de fiets naar Eddi wilde. Ze bleef ook volhouden dat ik mijn koffergrammofoon niet mocht wegbrengen. Dat de Jappen daar weleens heel moeilijk over konden doen. Het leverde net nog een fikse ruzie op tussen haar en mij. Gelukkig bemoeide tante Els zich ermee. Zij wist mijn moeder te overtuigen dat ze mij beter mijn gang kon laten gaan. Die tante Els is top en ik zal er heus wel voor zorgen dat ik snel terug ben.

Even later bel ik aan. Eddi doet zelf open, hij kijkt vreemd op als hij mij ziet.

'Thomas?'

'Ik moet je iets vragen,' zeg ik gehaast. Ik houd een grote kartonnen doos voor me. 'Kunnen we direct naar je kamer gaan?' vraag ik.

Eddi knikt. Hij roept naar zijn moeder dat ik er ben en dat we op zijn kamer zijn.

Het huis van Eddi bezorgt me heimwee. Het is even alsof

ik terug ben in de tijd zoals het was voor mijn vader weg-ging. Meneer Ram is door de Jappen tijdelijk belast met de leiding van de school. Zijn studeerkamer staat open. Het ruikt er bijna net zoals bij mijn vader. Ik vang een glimp op van een boekenkast, een gemakkelijke stoel. Het groot mahoniehouten bureau doet me sterk aan mijn vaders werkbureau denken. Dat bureau zal straks door een Japan-se officier gebruikt worden. De baboe moet vanochtend vroeg het hout al met olie hebben afgenomen. Ik ruik het. Hier werken nog bedienden, hier heeft de oorlog nog niet echt veel veranderd. In de gang zie ik de huisjongen op zijn hurken bezig de marmeren vloer dweilen.
'Meneer Eddi,' roept hij ons na. Hij is er snel bij gaan staan. 'Moet ik u ook drinken brengen?'
'Nee dank je, Martó. Thomas blijft maar even.' Martó maakt een kleine buiging. Hoelang is dit allemaal geleden? Zo was ik het bij mij thuis ook gewend. Ik druk de doos tegen me aan. Dít hier, dit is het verschil tussen Eddi en mij. Deze heb ik wel, maar dit heeft Eddi niet!

Zodra we op Eddi's kamer zijn, begin ik te twijfelen. Ga ik nu echt Eddi Ram vragen om op mijn koffergrammofoon te passen? Vraag ik het aan Eddi omdat ik eigenlijk niemand anders weet? Omdat... degene aan wie ik mijn liefste bezit zou durven toe te vertrouwen mijn vriend niet meer wil zijn! Daarom zit ik hier... bij Eddi Ram.
Eddi biedt me een stoel aan. Hij is kleiner. Hij houdt er niet van tegen me op te kijken.
'Thomas vertel, waar kom je voor?' Hij kijkt nieuwsgierig naar mijn doos. Ik onderdruk mijn verlangen om met doos en al de kamer uit te rennen.
'Ons huis is in beslag genomen. Morgen moeten we eruit zijn.' Ik zeg het allemaal even vlak. Ik wil geen emoties laten zien, ik hoef ook geen medelijden van hem. 'Ze wil-

len alles in beslag nemen. Ook mijn platenspeler.'
'Nee, echt?'
Ik kijk Eddi onderzoekend aan.
'Maar, je begrijpt, dát laat ik niet gebeuren. Daarom ben ik hier. Ik wil mijn platenspeler verstoppen, of liever nog...'
Ik ben bang iets in zijn ogen te lezen wat ik niet leuk vind.
'Dus wil ik jou vragen of jij er zolang op kunt passen. Of je hem misschien hier ergens kunt verbergen...'
'Echt waar? Zit je platenspeler in die doos?'
Zie je wel, ik wist het wel! Wat is hij gretig, hebberig. Bah...
'Luister Eddi: ik geef hem niet weg hoor, begrijp je! Ik vraag alleen of je hem kunt verstoppen voor me. Voor zolang het duurt...'
'Ja, natuurlijk begrijp ik dat! Natuurlijk.'
'Misschien haal ik hem over een week of over twee weken weer op.' Waar baseer ik het op? Ik zeg zomaar wat.
'Laat je hem zitten in die doos of haal je hem er ook uit?'
Zoiets zou Hardjònò nooit zeggen. Waarom kan ik mijn platenspeler niet bij hem brengen? Waarom zit ik hier nu in vredesnaam bij Eddi Ram?

Eddi loopt naar een grote kledingkast. Een kamfergeur komt me tegemoet als hij hem openmaakt. De kast is voor de helft gevuld met wat kleding, linnengoed en boeken van school. Onderin is een flink lege plank.
'Hier, Thomas, hier kan hij wel staan.'
Ik maak de doos alvast open.
'Ik kan deze kast zelfs afsluiten. Zie je wel, met een sleutel.'
Ik knik en geef Eddi de platenspeler.
'En eh... ik bedoel, je platen?'
'Ja, die heb ik ook bij me.'
'Ach ja,' Eddi zet mijn koffergrammofoon in zijn kast. 'wat

heb je aan die platen als je geen platenspeler hebt.'
Ik bijt op mijn lip.
'Waar zijn je platen?' Eddi kijkt in de doos die ik op de grond heb gezet. Hij haalt zelf de platen eruit en lacht nog steeds. 'Nou, die kan ik er heel goed naast zetten. Zie je wel Thomas, dat staat helemaal goed!'
Ik heb een lege doos. De kast gun ik geen blik meer waardig. Dit is niet om aan te zien.
'Ik ga naar huis.'
'Wat? Nu al?'
Mijn spullen zitten in zijn kast. Mijn koffergrammofoon. Gekocht met het geld van opa Werkman. Mijn platen...
'Wacht, Thomas, ik zal je even uitlaten,' zegt Eddi. Ik weet zeker dat ik de straat nog niet uit ben, of hij zal de speler uitproberen. Als eerste natuurlijk: Julie Carland.

Hij loopt mee tot aan mijn fiets. Daar houdt Eddi me tegen.
'Zeg, Thomas, ik mag hem toch wel eh, ook eh... gebruiken? Ik bedoel, nou ja, zeg jij het maar, voor zolang...'
'Als je er maar heel voorzichtig mee bent.' Ik wil hem niet aankijken en zo gauw mogelijk weg zijn. Met een voet al op mijn pedaal, herinner ik iets.
'Zeg, weet jij misschien waar Hielke is? Ik heb hem al heel lang niet gezien.'
'Maar weet je dat dan niet?' zegt Eddi. 'Die zijn de stad uit. Naar hun vakantiehuisje. Volgens mijn vader is hun huis al in april in beslag genomen. Ze waren net met vakantie, toen ze bericht kregen van hun buren dat het geen zin had terug te komen naar Jogya.'
'Tjonge, Hielke dus ook al,' zeg ik bitter. 'Nou, nu ben je zeker wel blij dat je geen tòtòk bent. Jullie lijken de dans te ontspringen, Eddi Ram.'
'Dat denk je maar. We lopen heus wel risico's,' zegt Eddi donker. 'Het is de vraag hoe alles verder zal gaan. Als mijn

vader niet vrijgesteld was door de Jappen, zaten we allang in hetzelfde schuitje als jullie. Nee, denk maar niet dat Indo's het zo veel makkelijker hebben. Je hebt zelf gehoord hoe mensen als Hardjònò en zijn broer praten. Zodra Soekarno het met de Jappen hier op Java voor het zeggen krijgt...'

Typisch Ram! Ik wil het niet horen. Hij is altijd negatief over Djonie.

'Gooi Hardjònò niet op één hoop met die communisten,' zeg ik.

'Je was er zelf bij hoe fel Hardjònò op me reageerde.'

'Ja, en ik heb ook gehoord wat jij tegen hem zei...!'

Ik stap op de fiets. Verdraaid! Die rotoorlog! Dat idiote gedoe om altijd maar te denken dat de één belangrijker is dan de ander. Zonder verder te groeten fiets ik weg. Mijn frustraties reageer ik af op mijn pedalen.

14. Goud of zilver

31 september 1942

Iedere donderdag- en vrijdagmiddag help ik meneer Kochick in de praktijk. Het is leuk werk. Ik leer er van alles. Voor mij, kapitein in spé, is het niet overbodig iets te weten over tanden en kiezen, wonden en hygiëne. Zelfs meneer Kochick zegt dat ik er alleen maar voordeel bij heb om wat medische dingen te leren. Vorige week heeft hij mij behandeld. Ik kreeg een echte wortelkanaalbehandeling. Mijn voortanden begonnen te verkleuren. De wortels bleken dood. Dat moet een paar maand geleden gebeurd zijn, door die Japanse klap op de pasar.

'Wat bent u aan het doen?' vraag ik mijn moeder. Ik kom net bij meneer Kochick vandaan. De beide moeders zitten aan een kleine eettafel. We hebben uit de twee huishoudens alleen de meest nodige spullen meegebracht. De rest zijn we kwijt. Er zouden hier onmogelijk grote meubels kunnen staan. Vanuit de keuken komen heerlijke geuren. Het eten zal wel zo klaar zijn. Ik heb honger.
De moeders zitten te rekenen. Er ligt al wat geld op tafel, met trots leg ik het beetje geld erbij dat ik vanmiddag van meneer Kochick heb gekregen. Tante Els kijkt naar me op.
'Geweldig, Thomas! Onze werkende man! Je bent onmisbaar, jongen. Ga zitten. Ik ga een kop thee voor je halen.'
Ik schuif een stoel aan en ga zitten.
'Was het wel veilig genoeg op straat?' Mijn moeder vraagt het zonder me aan te kijken. Ze vraagt het me bijna elke dag. Haar vraag negeer ik.

'Wat bent u aan het doen?' Naast geld zie ik ook een ketting op de tafel liggen en wat tafelzilver.
'Ik moet weer iets verkopen,' zegt mama.
'Els!' roept ze naar de keuken. 'Zet je de rijst vast op?'
'Heb ik al gedaan!' roept tante Els terug.
We kijken elkaar even aan. Mijn moeder haalt haar schouders op.
'Die hoef ik niets meer te zeggen.' Er speelt een zuur lachje om haar mond.
'Wees blij met haar! Waar zijn de meisjes?' vraag ik.
'Spelen. Judith is met Yenny bezig onze nieuwe tomatenplantjes te verstekken.'
Ze pakt de gouden ketting en houdt hem omhoog.
'Help jij me eens. Ik moet kiezen tussen deze twee. Wat zal ik doen? Mijn hanger verkopen of toch deze zilveren vorkjes?'
'Maar mama, dat weet ik toch niet!' Hoe kan ze het me vragen. Tante Els komt weer bij ons zitten. Ze heeft thee voor me, maar ze legt ook een maïskoekje voor me neer. Het koekje ligt keurig op een gebaksbordje.
'Voor mij?' vraag ik verbaasd. 'Dat is lang geleden, een maïskoekje!'
'Sita heeft ze gebakken. Ze kwam vanmiddag even langs,' vertelt tante Els.
'Mmmm, wat heerlijk!' Ik neem maar een heel klein hapje.
'Ik heb het niet voor niets als een gebakje gepresenteerd,' zegt tante Els met een knipoog. Mijn moeder kan er niet om lachen. Ik wel. Het is gezellig met tante Els. Die doet alles om de stemming goed te houden in ons huis.
'Hier ga ik echt lang van genieten,' zeg ik.

Ik wist heel lang niet hoe dat bij Hardjònò thuis allemaal in zijn werk ging. Hoe kun je nu met zo veel mensen in dat kleine huisje samenwonen. Nu weet ik het! Het is behelpen, maar het lukt best. Je moet goed opruimen en niet te veel spullen hebben. Je moet flink rekening houden met elkaar. Veel overleggen en een goed gevoel voor privacy hebben. Maar we doen het! Waar mijn moeder beren ziet, ziet tante Els mogelijkheden. Voor alles is een oplossing! Dat roept ze wel tien keer op een dag.

'Je moeder heeft één zwakke kant, Thomas,' zegt tante Els, terwijl ze lief op mijn moeders hand klopt. 'Ze kan zo slecht kiezen!'
Mijn moeder heeft het geld overzichtelijk op de tafel neergelegd. Je kunt precies zien wat ik gekregen heb van de tandarts.
'Kom Ans, nu moet je het weten. Ik moet zo naar meneer Tan. Wat gaat het worden?'
Ik zie dat ze het nog niet weet.
'Deze vorkjes heb ik gekregen van mijn ouders toen we ons verloofden en de hanger kreeg ik van Herman toen ik "ja" zei tegen Indië.' Ze kijkt ons beurtelings aan. 'Dat "ja" was je vader destijds veel waard, Thomas.'
Dan schuift ze alles naar tante Els.
'Zeg jij het maar, Els. Ik weet het echt niet.'
'U moet de hanger niet verkopen!' bemoei ik me er toch mee. Ik pak de ketting en laat hem door mijn vingers glijden. Dit verhaal ken ik niet. Ik heb haar deze ketting zo vaak zien dragen, maar nooit geweten welke betekenis hij voor haar had.
'Dat u deze van papa hebt gekregen...'
Zou ik Judith ooit ook zoiets moois kunnen geven? Later? Waarvoor dan? We zijn immers al in Indië. Misschien gaan wij samen naar Australië of naar Amerika... Het diamantje schittert zo mooi.

'Ik geloof dat er nu toch een keuze is gemaakt,' zegt tante

Els. Ze doet meteen de losse vorkjes bij het doosje in en staat op.
'Maar ook die vorkjes niet...' zeg ik. 'Die heeft mijn moeder van haar ouders gekregen!' Het stoort me ineens wat ik meemaak. Ik heb het gevoel dat tante Els niet helemaal eerlijk is. Moet mijn moeder al die waardevolle spullen verkopen. Kom nou!
'Maar Thomas,' zegt mijn moeder. 'Alles wat minder waarde voor me heeft, heb ik al verkocht.'
'Ja, en?' Ik kijk tante Els aan. Ze is altijd zo vriendelijk, zo kordaat, maar deze keer kijkt ze weg. Ik weet dat ik haar niets hoef te vragen. Ze weet zo wel wat ik weten wil.
'Thomas, jongen,' zegt ze zacht... 'Wat denk je nu van me? Ik heb óók al mijn sieraden en alle kleren van mijn man al verkocht. Je weet niet hoe moeilijk het is om rond te komen. We komen elke week geld tekort. Het is om wanhopig van te worden.'
Als ze opkijkt, ben ik het die mijn ogen neersla. Ik schaam me, ik ben veel te snel geweest in mijn oordeel.
'Als ik geld zou kunnen verdienen met de straten van Jogya schoon te vegen, geloof me jongen, ik zou het doen... Maar we mogen niet werken en we moeten ergens van leven.'
Op dat moment stormen de meisjes binnen. Annette stuift lachend op haar moeder af en Lissie gooit haar armen om mama's hals.
'Is er thee?' roept de één.
'Gaan we al eten?' roept de ander.
Mama stopt snel het doosje met vorkjes en haar gouden hanger in de zak van haar schort. Tante Els veegt het kleingeld als kruimels van de tafel. Ze willen niet dat de kinderen van hun zorgen weten. Mij zien ze anders, ik ben de oudste, de man... Als tante Els naar de keuken loopt, volg ik haar. Ik sta onhandig te zoeken naar woorden. Ze laat

een vermoeid lachje zien:
'Het is al goed, Thomas! Je bedoelde het goed met je moeder. Ik begrijp het wel.'

15. Gerampokt!

20 november 1942

'Misschien kunnen we vruchten zoeken in de tuin van Toeang Rapi,' zegt Judith. We zitten aan tafel en het eten is op. Het huis van Toeang Rapi is al jaren verlaten en de tuin zwaar verwilderd. Vorige week kwamen de meisjes met drie kokosnoten thuis, vol sappige klappermelk.

'Kan Thomas niet een paar vogeltjes schieten?' stelt Annette voor. 'Dat kunnen Nah en Haïbri ook heel goed.' De twee Javaanse jochies wonen schuin tegenover ons en spelen veel met Lissie en Annette.

'Dat is zielig!' roept Lissie.

'Nou, ik heb gehoord dat die vogeltjes niet veel anders smaken dan een mals kippenpootje. Die lust je toch ook wel?' zegt Judith meteen.

Ik zie mezelf nog geen vogeltjes uit de bomen schieten. Dat kan Hardjònò, maar ik niet. We krijgen te weinig eten. Borden zijn er wel, bestek ook, pannen, maar het eten zelf...

De maaltijden die Sita voor ons kookte, kunnen we helemaal wel vergeten. We hebben vaak nog trek als we klaar zijn met eten.

'In elk geval doen onze tomaten het goed,' zegt tante Els.

'Maar het duurt zeker nog een week voor we ze kunnen eten,' zegt mijn moeder.

'O, Ans, nee,' antwoordt tante Els. 'Niet een week meer, hooguit nog twee dagen.'

'Als ze voor die tijd niet gepikt zijn!'

'Nu moet je toch ophouden!' roept tante Els. 'Wie zou dat doen?'

Mijn moeder vertrouwt zelfs onze Javaanse buren niet. Zwaar overdreven, want onze buurman is een prima man. Ik krijg regelmatig een papaja van hem of een stukje saté van zijn vrouw.

Tante Els pakt haar Bijbel. Sinds we samenwonen hoor ik elke avondmaaltijd een bijbelverhaal. Tante Els heeft deze gewoonte en mijn moeder maakt geen bezwaar. Vanavond leest ze iets voor over landsgrenzen, over Israël en Mozes geloof ik. Ik luister maar half. Judith en ik hebben onze eigen bezigheid. Het maakt me soms helemaal dol en dwaas om Judith zo van dichtbij mee te maken.
'Zullen we ook even opletten, Judith?' vraagt tante Els als ze merkt dat we weer naar elkaar lachen.
'Ja, mam,' zegt Judith. Tante Els kijkt mij ook even aan. Ik ga meteen wat rechter zitten en probeer te luisteren. Lissie hangt aan tante Els' lippen. Mijn moeder friemelt ongeduldig aan haar schort.
'Hij vond hem in een land der woestijn, en in een woeste huilende wildernis;
Hij voerde hem rondom, Hij onderwees hem, Hij bewaarde hem als Zijn oogappel.
Gelijk een arend zijn nest opwekt, over zijn jongen zweeft, zijn vleugelen uitbreidt, ze neemt en ze draagt op zijn vlerken...'
Even wacht tante Els met verder lezen. Ze leest de zinnen nog een keer, maar deze keer een stuk langzamer.
'Zó leidde hem de HEERE alleen, en er was geen vreemde god met hem.'
'Ja, het is en het was de Heer alleen, die zijn mensen voortleidde. Dwars door de moeilijke tijden heen. Dat doet Hij ook vandaag met ons.' Tante Els legt haar bladwijzer in de Bijbel en slaat deze dicht. 'Wat een mooi en waar woord.'
Ik hoor iets aparts in haar stem. Je zou bijna denken dat ze

net zo tevreden is alsof we net een enorme maaltijd achter de kiezen hebben. Maar ondertussen zitten we hier met lege buiken. Allemaal, ook tante Els.
'Zullen we dan nu danken?' Ze buigt het hoofd, als tot mijn schrik mijn moeder opstaat en begint op te ruimen.
'Danken? Els, dat doe je nu al elke dag. Wat zullen we danken?' zegt mijn moeder boos. Een haarlok veegt ze vermoeid achter haar oren. Haar ogen staan onrustig, haar gezicht lijkt gezwollen. Met harde geluiden verzamelt ze de borden. 'Ik weet niet wat jij aan woorden hebt, maar ik wil eten voor de kinderen. Dan kan ik danken... '
Ik wil opstaan en kijk bezorgd naar tante Els. Wat moet zij wel niet van mijn moeder denken? Mijn moeder draaft door, zo ken ik haar helemaal niet.
'Hoezo een God die voor mensen zorgt? Moet je zien hoe we hier verpieteren...'
'Mama,' probeer ik voorzichtig.
'Ik vind dat van die arend wel leuk,' gaat Lissie er zomaar overheen. 'Bedoelt Mozes ook dat de arend zijn kleintjes op de vleugels draagt?' Lissie kijkt Annette aan alsof zij de vaste Bijbeluitlegger is.
'Ja, maar ook ónder zijn vleugels,' zegt Annette meteen. 'Ja toch mam? Daar is toch ook een lied van.'
Ik schaam me voor het gedrag van mijn moeder. Hoe ze met veel lawaai naar de keuken loopt en zich nergens wat van aan lijkt te trekken. Tante Els buigt zich naar de meisjes toe.
'Natuurlijk schat, daar kennen we een psalm over. Dat God ons onder zijn beschermende vleugels neemt.'
'Heeft Mozes dat liedje ook gemaakt,' wil Lissie weten. Annette schiet in de lach.
'Nee joh, die psalmen zijn door David geschreven.'
'O ja, dat is toch die ene die met zijn harp voor de boze koning ging zingen?'

Judith en ik kijken elkaar weer aan. Ik krijg een knipoogje, zonder dat tante Els het heeft gezien. Het doet bij mij de vlammen weer uitslaan. Ik wil opletten, maar Judith is veel belangrijker dan de zorg om mijn moeder of de vraag over David of Mozes of hoe ze dan ook allemaal maar mogen heten.

Later die avond, als de vrouwen hun bedden in orde te maken en Judith zich moet omkleden, ga ik volgens afspraak het huis uit. Op de kleine veranda ga ik zitten op de oude houten bank van de vorige bewoners. Ik luister. De wind laat de bladeren ritselen. Op het dak van de buren roept een *tokèh*. Er zit een muisje onder het hout van de veranda. Door de nacht hoor ik de hoge krijs van een roofvogel. Ik kijk omhoog in het duister. Waar zou hij zitten? Zou hier ergens een nest zijn. Zijn er jongen die hij wil beschermen tegen andere rovers?

Het beeld van de arend komt bij me terug. Mooi toch hoe een arend zijn jong op zijn vleugels neemt, het eraf wipt zodat het jong wel moet gaat vliegen en tegelijkertijd onder dat kleintje blijft zweven, zodat het nooit zal vallen... Heeft dat iets met God te maken?

De deur gaat open en tante Els stapt de veranda op.

'Je kunt weer binnenkomen, Thomas!' Ik slaap in de kamer. Als de vrouwen zich terugtrekken kan ik me uitkleden en op de bank slapen.

'Tante Els?' vraag ik zacht. Ik hoop maar dat mijn moeder dit niet hoort. 'Vond u het vervelend wat mijn moeder zei aan tafel?'

'Hé, daar moet jij niet mee zitten! Dat is iets tussen je moeder en mij.' Ze schuift naast me op de bank en legt haar hand op mijn knie. 'Kom Thomas, je moeder heeft het gewoon niet makkelijk met alle omstandigheden.'

'Wie wel?' antwoord ik.

'Maar de ene mens kan wat meer verdragen dan een

ander,' zegt ze. 'Ik zal het haar zeker niet aanrekenen en dat moet jij ook niet doen. Laten we haar liever wat helpen, dat is veel beter dan kritiek op haar hebben.'
Ik wil eigenlijk nog meer vragen, maar ze staat al op.
'Kom, ik ben moe. We gaan naar bed!'

Ik ben nog maar net in mijn eerste slaap gesukkeld, als ik wakker schrik. Niet door dromen, maar door een geluid. Heel duidelijk en vlakbij. Iemand loopt tegen een stoel op. Er is iemand in de kamer. Wie? De slaapkamerdeur piept open.
'Thomas, ben je wak...' Tante Els? Meteen hoor ik een gil. Er zijn meer mensen in de kamer. Ik kan ze nauwelijks zien. Wie staan daar? Hoeveel zijn er? Ik hoor mijn moeder. Wat gebeurt er? Vaag zie ik dat mijn moeder en tante Els naar buiten worden geduwd.
'Nog iemand hier?' roept iemand in het Maleis.
Ik druk me tegen de wand aan, zo klein mogelijk. Het duister bedekt me. Buiten hoor ik nog meer geschreeuw.
'Geld! Juwelen!' hoor ik. Er klinken klappen. Die ene gil is van mama. Daar roept tante Els om hulp. Wat moet ik doen, wat moet ik beginnen? Ik ben de enige man... Wat ben ik voor een man? Ik zit hier te trillen als een rietje in een hoekje... Nadenken, nadenken!
Er komt weer iemand binnen. Ik hoor de meisjes. Laat ze alsjeblieft stil zijn... Maar de indringer heeft ze ook al gehoord. Hij gaat eropaf. Ik hoor hem zoeken naar de klink van de deur. Dan maak ik een geluid, dat werkt.
'Wie is daar?' vraagt hij. Hij komt mijn richting op. Ik ruik hem, een vieze onaangename lichaamsgeur. Van buiten blijven schreeuwen en gillen komen.
'Hé,' zegt hij. 'Kom op, we willen geld!' Zijn handen graaien in het rond. Ik kan zijn silhouet zien. We zijn ongeveer even groot. Mijn hart gaat tekeer.

'Hier met die juwelen!' Hij staat aan de andere kant van de tafel. Hij kan mij, denk ik, niet zien. 'Heb je bestek? Zilveren bestek? Ga het pakken! Snel!'
'Thomas...' Dat is Lissie. Meteen draait die vent zich om en wil weer naar de slaapkamer.
'Hier!' Ik spring van het bed af en steek mijn hand uit. Er zit niets in. 'Hier is je geld!' Dat heeft effect. Nu heb ik zijn aandacht. Het duister is in mijn voordeel. Ik ken deze kamer. Ik beweeg langzaam om de tafel heen. Ik zal hem een flinke klap op zijn kop geven. Kan ik de stenen vaas te pakken krijgen die op het kleine kastje staat?
Ineens klinkt er een fluitje. De jongen holt meteen naar buiten.
'Wegwezen!' hoor ik iemand roepen. 'Oprotten, jullie!' 'Rennen!' Veel geschreeuw, mannenstemmen, het geluid van rake klappen.
'Blijven jullie binnen!' roep ik tegen de meisjes. 'Ik ga kijken waar mama is.'
Buiten zie ik buurmannen staan met stokken in de hand. De dieven rennen weg. Verschillende mannen hebben licht gemaakt. Wat een mensen staan er al buiten. Iedereen lijkt zo zijn bed uit te zijn gestapt. In het flikkerende licht van een fakkel zie ik hoe een man mijn moeder overeind helpt. Tante Els staat alweer. Hun nachtkleding is kapot gescheurd.
'Schandalig! Weerloze vrouwen aanvallen,' roepen onze Javaanse buren.
'Durven ze wel, die rotjongens!'
'Die komen voorlopig niet terug!'
Mijn moeder slingert op haar benen. Tante Els loopt iedereen te bedanken, terwijl mijn moeder niet meer zegt dan 'O God, o God.'
'Bedank liever,' hoor ik tante Els pinnig zeggen. 'God danken is beter dan 'God' zuchten.'

Eenmaal binnen zien we pas goed hoe de moeders zijn toegetakeld. Mijn moeders oog zwelt op. Haar lip bloedt, maar het ergste vind ik haar gescheurde nachthemd. Ik kan haar hele dijbeen zien. Wat moet ik met haar doen? Lissie en Annette zijn naar bed gestuurd, maar Judith en ik proberen onze moeders te troosten. Ik kijk naar Judith. Zij heeft haar arm stijf om tante Els heen geslagen. Judith aait onafgebroken haar moeders lange haren. Zoiets durf ik niet te doen. Arme mama... ik haal wel wat water op.
Tante Els drinkt in één teug haar hele beker leeg, maar mijn moeders tanden klapperen tegen het glas. Zo trilt ze.
'Hij trok aan mijn haar!' zegt tante Els. Ze kijkt strak voor zich uit. 'Hij trok me nota bene mee aan mijn haar!' Haar mondhoeken beginnen wat te trekken. Judith ziet het ook en kijkt me ongerust aan.
'Ik dacht nog, nu moet het niet gekker worden!' Tante Els schudt met haar hoofd. 'Ik ben zo kwaad geworden, ja echt, zo kwaad... Ik heb van kwaaiigheid hem ook een paar haren uit zijn kop getrokken.' Dan kijkt ze ons aan. Tranen lopen over haar wangen. Er breekt door die vreemde trekkingen iets door dat lijkt op een lach. Aarzelend, schokkend, tot het vrij komt en tante Els het uitroept:
'Je gelooft het toch niet hè Ans, maar ik heb die rotjongen haren uit zijn hoofd getrokken!'
We weten niet wat we moeten. Ik wil meelachen, maar... stel dat dit geen lachen is?
'Ik dacht: nu moet het niet gekker worden!' Tante Els slaat op haar dijen. We beginnen allebei, Judith en ik voorzichtig mee te doen.
Mijn moeder zit er bij als een verzopen katje. Ineens stopt het. Tante Els gaat naast mijn moeder zitten en gooit haar armen om haar heen. Ze trekt haar heel stevig tegen zich aan.
'Ans,' zegt ze met een rare stem. 'Mijn lieve Ans, nu moet

het toch niet gekker worden met ons.' Dan legt ze zomaar haar hoofd op mama's schouder. Mijn moeder aait de wang van tante Els en voor ik het goed en wel begrijp, zie ik tante Els huilen. Nee, dat van zo pas was vast geen lachen...

Er is iets gebeurd. Dit is helemaal mijn kans! Een vriend van Amat heeft me voorgesteld aan een hoge pief in de partijtop van de PNI. De man is de secretaris van Hatta. We hebben een hele avond samen gesproken. Hij wil dat ik meega naar Batavia**, en dat ik op het politieke bureau van Soekarno ga werken. Natuurlijk, eerst als jongste bediende, maar na de oorlog zullen ze mijn studie gaan betalen. Mijn cijferlijst was zo overtuigend en mijn wil om te helpen was volgens de man ijzersterk. Ik moet deze kans aangrijpen met beide handen en nu niet te veel aan mijn moeder denken. Eindelijk kan ik hier weg. Mijn moeder huilt en huilt maar. Mijn vader is erop tegen. Amat is al een tijd niet meer welkom thuis. Ik ben de tweede zoon die vrijwillig Soekarno gaat dienen. Mijn vader heeft nog niet tegen mij gezegd dat ik nooit meer terug hoef te komen.*

* PNI: Partai Nasional Indonesia, de politieke partij van Soekarno en Hatta, opgericht op 4 juli 1927
** Batavia werd vanaf 1942 Jakarta genoemd

16. Hielke

26 december 1942

We gaan weg! Mijn moeder trekt de deur achter ons dicht. Hij zou verzegeld worden, maar ik zie niemand die dat gaat doen. Voor de tweede keer in korte tijd laten we al onze spullen achter. Alles wat niet mee kan op reis 'ergens' naartoe. Waar we heen gaan, weten we niet. Hier blijven mijn schoolboeken, de lievelingskip van Annette, onze tomatenplanten, het servies van tante Els, fotoboeken. Keukengerei en meubilair, kleren die we niet kunnen gebruiken. Hoe lang we weggaan is onbekend. We zijn uitgenodigd door de Japanners.
Twee dagen geleden kregen we bericht dat de Jappen ons willen interneren*. Voor onze veiligheid, zeiden ze. We kregen een bericht thuis en later op straat, met verschillende Nederlandse lotgenoten werd de mededeling besproken. Hoe moesten we dit opvatten? Moesten we er gehoor aan geven of juist niet? Was het voor onze veiligheid of een sluw plan om ons uit het straatbeeld te krijgen?
'Dit wordt dus kerst op zijn Nippons,' lachte iemand.
'Waarom moeten we eigenlijk op het sportplein verzamelen?' vroeg iemand anders.
'Het is dicht bij het station. Ze gaan jullie vast wegbrengen,' zei onze buurman.
Ik las over beschermde woonwijken. Het eten wordt centraal verzorgd. Er is verplichte corvee tegen kleine betaling. Overal zal een medische post zijn. Onze huizen worden verzegeld. Ach, misschien was het zo raar nog niet. Ik wist

* Interneren: in kampen of centra onderbrengen

maar al te goed hoe slecht we ervoor stonden. Beschermd wonen en elke dag eten! Alleen die twee dingen overtuigden mij al.

'Wat moeten we dan meebrengen?' Naast me stond Gonda de Lange, een jonge moeder met drie kinderen. Ze kwam uit Solo en was twee weken geleden in onze straat komen wonen. Ze hield haar jongste spruit, Bart-Jan, op haar arm.
'Ik neem in elk geval mijn platenspeler mee!' Ik miste het ding grandioos! Gonda keek me aan met een blik van: 'ga jij nou even gauw...'
'Nee, heus! Die gaat met me mee!'
'Lees dan zelf, Thomas,' wees Gonda op haar brief aan. 'Neem alleen mee wat je als volwassene kunt dragen.'
'Ja, nou en?' zei ik. 'Ik kan dat ding heus wel dragen!'
Gonda leek me niet te horen. Ze zocht medestanders. 'Toch een vreemd voorschrift, hè? Waarom geven ze geen lijst met de meest noodzakelijk spullen. Hoe weet je nu wat je daar nodig hebt?'
'Ja,' zei tante Els, 'Ik wil weten of er ook meubilair is, tafels, stoelen, eettafels, servies en bestek. Ze denken toch niet dat we met onze handen gaan eten.'
'Het belangrijkste is of ik er kan wassen.' Aan Gonda's benen hingen Hilly en Ferdinand. 'Ik neem voor alle zekerheid een teil mee.'
'Een teil?' riep een andere vrouw. 'Nu ben je net zo dom als Thomas. Hoe zwaar denk je dat die teil is?'
'Maar wij kunnen je helpen, Gonda,' bood tante Els meteen aan. Mijn moeder wilde bezwaren naar voren brengen, maar tante Els keek haar strak aan. Daarna keek ze naar mij en Judith.
'Natuurlijk wel, Ans, wij helpen Gonda. In vergelijking met haar hebben wij alleen de zorg voor grote kinderen. Laten Thomas en Judith iets van de bagage van Gonda dragen.

Waar blijven we als we elkaar nu niet helpen?'
'Maar ik neem ook mijn platenspeler mee,' zei ik nog.
'Je bent net je moeder,' mopperde tante Els. 'Altijd eerst bezwaren, dan pas proberen!'
Gonda keek me lachend aan.
'Wil je niet op je moeder lijken?' plaagde ze me.
'Wie wil dat wel?' vroeg ik donker. Hoe kwam die tante Els erbij.
'Ik weet hoe we het gaan oplossen!' zei tante Els even later tegen me. 'Haal dat platending maar op. Van de Jap mogen we een aantal grote spullen vooruit sturen.'
Dat hoefde geen twee keer gezegd te worden. Ik ben meteen naar Eddi gefietst om de platenspeler op te halen. Daarna hebben we hem goed ingepakt en verstopt in het kastje dat meeging van tante Els. Samen met matrassen, bedden en twee stoelen hebben tante Els en ik die avond met een *grobak* onze grote spullen naar een verzameldepot gebracht. We moesten allebei lachen, toen we op de laadbak plaatsnamen. Daar zaten normaal gesproken nooit blanken. De man op de bok was ook verbaasd, maar hij zei verder niets.
'Wat Javanen kunnen, kunnen wij ook,' lachte tante Els.
'Tuurlijk!' riep ik uitgelaten.
Nu hoop ik maar dat er niets gebeurd tijdens het vervoer door de Jappen en dat ik straks weer ongestoord kan genieten van mijn muziek. De platen verstop ik wel tussen de kleren.
Eddi was anders dan anders toen ik gisteren onverwachts mijn platenspeler kwam halen. Hij zei dat hij het erg vond dat we geïnterneerd werden. Hij nam zo emotioneel afscheid van me.

De tocht naar het centrum lijkt nog het meest op een padvindersgebeuren. Iets als een heuse *jamboree* met veel

akela's en kinderen. Ik loop op met Judith, samen onder een zelfbedacht juk. Dit is weer een 'voor alles is een oplossing' van tante Els. We dragen op onze schouders een bamboestok, met daaraan een groot samengeknoopt laken. In dat laken zit van alles: kostbaarheden, kleding, schoenen, handdoeken, foto's, spelletjes, zeep en medicijnen. Een kam, maar ook het vaasje van mama's ouders. Judith en ik dragen samen ook de teil van Gonda tussen ons in. Deze is volgestouwd met spullen voor haar kinderen. Gonda zelf loopt naast mama en tante Els.
Hilly loopt naast me te zingen en Judith en ik zingen met haar mee. Al is ze nog maar zes, ook zij draagt een rugzakje. Iedereen draagt iets. Ferdinand loopt soms zelf of we dragen hem om de beurt. Bart-Jan wordt in een draagzak op de rug van Gonda vervoerd. Ook dat is afgekeken van de Javaanse vrouwen. Het gaat prima.

We komen als één van de eersten het sportplein op. De stemming stijgt als het drukker wordt. Wat een leuke spontane ontmoetingen. Vrouwen die maandenlang nauwelijks het huis uit durfden te gaan, zien ineens hun vriendinnen en kennissen terug. Overal klinken opgewonden stemmen. Kinderen spelen en er wordt gelachen. Zelfs bij mijn moeder verandert er iets. Ik zie haar ogen stralen en hoor haar sinds lang weer uitbundig lachen.
Tegen tien uur vertrekken we richting het station. We lopen te zwaaien met bloemen. Zingend en trots wandelen we langs de Javanen die aan de kant staan toe te kijken. Ik betrap mezelf erop dat ik naar bekende gezichten zoek. Vooral één gezicht. Zou mijn vriend... ik bedoel, zou Hardjònò hier ergens staan. Zou hij wel weten dat ik uit Jogya wegga? Ik zie hem niet, wel Eddi en Yenny, zelfs meneer en mevrouw Ram staan te wuiven.

We worden in een trein gepropt. Er volgt een lange reis. Niemand weet waar we heen gaan. Ik zit me al snel te vervelen. Lissie en Annette kunnen uren vullen met 'ik zie, ik zie wat jij niet ziet.' Ik doe even mee, maar langer dan een half uur houd ik het niet vol.
Judith zit tegenover me, naast Gonda met haar drie kinderen. Judith heeft Bart-Jan op haar schoot. Ik kijk er een poosje naar. Hoe ze tegen het kleine jochie teut. Dan zak ik een beetje onderuit en geef me over aan mijn heerlijkste dromen.
Misschien ga ik wel trouwen met Judith. We passen best goed bij elkaar. Ze zal een goede moeder zijn, dat zie je zo. Als ik dan thuiskom van mijn werk, ik ben dan kapitein of stuurman, is zij er. Ze wacht me natuurlijk op. Ik zal haar kussen, zoals mijn vader mijn moeder kust. Nee, ik zal het beter doen dan hij. Ik zal haar in mijn armen nemen en tegen me aandrukken. Ik zal elke dag zeggen dat ik heel veel van haar houd. Ik voel me warm worden. Kussen met Judith, ik durf haar bijna niet aan te kijken. Stel dat ze ziet waar ik aan denk.
Natuurlijk zal ik ook mijn kinderen kussen. Later...
Maar eerst moet deze oorlog voorbij zijn, dan moet ik de HBS afmaken, dan naar Nederland om de zeevaartschool te doen en daarna terug naar Java. Trouwen misschien en samen met Judith... Hoelang duurt dat nog? Dan ben ik vast deze vervelende reis vergeten.
Judith knuffelt Bart-Jan. De baby slaapt in haar armen. Ik zou willen ruilen met hem. Ze kijkt op. Ik voel me een beetje betrapt, maar ze lacht naar me. Zou een meisje ook zulke gedachten hebben over later? Zou ze ook denken: die Thomas, daar ga ik later mee trouwen. Hij wordt vast een goede vader. Ik wil er elke dag zijn als hij thuiskomt en ik zal hem kussen... En zou ze dan ook iets in haar lichaam voelen, zoals ik? Ik kijk snel naar buiten.

Het landschap glijdt voorbij. De Merapi zie ik allang niet meer. We komen hoger in de bergen. De koelere lucht is zo veel aangenamer. We hebben de raampjes tegen elkaar openstaan. Hoelang gaat deze stomme oorlog nog duren? Het wordt tijd dat de Amerikanen ons komen helpen. Ik wil weer naar school. Zou ik erg achterop zijn geraakt bij Hardjònò? Zouden we, als de Jappen weg zijn, weer snel vrienden worden? Hoe zit het dan met die Soekarno? Vreemd, Eddi heeft het nooit over Hardjònò en ik wilde ook vooral niets vragen over hem.
Waarom blijf ik toch zo aan hem denken. Dat wil ik helemaal niet. Als ik er goed over nadenk ben ik immers kwaad op Hardjònò. Hij heeft me een misselijke streek geleverd door me in de steek te laten. Dat moet ik niet vergeten. Hij gedroeg zich als een vriend van niks. Kon ik maar stoppen met aan Hardjònò te denken. Waarom lukt dat niet? Ik wil geen vriend die me laat zitten, maar er hapert iets. Het is net alsof ik het met mezelf niet eens ben, zonder te weten waarom. Er klopt iets niet. Ik mis een goede advocaat, iemand die met geloofwaardige argumenten mijn oordeel over Hardjònò kan aanvechten. Is er een reden voor zijn gedrag? Is er iets wat ik over het hoofd zie? Als ik meer zou weten, zou ik hem dan beter begrijpen? Hij is toch drie jaar lang mijn beste vriend geweest. Kan iemand zo veranderen? Of ligt het aan mij?

De zon zakt achter de bergketen weg. Een rode waas trekt over het Indische landschap. Overal waar ik kijk zie ik ons samen: Hardjònò en ik. We passeren een klimboom en ik denk aan de uren dat we in bomen klommen om vogels te verkennen. We glijden langs een waterplas en ik zie ons zwemmen en duiken. We rijden door een bos, en ik denk weer aan het slingerpad dat vlak achter de kampong ligt. Aan de slang, waarvan meneer Batam de naam wist, maar

die ik nu weer vergeten ben. Ik zie een rivier en ben weer met Hardjònò op de oever van kali Tjodé. Midden tussen de wassende vrouwen en spelende kinderen.
Dit land heeft mij met Hardjònò verbonden. Nederlands-Indië. Maar nu is het mis. De oorlog doet iets raars. Hardjònò kiest wel voor Indië maar niet meer voor mij. Hij zei nota bene dat ik maar terug moest gaan naar mijn vaderland. Is hij nu helemaal gek geworden. Naar een koud kil land dat ik nauwelijks ken. Ik wil hier leven, hier hoor ik thuis. Hoezo ben ik geen Aziaat? Wie bepaalt dat nu eigenlijk?
Ik moet in slaap zijn gesukkeld, want ineens stoot Judith me licht aan.
'Thomas, wakker worden. We zijn er!'
Het is donker. Overal huilen kleine kinderen. Iedereen is doodop. We moeten snel de trein verlaten, roepen de bewakers. Lopen, lěkas, opschieten! Snel de spullen pakken.
De moeders proberen vooral de kleintjes moed in te spreken. We lopen weer samen op, Judith en ik. Naast onze barang zorgen we elk voor een kind van Gonda. Ik heb Ferdinand op mijn nek gezet. We lopen een klein stukje. Van achteren wordt doorgegeven dat we in Ambarawa zijn. Tante Els heeft gehoord dat we in een kazerne komen die nog niet zo lang geleden door onze eigen regering is afgekeurd voor de KNIL soldaten.
'Maar toch, als je bedenkt dat ze twee jaar geleden goed genoeg waren voor onze mannen, dan redden wij ons er ook vast wel mee!' zegt ze hoopvol. Als we even later het terrein zien, zakt alle moed weg. Wat een bende en wat een vervallen toestand. Hoe durven ze hier moeders met kinderen te plaatsen?

We komen terecht in Ambarawa zes. Gonda wordt in loods vijf ondergebracht, wij moeten naar loods tien. We zijn

doodop van de reis. Ik verlang naar een bed waar ik languit op kan gaan liggen.
'Thomas en Judith, als jullie nu eerst Gonda even helpen,' regelt tante Els, zodra we op het grote veld onze barang op de grond leggen. 'Ans en ik regelen dit wel, niet waar Ans?'
Mijn moeder zegt niets. Gonda wacht niet op antwoord, maar loopt al bij ons vandaan. Ze kan haar spullen niet dragen. Haar kinderen zijn overstuur van moeheid.
'Toe dan toch, Thomas!' zegt tante Els. 'Je ziet toch wel dat Gonda dit niet alleen redt. Neem die barang en ga haar helpen. Wat staan jullie daar maar...'
Ik zoek naar een excuus. Houd het helpen nergens op? Moet je altijd maar anderen blijven helpen? Maar Judith grijpt mijn hand vast.
'Kom mee, Thomas!' Die warme hand van Judith voorziet mijn lijf van nieuwe energie. Ik voel het door me heen tintelen. Ik zou de hele nacht nog door kunnen gaan, als zij mijn hand maar vastheeft.
'Wacht!' roep tante Els. 'De teil moet ook mee!' Judith lacht me uit, zodra ze mijn hand weer loslaat.
'Jammer dan,' er zitten kuiltjes in haar wangen. 'Maar we zullen dit ijzeren geval weer tussen ons in moeten dragen!'
'Geeft niks,' lieg ik erop los.
'Je liegt dat je barst!' lacht ze weer. 'Maar Thomas, het is wel voor een goed doel.'

'Gonda!' roept Judith. 'We komen je helpen!'
'O, Judith en Thomas! Jullie zijn geweldig!' zegt Gonda, zodra we haar inhalen. 'Ik dacht al, hoe doe ik het allemaal?'
Bij loods vijf ontpopt Judith zich helemaal als dochter van tante Els. Een echte regelmiep. Ze heeft snel het beste plekje te pakken voor Gonda en haar kinderen. De loods is vies en erg onaantrekkelijk voor een propere moeder met kleine kinderen.

'Waar zijn we toch beland?' zucht Gonda vermoeid. Ze bindt haar haren samen. Judith spreekt haar moed in.
'We vegen het hier, we dweilen dit stukje schoon en je zult zien Gonda, morgen ziet alles er anders uit.'
Ik moet van Judith op de grond zitten en op de kinderen passen, terwijl Judith en Gonda de slaapplaatsen in orde maken. Hilly ligt met haar hoofd op mijn been. Ferdinand hangt tegen mijn buik aan. En Bart-Jan ligt op een arm te slapen. Ik voel me een beetje vader. En daar is mijn vrouw... Die ene daar, die knappe, met die donkere paardenstaart.

Als we eindelijk bij loods tien komen, vinden we onze moeders bezig in het uiterste hoekje aan de linkerkant, achter een halfsteens muurtje. Er brandt in het midden van de loods een lamp. Op dit laatste plekje zijn tien slaapplaatsen. Dat betekent dat naast ons zessen hier nog vier anderen slapen. Annette en Lissie slapen al. Morgen zullen we hun bed in elkaar zetten. Mijn moeder heeft een laken gespannen tussen ons gedeelte en dat van de vreemden. Zo hebben we misschien een beetje privacy. Ik zoek als eerste het kastje van tante Els. Hij staat tegen de achterwand van de loods. Ik wil hem openmaken, want ik moet weten of mijn grammofoon heel is overgekomen, maar het kastje zit nog op slot. Tante Els heeft me door, ze staat even verderop al met de sleutel in haar hand!
'Hier Thomas, ga maar snel kijken of hij er nog in zit.'
'Dat mag ik hopen,' zeg ik. Met wat moeite krijg ik het kastje open en haal mijn koffer, keurig verpakt in kleren, tevoorschijn.
'Judith kom, kijk!' roep ik enthousiast. Hij zit erin. Nog helemaal gaaf! Ik zou op dit moment de hele loods wel willen vullen met muziek. Ook al is het midden in de nacht.

We zitten samen op onze hurken, onze hoofden vlak bij elkaar, als ineens een bekende stem achter ons zegt:
'Volgens mij is dit onze plek, mama.' Die stem ken ik! Ik spring overeind. 'Kijk maar, onze bedden en daar staat onze kast.' Dit kan niet waar zijn!
'Hielke!'

17. Een kus

7 januari 1943

Hielke komt me halen. Ik heb net voor mijn moeder een waslijn gespannen. Voor zulke dingen weten ze mij altijd wel te vinden.
'Thomas, pak je grammofoon! We willen muziek en dansen!'
Hij vliegt de loods al in en staat ongeduldig te wenken dat ik mee moet komen.
'Welke "we"?' roep ik, terwijl ik mijn moeder het overgebleven stukje touw geef.
'Pak dat ding van je en kom mee! We zitten op het *lido*!'
Ik loop mee en pak wat platen bij elkaar en sluit mijn koffergrammofoon af.
'Over wie heb je het?' vraag ik nog een keer. Hij kijkt me op mijn vingers, maar ik krijg geen antwoord. Alleen maar wat gejaagd en onduidelijk gemompel dat er op ons gewacht wordt. Nou ja, ik zal het wel zien.
Ik loop achter hem aan. Zo ging het op school ook: Hielke was snel populair en had in een mum van tijd vrienden.
'We willen dansen,' lacht Hielke. 'We zijn al met een heel stel.'
'Dansen?' Ik denk meteen aan de soldaten die hier rondlopen. 'Weet je zeker dat het mag?'
'Ja hoor, en we hebben een prima plek ontdekt. We zijn daar in ieder geval uit het zicht van de moeders en de Jappen vinden het goed. Kom mee, hierlangs.'
Hoe weet hij zo goed de weg? We slingeren langs verschillende gebouwen en voor ik het door heb sta ik ineens op het lido. Op dit plein zijn we al een paar keer verzameld

om geteld te worden. Nu is het veld nagenoeg verlaten. Ik word enthousiast begroet door een stuk of twintig jongeren. Ze kloppen me allemaal op mijn rug. Ik ben een redder in nood. Natuurlijk gaat het niet om mij, maar om mijn muziek. Maar toch leuk als iedereen zo blij met je is.

'Laat horen,' roept een dikke jongen die me een hand geeft en zich voorstelt als Bram.
'O, Thomas,' roept Judith opgetogen. Ze hangt al aan mijn arm. 'Heb je die ene plaat van Benny Goodman ook meegenomen? Die vind ik echt het allermooist,' vertelt ze de omstanders meteen.
Ze heeft rode wangen. Ze is vast al bezig geweest met oefenen. Met meiden onder elkaar de pasjes alvast instuderen. Ik heb Judith weleens bezig gezien met Lissie en Annette. Ze heeft me verschillende keren uitgedaagd mee te doen, omdat ze net een partner te weinig hadden met z'n drieën. Maar ja, ik durfde niet...
Ik zet een plaat op en het duurt maar even of sommigen wagen zich al aan een dans. Mijn speler doet het prima. Wat ben ik blij dat ik hem heb meegenomen. Hielke danst met Judith. Hij kan best aardig dansen. Van wie zou hij het geleerd hebben?
Na een half uurtje word ik afgelost. Bram neemt mijn taak over. Ik loop meteen op Judith af en vraag haar ten dans.
'Hè, hè,' zegt ze. Ze laat zich met een zucht tegen me aanvallen. Ik sla mijn armen om haar heen. Zie je wel, denk ik warm, wij horen echt bij elkaar. We bewegen rustig en ik geniet intens. Mijn hand houd ik op haar rug. Af en toe voel ik haar lange haar. Ik ben zo gelukkig. Dit is alles wat ik nodig heb. Hier verandert de oorlog niets aan.
'Thomas,' vraagt Judith na een poosje. Ze kijkt schuin naar me op. 'Thomas, heb je weleens een meisje gehad?'
Ik schud mijn hoofd. Meteen daarna bedenk ik allerlei vol-

zinnen, doorspekt met romantiek. Was ik toch maar niet zo verlegen.

Na een tijdje roept Bram mij. Hij wil nu met Judith dansen. Ik heb met Judith te doen. Ze heeft straks geen voeten meer over als iedereen met haar wil dansen. Ik draag haar over aan Bram en wind de grammofoon opnieuw op. Ondertussen leg ik mijn platen op de juiste volgorde zoals ik ze wil laten horen. Hielke komt naast me staan.
'Ben je verliefd op haar?' vraagt hij.
'Welnee, hoe kom je erbij?' Mijn kop gloeit als een biet.
'Ga nu gauw, Thomas. Je kunt het van een afstand al zien!' zegt Hielke. 'Luister naar me: maak er snel werk van, Thomas, voor iemand anders haar inpikt.'
Iemand anders haar inpikken?
'Wat? Wie bedoel je?' Hielke zegt niets, maar hij draait me om. Nu zie ik het zelf. Bram en Judith dansen en die Bram... Judith lacht er ook nog om.
'Wat een vuilak,' sis ik kwaad. Wat Bram bij Judith doet, durf ik na al die maanden van vriendschap nog niet eens te doen. Zijn dikke handen blijven geen moment rustig liggen. Hij streelt en bewerkt haar, hij knijpt zelfs in haar achterwerk.
'Alsof ze bij de masseur is,' zegt Hielke. Zou hij ook jaloers zijn? Ik zie dat nog meer jongens en meisjes staan te kijken naar Judith en Bram. Hier gaat over gesproken worden, daar kun je op wachten.
Ineens draai ik me om en hannes wat bij mijn grammofoon. Ik draai hem eerst zachter, zet hem daarna stil en roep vervolgens dat er iets mis is met de platenspeler. Snel pak ik mijn boeltje bij elkaar. Er wordt van alles door elkaar geroepen.
'Wat jammer!'
'Ach toe, Thomas, kun je hem echt hier niet maken?'

'Is hij echt stuk?'
'Ik ga naar huis en jullie horen het wel!' roep ik. Alleen Hielke begrijpt wat er echt aan de hand is.

Die avond moet ik Judith spreken. Nog voor we gaan slapen. Ik wil haar alleen spreken, onder vier ogen. Ik zoek haar op bij de toiletten en fluister haar toe om zes uur achter de melkkeuken te komen. Na het eten, als het donker wordt, ben ik er. Judith ook en ze lijkt blij met het avontuurtje. Ik neem haar bij haar arm mee naar een plek waar weinig mensen ons kunnen zien. Ze loopt rustig met me mee. Alsof het de gewoonste zaak van de wereld is. En ik vecht met mijn verlegenheid. 'Maak werk van haar!' Ik ben iets van plan, zou zij het door hebben? Als ik er zeker van ben dat we uit het zicht zijn, als het zelfs zo donker is dat we alleen nog maar wat contouren van elkaar zien, vraag ik het haar.
'Mag ik je zoenen?' Mijn stem is hees. Ik ben zo opgewonden. Als ze niets zegt, dus ook geen 'Nee!' ga ik een stap verder. Ik neem haar in mijn armen. Ze legt haar handen op mijn heupen. Wat voelt dit goed. Ik buig me voorover en zoek haar mond. Eerst licht, voorzichtig, proevend.
'Thomas,' zegt ze lachend. Lacht ze me nu uit? 'Ik dacht dat je op Yenny was?' zegt ze.
'Op Yenny?' Alsof het iemand is die ik jaren niet gezien heb.
Ze gaat op haar tenen staan en slaat haar armen stevig om mijn hals. Haar lippen drukt ze zacht op die van mij. Dit herken ik van mijn dromen. Ze steekt een vuur in me aan. Ik pak haar steviger vast en zoen haar opnieuw. Harder, zekerder. Ook Judith kust me vuriger. Het is alsof we in iets terechtkomen dat ons verstand benevelt. Grandioos! Ik groei, sterk en groot. Ik druk haar tegen mij aan. Ik houd van haar. Ze moet dat voelen. Mijn lijf, mond, handen, mijn

schouders, armen, alles moet haar zeggen wat ik voel.
'O, mijn meisje,' fluister ik hees.
Ze lacht weer. Ik verstop mijn neus in haar haar als ze haar hoofd tegen mijn borst legt. Het gebaar ontroert me zo sterk, dat er spontaan tranen in mijn ogen springen. Dit is hemels.
'Nou, Thomas, dat je zo kunt zoenen...' Ze giebelt weer.
'Ik meen het hoor,' zeg ik. 'Ik meen het wel duizend keer!'
'Maar heb je ook met Yenny nooit gezoend?' vraagt Judith.
'Nee, natuurlijk niet.' Ik begrijp niet waarom ze dit vraagt. 'Ik zoen echt niet elk meisje, hoor. Ik wil alleen jou!' Meteen voeg ik de daad bij het woord. Maar dit keer duikt ze een beetje verlegen weg.
'Thomas toch.' Ze plaagt me.
'Wat?'
Mijn hand duwt haar kin omhoog. Ik wil haar weer kussen. Ik wil voelen wat ik zo pas ook voelde. Dat was heerlijk. Ik wil doorgaan en nog meer ontdekken. Judith gaat even mee. Ik trek haar tegen me aan. Ja, duidelijk! Ik voel weer die lichte welving van haar borsten. Zal ik ze aanraken? Zal ik ook mijn handen laten gaan?
Ineens duwt Judith mij van zich af. Zacht, maar wel resoluut.
'Zo is het wel genoeg, Thomas.' Wat zegt ze nu? Ze loopt bij me vandaan.
'Genoeg voor een eerste keer. We moeten ook naar binnen.'
'Maar Judith! Nee, wacht...' Ik moet het weten. Ik wil het weten. Eerst nog die vraag:
'Heb jij dan weleens gezoend met iemand?'
Ze gooit haar haren naar achteren. In het licht van een buitenlamp zie ik hoe ze in de war zijn geraakt. Haar hoofd houdt ze een beetje schuin, lief verleidelijk is haar glimlach.

'Misschien was het op Sumatra anders dan op Java.' Meer zegt ze niet. Ze loopt voor me uit terug naar de loodsen. Alsof er niets gebeurd is tussen ons. 'Maak werk van haar!'
Ik spurt om haar heen naar voren en houd haar tegen.
'Nog één vraag, lieve Judith! Wil je wel mijn meisje zijn?' Het klinkt te gehaast, te snel. Ik heb het in gedachten heel wat mooier willen zeggen. Ze drukt me aan de kant.
'Mag ik er langs, Thomas.'
Ik verdring mijn onzekerheid.
'Nee! Ik wil eerst antwoord!'
'Maar jongen toch, jij hebt het te pakken,' zucht Judith diep. 'Oké, Thomas. Begrijp je wel wat je me vraagt? Dáár moet ik echt eerst een nachtje over slapen. Is dat goed?'
Ik kijk haar stomverbaasd aan. Alle keren dat ik over dit moment gedroomd heb, ging het niet zo. Ik hield me steeds voor: ze kan 'nee!' zeggen. Ze kan ook 'ja!' zeggen en dat maakte me waanzinnig blij. Maar dit? Geen nee, geen ja, maar een nachtje erover slapen?
Haar gezicht betrekt, net als de mijne. Ik druk mijn verwarring weg. Natuurlijk is dat goed!
'Ja, ja… prima Judith!' Ik hoor het mezelf zeggen. Ze lacht me lief toe.
'Welterusten, lieve Thomas!'
Ik breng haar bij haar loods. Daar slapen nu alleen vrouwen en kinderen. Sinds twee weken slaap ik met Hielke in loods zeven, met alleen oudere jongens. Ik hoef nog niet naar bed. Ik kan echt nog niet aan slaap denken. Eerst afkoelen. Mijn lippen voelen gezwollen. Ik heb gezoend! Voor de eerste keer! En hoe! En toch… Maar wat zeurde ze nu over Yenny en waarom zei ze niet meteen 'ja!'?

18. Afscheid

3 februari 1943

De dag begint zoals elke morgen: Op appèl staan. We worden geteld. Hoe meer ik van de Jappen meemaak, hoe sterker ik geloof dat de oorlog niet lang meer zal duren. Dat tellen gaat nooit in één keer goed. Wij moeten vijf rijen vormen. Vervolgens tellen we zelf in het Japans: ichi, ni, san, shi, go, roku, schichi... En hoe het kan gebeuren, het is me een raadsel, maar het moet altijd wel twee of drie keer overnieuw gebeuren.
Vandaag hangt er een ongewone spanning. De kampcommandant zal ons toespreken. Ik zie hem al aan komen, met van die driftige pasjes. Zoiets werkt op onze lachspieren, net als elk overdreven militair machtsvertoon. Het gniffelen onder de vrouwen wordt erger, zodra de kleine corpulente commandant op de verhoging klimt. Hij is een man van middelbare leeftijd en meestal gekleed in een onberispelijk en strak kostuum. Japanners zijn trots en zeker ook een hardwerkend volk, maar ze willen ook graag indruk op ons maken. De commandant wil op ons kunnen neerkijken. Dat gaat niet als je naast hem staat. Hij is niet groter dan een jongen van twaalf jaar. Opzichtig zwaait hij met zijn sabel.
'Ja hoor, die hebben we wel gezien,' zegt een vrouw achter me. Het geeft opnieuw gelach. Een honend lachen en dat is gevaarlijk; de Jap laat niet met zich spotten.
Meteen springt dan ook een soldaat tussen de rijen en grijpt de vrouw die een opmerking maakte, bij haar haren vast. Hij sleept haar de groep uit. Voor onze ogen volgt een flinke aframmeling. De vrouwen die daar hun afkeur over

laten horen, krijgen meteen een soortgelijke behandeling. Etters zijn het! Krompoten. Niemand gelooft meer in de eerste opzet van onze kampen: we zouden bescherming ontvangen bij de Japanners. Laat me niet lachen: we zijn hun gevangenen en ze hebben een heel ander plan met ons!

Ons? Ons! Ineens dringt het tot me door. Ik hoor bij een 'ons'! Bijna zeventien jaar en nu pas voel ik het: ik hoor bij een volk. Ik sta hier opgesteld voor de bezetter, louter en alleen omdat ik Nederlander ben. Ik ben geen Jap, geen Javaan, maar iemand uit een volk dat ergens ver weg bij de Noordzee woont. Een volk van grote, lange, maar ook trotse vrouwen en eveneens grote, lange, flink uit de kluiten getrokken jongens. Ik kijk voorzichtig om me heen. Het glijdt langs me, voelbaar, het komt voorbij en raakt me aan. Het 'ons'-gevoel. We staan kaarsrecht en stralen iets onvermurwbaars uit. Ik voel het 'wij'. Het tintelt in me. Wij denken hetzelfde van wat hier gebeurt en dat is een ongewone ervaring. Ik zie de rechte ruggen voor me van tante Els, mijn moeder, Gonda, mevrouw Bakker. Naast me staan rechts en links twee van die Hollandse bonken, lange Hielke en dikke Bram.

Het is stil geworden, na het slaan en schreeuwen. De gewonde vrouwen liggen bloedend voor ons. De commandant neemt het woord in het Japans en de tolk vertaalt het: 'Jongens vanaf zestien jaar en ouder moeten naar een mannenkamp. Er moet ruimte gemaakt worden voor nieuwe vrouwen en kinderen.'
Meteen breekt er paniek uit onder de moeders.
'Nee! Niet onze zonen!' Niemand staat meer in het gareel. Mevrouw Bakker rent op Hielke af en mijn moeder kijkt mij bang aan. Zelfs tante Els staat me aangeslagen aan te

staren. Dikke Bram heeft niemand. Hij is alleen.
De onrust leidt meteen tot nieuwe scheldkanonnades en het slaan met stokken. Met een paar nieuwe blauwe plekken kunnen we een half uur later afdruipen. Ik zal mijn vertrek moeten voorbereiden. Morgenvroeg gaan we weg.

'Ach, Thomas,' lacht Hielke. 'Het is toch veel beter voor ons, dan hier wat hangen tussen al die luiers.' Helemaal Hielke! Niet zeuren of treuren, maar 'we gaan er samen iets van maken.' De stemming stijgt nog meer, als even later een paar meisjes op Hielke en mij afstormen en vragen of we een nachtje onze blouse kunnen afstaan. We krijgen hem morgen terug met een morele ondersteuning... Als we vragen waar dat op slaat, hullen ze zich in geheimzinnig gegiebel. We doen het dus maar.
Mijn moeder zegt die avond niet veel. Ik let maar niet te veel op haar. Ze maakt zich altijd zo snel en zo veel zorgen. Het doet me wel iets als ik merk hoe ze op het laatst van alles voor me wil doen. Zelfs tante Els slooft zich uit.

In alle vroegte, ik heb vannacht nauwelijks geslapen, staan we klaar bij de poort. Daar staat ook een vrachtauto met een enorme roestbak. De Jappen duwen ons erin. Hielke en ik gaan naast elkaar zitten tegen de linkerkant. Op mijn schoot heb ik mijn kostbaarste bezit, de koffergrammofoon. Tegen de rand leg ik mijn matras. Daar kan ik tijdens de reis tegen aanzitten.
De moeders lopen onrustig om de wagen heen. Sommige huilen. Er staan broertjes en zusjes met witte snoetjes, grote bange ogen, onzeker omdat nu ook nog eens hun broers weggaan.
Nee, wij huilen niet, ik slik zelfs geen brok weg. Welnee, wij hebben er zin in. Natuurlijk gaat alles goed komen. Na vijf weken zijn we helemaal toe aan verandering.

'Schrijf me, Thomas!' roept mijn moeder.
'Natuurlijk mam!'
'Ik zal jou ook schrijven, hoor,' roept Lissie.
'Doe het wel netjes, hè,' roep ik terug. 'anders kan ik uit dat gekriebel van jou niets wijs worden!'
'Puh!' zegt Lissie. Haar neusje triomfantelijk in de lucht. Haar zal ik zeker missen.
Vanuit het kamp zie ik Judith aankomen. Ze is omringd door een aantal meisjes van onze dansclub. Ik maak Hielke attent op de komst van de meisjes. Ze zwaaien met onze overhemden, dat zie ik meteen. We zijn uitgegroeid tot de twee populairste jongens. Ze lachen en zijn net zo uitgelaten als wij.
Toch steekt het me dat Judith me nooit een antwoord heeft gegeven. Het nachtje slapen duurt bij haar wel erg lang. Ze gaat met me om, alsof ik haar niets gevraagd heb. Alsof er niets gebeurd is. Even vriendelijk als altijd en toch ben ik nooit meer alleen met haar geweest. Ik heb het nog geprobeerd met een briefje:

Wil je graag spreken, vanavond, zeven uur achter de melkkeuken. TW.

Ze is niet komen opdagen.

'Thomas,' roept Susan. 'Je neemt toch niet je platenspeler mee, hè?' Susan is één van onze dansmeisjes. Gelijk hoor ik vijf of zes meisjes treuren om mijn muziek.
'En Hielke,' roept Petra, 'Wie wordt er nu kampioen foxtrot, als jij er niet meer bent?'
Ze stoten elkaar aan. Ze giebelen weer, ze lachen, ze dollen om onze wagen. Hielke en ik lachen mee. Niet te veel natuurlijk... Wij zijn mannen! Wij gaan naar het mannenkamp. Wij laten de vrouwen over aan elkaar.

'Hielke, pak aan, je blouse met ons aandenken!' Susan geeft Hielke's blouse. Ik zie dat er iets op geborduurd is.
'En dit is jouw blouse, Thomas,' lacht Judith naar me. Ik neem hem van haar aan en bekijk hem. In sierlijke borduursteken lees ik: Judith, Petra, Susan, Anja, Wennie... Als ik opkijk, zie ik dat ze op een reactie wacht.
'Nou, bedankt,' stamel ik verlegen.
'Ga je me ook schrijven?' vraagt ze. Ik voel me warm worden. Dit is waar ik op gewacht heb. Het is nog net niet te laat. Dit wil ik horen!
'Maar natuurlijk, Judith!' verzeker ik haar. 'Ik schrijf je elke week, hoor!'
De meisjes stoten haar lachend aan.
'Thomas,' roept Susan weer, 'kun je de koffergrammofoon niet beter hier laten, bij ons?' Nu bestoken ze me met hun vragen. Ze roepen dat ik dát zeker moet doen! Natuurlijk, zij zullen er wel op passen. En ze zullen – weer veel lachen en giebelen – elke keer aan mij en Hielke denken.
'We zullen jullie zooooo missen!' gilt Susan weer.
'Vooral als we dansen!' roept Petra. Judith roept niet, ze staart naar me en ik verdrink in haar mooie ogen.
Hielke stoot me aan.
'Ach joh, geef hen dat ding. Wat moeten wij ermee? Zonder meisjes. Zie je ons al samen op de dansvloer?'

De Jappen zijn eindelijk klaar met het steeds weer opnieuw tellen van het aantal jongens in de laadbak. Er is nu weinig tijd meer. Ik moet een beslissing nemen.
'Je vertrouwt me toch wel, Thoom?' Haar hand rust even op die van mij. Judith. Zou ik haar niet vertrouwen. Ik slinger heen en weer. Mijn platenspeler, mijn Judith. De andere meisjes lachen, maar Judith zelf blijft serieus.
'Wil je hem echt graag hebben?' vraag ik zacht. Ze weet toch als geen ander hoeveel de grammofoon voor me bete-

kent. Ze heeft alles met me meegemaakt het laatste half jaar.
'Heel graag, Thomas!' zegt ze zacht.
Wat moet ik doen? Dan buigt ze zich dichter naar me toe. Op haar tenen moet ze reiken. Nog zachter hoor ik haar zeggen:
'Ik zal er heus goed op passen, lieve Thomas. Echt wel en je weet toch dat ik zo, nou ja, je begrijpt het toch wel… Dat ik zo nog beter aan je kan denken.'
Ik begin te gloeien. Ik hoor haar antwoord, zij het cryptisch. Over ons samen.
Ik neem een besluit. De wagen ronkt al. Zwarte pluimen vuile rook komen vrij. De koffergrammofoon gaat over de rand van de laadbak en wordt meteen door verschillende handen opgevangen. Daarna duik ik in mijn rugzak en haal snel mijn platen tevoorschijn. Allemaal. Ik geef ze, terwijl de wagen langzaam in beweging komt, aan Judith.
Onze handen raken elkaar, we kijken recht in elkaars ogen en ik heb het niet meer. Er is vuur, verlangen, verdriet. Ik zal haar een lange tijd niet meer zien. Hoelang niet, Judith...
'Pas goed op… jezelf!' zeg ik hakkelend.
'Reuze bedankt, Thomas!'
Daar gaan we. Schokkend, pruttelend. Veel te zwaar beladen. Judith gooit me een handkus na.
Tante Els reageert daar boos op, maar de andere meisjes volgen haar voorbeeld.
Mijn moeder lacht niet. Lissie ook niet. Mijn ogen blijven bij die twee hangen tot ik alleen nog mama's wuivende witte zakdoek zie.

'Er zijn vijf belangrijke zuilen voor een gezonde samenleving,' hoor ik Soekarno zeggen. Ik zit vlak achter de man die ik mateloos ben gaan bewonderen. Wat een groot denker, en een Javaan. Ik denk koortsachtig met hem mee, ter-

wijl ik heel precies aantekeningen van deze vergadering maak. 'Nationalisme, humanisme, democratie, sociale rechtvaardigheid en geloof in één God. Daar zullen alle Indonesiërs voor moeten willen gaan om in vrede samen te leven.'
'En de bekeerlingen dan tot het christendom?' vraagt één van de mannen.
'Die bekeren zich terug tot de Islam.'
Ik zie hoe de woorden van onze leider worden gewogen.
'En als ze dat niet willen?'
Soekarno buigt zich iets voorover naar degene die de vraag gesteld heeft.
'Als je het goed aanpakt, willen ze dat wel!'

19. Brieven uit Salatiga

12 maart 1943

Ik snap er helemaal niets van. Ik ben nu vijf weken in dit mannenkamp en ik heb nog niets gehoord van mijn moeder. Het is een mooie plek waar we zijn ondergebracht. Het is veel schoner en ruimer dan in Ambarawa. Het hoofdgebouw bestaat uit een monumentaal vierkant bouwwerk met vier torens waar Japanse wachters verblijf houden. Het gebouw ligt in een parkachtige omgeving, waar zelfs tennisbanen zijn aangelegd. Uit alles blijkt dat hier een rijke chinees heeft gewoond. De man is verdreven, maar zijn naam is gebleven. Ons kamp is naar hem genoemd: Kamp Kwik Djoeng Eng.

21 februari 1943
Lieve mama en Lissie. Hoe gaat het met jullie? Met mij gaat het goed. Waarom hebben jullie mij nog niet teruggeschreven? Ik wacht al zo lang op bericht... Ik slaap op een kamer met andere jongens uit Ambarawa. Ik hoor dat Hielke net een kaart heeft ontvangen. Ik hoop dat ik ook gauw iets krijg. Alle jongens vragen mij om toch de grammofoon op te laten sturen, als dat kan. We hebben hier alleen een trekharmonica. Eerder had ik geschreven om het niet te doen, maar nu wél dus. Ook de platen. Judith weet wel welke!

We vervelen ons hier stierlijk. Ik zoek vanmiddag pater Frans op. Hij kan heel mooi tekenen. Ik weet waar hij zit. Natuurlijk uit het zicht van de Jappen. Het is een plekje dat prima zicht heeft op de torens, de glinsterende glazen koepel en de noordkant van het gebouw. Pater Frans is er al

dagen mee bezig. Ik mag de pater erg graag. Van de Jap mogen we niet tekenen, noch schrijven, maar stiekem gebeurt het natuurlijk wel. Er mag ook geen les gegeven worden, maar met zo veel fraters bij elkaar is het een onmogelijkheid dat we niet bezig zouden zijn met onderwijs. Pater Frans ziet me aankomen. Hij lacht al. Zelden zo'n vriendelijk man ontmoet.
'Zo Thomaske, komt ge er even bij zitten?'
'Ik wil even zien hoe uw tekening wordt, vader.'
Hij houdt hem even omhoog. Ik zie hoe minutieus de pater te werk gaat. Alles wordt op het papier gezet.
Pater Frans is één van de oudste mannen in ons kamp. Hij hoort bij een groep mannen uit het seminarium van Jogyakarta die ook zijn geïnterneerd. Door het leuke contact met de oude man, ga ik hier zelfs elke zondagmorgen naar de mis. Ik vind het leuk om de mannen in het Latijn te horen zingen en bidden. Hielke wil niet mee omdat hij gereformeerd is. Ik begrijp dat niet. Ik ben niks, maar omdat ik toch niets beters te doen heb, ga ik er elke zondag heen.
'En zijt ge nog steeds druk bezig uw algebra hier op te vijzelen?' Ik bekijk de talloze rimpels in het prettige gezicht. Er steekt een grijze sliert haar eigenzinnig onder zijn tropenhoed uit.
'Natuurlijk, vader Frans.'
'Van wie krijgt ge les, Thomas?' vraagt de pater.
'Van frater Anton, maar hij heeft malaria gekregen. Zodra hij beter is, gaan we verder.'
'Daar heb ge een goede docent mee.'
'Heel wat beter dan meneer Van de Heuvel,' zeg ik meteen.
'Die ken ik niet, maar frater Anton is een kei in wiskunde. Als hij niet bij ons was geweest en zijn leven niet aan onze lieven Heer had toegewijd, dan zou hij professor zijn geweest. Zeker en vast!'
Ik lach even. Het accent van de pater doet zo grappig aan.

Het is net even anders als mijn uitspraak.
'Ge zijt een zeldzame jongen,' zegt de pater warm. Aan alles kan ik merken dat de pater mij in zijn hart een plekje heeft gegeven. Zomaar. Zonder dat ik er iets bijzonders voor heb moeten doen. Hij kan mijn opa zijn, ik zijn kleinkind.
'Ge zult nog ver komen, Thomas. Het is goed leergierig te zijn. Ik heb onder de jongens nog geen ontdekt, die u hierin evenaart.'
Ik wil hem vertellen over mijn toekomstplannen, dat ik naar de zeevaartschool wil en dat algebra daar belangrijk voor is, maar iemand roept me.
'Ach, daar, Thomas,' wijst pater Frans. 'Ons manneke-eet-te-veel roept u!'
Als ik zie wie hij bedoelt, schiet ik in de lach. In de verte staat Bram ongeduldig te wenken.
'Corvee,' zucht ik. Ik sla het zand van mijn broek af.
'Ge zijt jong en sterk, Thomas, pak aan! Dat is beter dan niets doen.'
'U praat net zoals mijn opa!' zeg ik.
'Is dat een compliment, mijn zoon?' Zijn grijze ogen fonkelen. Wat kan die pater olijk kijken. 'Zeker en vast,' roep ik expres zijn variant op ons 'Vast en zeker.' Dan ren ik naar Bram.

'We moeten het voorerf aanvegen. Hielke gaat ons helpen,' roept Bram van een afstand. Hij staat met zelfgemaakte vegers en een emmer klaar. Als het flink waait ligt het erf bezaaid met afval: uitgebloeide bloemen, dode takjes en veel dood blad. De boomrijke omgeving houdt ons flink bezig.
We beginnen meteen. Hielke iets verderop. Allemaal dezelfde richting op, zodat we alle drie uitkomen in de buurt van de vlaggenmast.
Het is warm. Na een poosje vegen is mijn rug al nat van

het zweet. Ik merk dat Bram mijn richting op komt. Het is geen werker, hij staat meestal maar wat te niksen. Hij zint vast alweer op een geintje.
'Zeg, Thomas…'
Zie je wel, daar heb je het al.
'Thoom, je bent weer ver weg.'
Ik houd me van de domme. Ik ken zijn gezeur.
'Het zijn allemaal rondjes, zoals je veegt. Je bent vast met je gedachten bij Judith.'
'Hoe kom je erbij!' Ik begin meteen kleine felle rechte vegen te maken.
'Ha, nu doe je het gauw anders, maar ik zag het net duidelijk!' Bram moet erg lachen. Hij maakt een paar gênante gebaren. Belachelijk, alsof ik de hele tijd aan Judith zit te denken. Ik veeg harder. Weg bij die dikke vieze Bram.

Judith… Ik snap haar niet. Waarom schrijft ze me niet? Waarom is ze ook niet duidelijker geweest toen ik haar vroeg om mijn meisje te worden. Natuurlijk, ik ben verliefd. Daar kan ik niet meer omheen. Hielke heeft het ook gezegd, het moet wel waar zijn. Hielke laat me gewoon kletsen over Judith, maar Bram… Het schijnt iets met hem te doen. Hij moet me ermee pesten. Wat heb ik daar een hekel aan.
'Toe, vertel, heb je een kaartje van haar gehad? Zo eentje met een rand met rode hartjes?' Bram veegt slordig. De helft slaat hij over. Zie je wel, hij staat alweer vlak achter me. Ik draai me om.
'Nu moet je even goed luisteren, Bram: ik ben het spuugzat dat je zo zeurt. Houd erover op,' zeg ik. 'Straks ga ik nog denken dat je jaloers bent!'
Bram knijpt zijn varkensogen samen. Ik maak me meteen uit de voeten en loop naar Hielke om daar verder te vegen. Ik wil zijn antwoord niet horen.

'Hé, Hielke!' begroet ik mijn vriend.
'Hoi, Thomas, joh, moet je horen!' begint Hielke meteen. 'Ik denk dat Helder en Verweerd succes hebben met hun zeepfabricage!'
Bram staat alweer achter me. Hij zegt iets, maar ik praat er expres doorheen.
'Tjonge, die mannen krijgen echt alles voor elkaar. Wat goed van ze.'
'Ik ga ze straks helpen. Ga je dan met me mee hen helpen?'
Ik wil Hielke antwoorden, maar Bram dringt zich op.
'Op wie zou ik jaloers moeten zijn?' Zijn hand drukt zwaar op mijn schouder. Hij staat met zijn neus vlak voor me. Ik wil die bolle pestkop niet zien. Ik wil niet reageren, maar vegen. Maar hij prikt met zijn veger tegen die van mij aan.
'Zeg op, Sint Thomas! Dacht je echt dat ik jaloers op jou zou worden. Man, ze ziet je niet eens staan!'
Hielke kijkt mij ongerust aan.
'Waar hebben jullie het over?'
'Judith,' zucht ik.
Brams kijkt steeds grimmiger. Ik begrijp dat rivaliteit gevaarlijk kan zijn. Hielke mompelt dat we niet zo moeten zeuren, maar doorwerken.
'Bram, doe me een plezier,' probeer ik nog een keer, 'laat het onderwerp Judith rusten.'
'Dat plezier doe ik je niet!' Hij dwingt me tot oogcontact. Ik wil het niet.
'Zeg op: heb jij een kaart gehad van haar? Volgens mij niet. Ik zie het aan je gezicht, Thomas.'
'Wat interesseert het jou wie mij een kaart stuurt?'
'Wat ben je onnozel! Mij heeft ze toevallig wel een kaart gestuurd. Ha, dat wist je niet, hè! Je weet zo veel niet, volgens mij droom je alleen maar en weet je niks van haar.'
Hij daagt me uit, ik voel het. Hij wel een kaart?
'Je moest eens weten hoe vaak ik met Judith heb staan

vozen achter loods tien.' Hij bijt het me toe, grimmig en recht in mijn gezicht.
'Vozen?' Het klinkt ordinair, vulgair. Beledigt hij nu Judith? Het lijkt alsof hij zegt dat ze een jongensgek is.
'Je weet niet eens wat ik bedoel?' sart Bram. Zijn pafferige gezicht is een vuile grijns.
Mijn vuisten ballen zich, mijn hart bonkt. Waarom kan ik nu de eer van Judith niet verdedigen. Wat heeft hij met Judith? Het kan niet waar zijn, maar als het nu toch waar is...
'Houd jij eens snel op, Bram,' zegt Hielke. 'Man, wat kun jij irritant zijn, zeg!'
'Oké, mannen. Ik zal open kaart spelen.'
Hij doet alsof hij het beste met me voor heeft.
'Thomas, ik vind dat je het moet weten. De keren dat ik haar gezoend heb, zijn niet op één hand te tellen. Bovendien was ik ook niet de enige die haar wist te vinden.'
Rode, zwarte flitsen. Net bliksem van heel dichtbij alsof ik midden in een onweersbui sta. Hij liegt! Ik steun op mijn veger. Hij liegt dat hij barst.
'Die Judith van jou, beste Thomas... voor je eigen bestwil...'
Nu doet Hielke een stap naar voren.
'Bek houden, jij!'
Bram pakt zijn veger vast. Het lijkt er even op dat hij naar Hielke luistert. Hielke is meer dan een kop groter dan Bram en ik. Bram lijkt terug te gaan naar de plek waar we aan het vegen waren. Maar ineens bijt hij me nog één opmerking toe:
'Hoe dan ook, jij slome Thomas, droom maar lekker verder! Veel verstand van vrouwenvlees heb je in elk geval niet!'
Hij is nog niet uitgesproken of Hielke heeft Bram tegen de grond geslagen. Met één ferme vuistslag. Ik schrik ervan.
'Dát trek je terug, dikzak!' roept Hielke.

'Stop!' schreeuw ik. Niet dat ik dikke Bram wil beschermen, maar we mogen niet vechten van de Jappen. Straks krijgt Hielke één van hun wrede lijfstraffen. Bram krijst als een mager speenvarken. Er komen mannen die de woedende Hielke van Bram aftrekken. Ik sta te trillen als een rietje op een open sawa.
'Waarom wil Thomas de waarheid dan ook niet zien?' kermt Bram. Het duizelt me. Wat een ongelofelijke rotvent is die Bram. Ik loop weg. Wáárom heeft ze dan ook niet gezegd dat ze van mij hield?

Pater Frans komt me tegemoet lopen. Hij heeft, net als verschillende andere mannen, de ruzie op een afstandje gevolgd. Hij houdt me even tegen met zijn hand.
'Gaat het, jongen?'
'Het is een rotvent!' Mijn stem is omfloerst.
'Hadden jullie ruzie over een meisje?' Ik kijk betrapt naar iets anders dan naar het lieve gezicht van de oude man.
'Ja, hè? Jaloezie is een verterend vuur, mijn zoon. Daar moet je goed bedacht op zijn.'
Wat weet die oude pater nu van meisjes af, denk ik. Alsof hij mijn gedachten leest, zie ik kraaienpootjes verschijnen.
'En niet denken dat deze oude pater niet weet wat er in jonge jongens omgaat, hoor!'
Hij drukt nog een keer mijn schouder en loopt dan hoofdschuddend bij me weg.

Ik ga naar het tekenplekje van de pater. Ik wil alleen zijn. Al is het maar een paar minuten. Vozen. Hij bedoelde vast zoenen met Judith. Heeft Bram dat ook gedaan? Heeft híj wel een kaartje van haar gekregen? Eentje met rode hartjes? Ik trek een pol gras uit de grond. Dat was niet mijn bedoeling. Zwarte aarde valt op mijn been. Mijn droom over Judith... Hij mag er niet aankomen. Dat is van mij! Ik slinger de pol met kluit en al een eind bij me vandaan. Ik zie haar weer voor me. Judith! Ik voel haar weer. Haar frisse geur. Hoe ze zich tegen me aanvleide toen we dansten. Het was zo vertrouwd, zo gewoon, of ging het te snel? We kussen elkaar. Maar ze is zo gretig. Vozen, wat betekent dat? Heeft Bram gelijk? Ben ik niet speciaal geweest?

Hielke ploft naast me neer in het gras.
'Jij gelooft die dikzak niet, hoor,' zegt hij. Als ik zwijg, gaat Hielke door. 'Hij liegt dat hij barst over Judith. Hij is super jaloers.'
'Denk je dat echt?'
'Wat anders?' Hielke kijkt me aan. Zijn staalblauwe ogen fonkelen fel. 'Dacht jij dat zo'n vetzak een grietje als Judith in zijn armen weet te krijgen? Kom op, Thomas, dat gaan we niet geloven!' Ik kijk hem verrast aan. Hielke is zo zeker van zijn zaak.
'Die Bram houdt nog niet eens een dikke kater vijf minuten op zijn schoot!'
'Een dikke kater? Hoe kom je erbij?' Ik schiet in de lach. Hielke slaat zijn arm om mijn schouder en trekt me naar zich toe.
'Tuurlijk, Thomas! Geloof hem niet. Zolang het hem met een kater niet lukt, laat hij dan gauw van onze meisjes afblijven! Arrogante hufter!'
Ik herhaal Hielke's laatste woorden. Ze smaken zoet!

3/3/1943 Lieve mama,
Ik heb al verschillende kaarten verstuurd en ik hoop dan ook dat u ze nu al wel ontvangen zult hebben. Waarom schrijft Judith me niet? Ik heb haar al vier keer geschreven. Ik ben blij dat ik bericht heb van u en dat u iets van papa heeft gehoord. Dat is pas goed nieuws! Op 1 maart kregen alle jongens uit Jogya iets lekkers van dames uit Jogya. Ik

ook, ik kreeg ting-ting, chocolade en nog ander lekkers. Mijn kaart is bijna vol. Tot nu toe heb ik elke woensdag geschreven, ook aan Judith. Als Judith de kaarten niet heeft ontvangen, wilt u dan de hartelijke groeten van mij aan haar doen? En ook aan de andere kennissen...

20/4/1943 Lieve mama en Lissie,
Ik wist niet dat u geen kaarten meer had. Ik heb juist vrij veel kaarten gekocht. Wat erg dat u daar zo hard moet werken, ik hoef hier niks te doen. Schrijf alsjeblieft wat Judith nu doet. Ik heb haar echt elke woensdag geschreven. Gefeliciteerd met papa's verjaardag. Die vergeet ik niet, hoor. Doe maar geen moeite meer om de grammofoon nog te versturen. Ik denk niet dat het gaat lukken. Verder hier geen nieuws.

20. Weer op transport

4 februari 1944

We krijgen onverwacht het sein dat we hier weggaan. We weten niet waarom en ook niet waarheen. De Jappen hebben ons een dag de tijd gegeven om alles voor te bereiden. Je mag alleen spullen meenemen die je zelf kunt dragen tijdens het transport. De rest blijft hier achter. Nu zitten we al uren bepakt en bezakt bij de poort. De zon staat hoog aan de hemel en maakt het wachten tot een vermoeiende bezigheid.
Ik ben nerveus. Het is een raar idee hier weg te moeten terwijl we niet weten waar we heengaan. Wel drie keer heb ik al mijn spullen gecontroleerd. Heb ik genoeg water bij me? Waar heb ik het extra broodje gestopt? Hoe lang gaat deze reis duren? Waarom weten we niets over de reis?
Ik verheug me ook een beetje op de reis. Na een jaar lang hier achter het prikkeldraad te hebben gezeten, lijkt het me geweldig om weer eens iets meer te zien van de wereld.

'Die oorlog is nog maar van zeer korte duur, mannen.' Pater Frans probeert ons moed in te spreken. Zijn magere benen steken recht voor hem uit. Er is niet eens een stoel voor hem. Zo'n oude man, hij zit, gewoon op de grond, dicht bij Hielke en mij.
'Zo is het vader, die Jappen houden het nooit vol!' zegt Hielke en meteen staat hij op. Hij stapt over de benen van de pater heen en loopt weg. Gaat hij weer zijn waterfles vullen?
'Je ziet het aan die *heiho's*, die zogenaamde hulpsoldaten van ze,' zegt meneer Helder.

'Ach ja, net kinderkens met hun houten geweren!' De pater krijgt de lachers op zijn hand.
'Het tekent dat de Jappen aan mankracht tekort komen!' Ik hoor hoe zeker Helder van zijn zaak is.
'Precies!' De oude pater tikt op mijn knie. 'Ik ruik onze vrijheid al, wat denkt gij, Thomas?'
'Liever vandaag dan morgen, vader. Ik moet nodig weer naar school!'
'Ach, die drie voor uw algebra...' Hij verbaast me. Dat hij dat nog van me weet. Het is zeker een half jaar geleden dat ik hem verteld heb van mijn drie.
'Zonder deze krankzinnige oorlog zat ik in de vijfde van de HBS.'
'Thomaske, ge kunt nog overwegen om na de oorlog naar het seminarium te gaan. Ik wil gerust een positieve aanbeveling voor u schrijven.' Ik schrik.
'Maar vader, ik ben niet eens katholiek...'
Er wordt gelachen. Het stoort me, want ik zeg dit beslist niet om leuk te zijn of vader Frans belachelijk te maken.
'Ja, kijk u toch eens goed, vader Frans...' Hielke is terug en klopt op mijn hoofd. 'Er zit een echte heiden naast u!' Hij gaat weer bij ons zitten en zet meteen de fles weer aan zijn mond.
De ogen van pater Frans worden groot. Dat Hielke protestant was, moet hij weten, maar blijkbaar heeft de pater mij altijd tot zijn schapen gerekend.
'Thomas, twijfelt gij aan onzen lieven Heer?'
Ik mompel zoiets als dat het nog erger is dan twijfel. Er wordt weer gelachen.
'Ik ben niks.'
'Maar ge was toch elke zondag in de mis?'
Ik haal mijn schouder op.
'Maar manneke, dat gaat toch niet.' De sfeer blijft lacherig, maar de pater is serieus. 'Ge gaat mij toch niet wijsmaken

dat ge zomaar wat gezongen hebt en dat uw hart niet met ons was?'
Het wordt stil, mij te stil. Ik tuur naar de grond. Niet in die grijze dingen kijken. Hij observeert me. Ik kan zo wel bedenken hoe fel die ogen onder zijn wenkbrauwen flikkeren. Zijn hand zoekt mijn knie. Hij drukt hem even, om zijn woorden kracht bij te zetten.
'Onzen lieven Heer wil ook jou, Thomas. Hij is er voor ons allemaal. Hoe ge er dan ook gezeten hebt, ik wil dat ge weet dat Hij elke mis er ook voor u is geweest. Om u te ontmoeten in brood en wijn.'
'Nou ja, wijn? Dat goedje waar het brood in werd gedompeld,' mompelt een simpele man die vlak bij ons zit, 'Dat was immers niet te drinken.'
'Maar wel knap werk van frater Guus, wijn maken uit niks. Doe het hem maar eens na!' zegt iemand anders.
'Sst,' manen een paar omstanders tot stilte.
Waarom luistert iedereen mee?
'Mijn zoon, daarom gaf ik u van het brood, nergens anders om. Verstaat ge dat dan niet? Thomaske, toch...'
Verdraaid, hij meent het echt. De pater klopt voor mijn gevoel veel te hard op zijn magere borst.
'Hier, Thomas. Hier gaat het om. Staat uw hart niet open?'
Ik heb een kop als een pioenroos.
'Laat hem nu maar, vader,' probeert iemand mij te verlossen van de aanhoudende aandacht.
'O, pertinent niet! Ik houd van Thomas,' houdt pater Frans aan. 'Ik wil dat hij me begrijpt. Hemels brood eten zonder het te begrijpen, dat gaat niet.'
Hij haalt zwaar adem, we horen het allemaal. Wat kraken en piepen die longen.
'Toe vader, u moet zich niet zo opwinden,' zegt frater Guus. 'Denk om uw hart. We hebben nog zo'n lange dag...'
'Stop u zorgen te maken om mij, Guus. Ik weet wat ik doe.'

Even ontmoeten onze blikken elkaar. Ik tel voor hem. Het maakt me warm. 'Thomas… jongen, geloven is niet moeilijk. Al is God een mysterie voor ons, kinderen kunnen al geloven. Probeer het dan, jongen. Hij heeft u zo lief!'
Zijn ogen staan zacht, zijn stem nauwelijks hoorbaar, zijn hand op me. Het ontroert me.
Hij wil nog iets zeggen, maar iemand reikt hem een stukje pisang aan.
'Hier, neem eerst maar een pisang!'
Frater Anton geeft me een knipoog, ze helpen me door de oude pater af te leiden. En toch… Was het niet goed dat ik naar de mis kwam en meedeed? Ik zou het willen vragen, maar niet nu.
De pisang redt mij, maar elke keer als de pater me aankijkt zie ik zijn grijze hoofd schudden. Er ligt een wereld aan vragen tussen ons.
Mijn ouders zeiden altijd dat paters, fraters en nonnen vreemde gasten waren, maar ook mensen die veel goeds kwamen brengen op Java.

Ik hoor ineens een zwaar geronk. Bulderend draaien een paar vrachtauto's de open poort binnen.
'Lěkas! Lěkas!' schreeuwen de bewakers. De wagens staan nog maar nauwelijks stil. We komen meteen in de benen. Snel, snel, zo gaat het altijd bij de Jappen. Wij kunnen uren wachten, maar zij wachten nog geen minuut op ons. Opschieten!
Hielke en ik klimmen in een laadbak. Bram zit niet bij ons. Sinds zijn bloedneus blijft hij uit mijn buurt. Er wordt stevig geduwd. Alsof het erom gaat hoeveel mannen er op een laadbak passen.
'We kunnen niet zitten,' zucht Hielke. 'O, stom, ik had mijn fles nog moeten vullen.'
'Je drinkt wel erg veel,' zeg ik.

Hielke haalt zijn schouders op.
We worden aangedrukt. Lijven worden tegen elkaar aangestampt. De bagage vertrapt onder onze voeten. Maar we rijden de poort uit. Eindelijk weg uit Salatiga! Waar zullen we nu terechtkomen? Krijgen we het beter? Zullen ze ons misschien de vrijheid geven?

Na tien minuten zegt Hielke dat hij misselijk is.
'Moet je braken?' vraagt een man die het ook heeft gehoord. 'Niet hier, jongen. Probeer de kant te bereiken.'
Dat is niet makkelijk voor Hielke, we staan zo stijf tegen elkaar aangedrukt.
'Jongen moet braken!' roept de man. 'Hij moet naar de kant! Jongen moet braken, even meewerken mannen!'
Het wordt een schuiven, rekken, duwen om Hielke bij de zijkant te krijgen. Van hier kan ik hem nog net een beetje zien. Hij geeft een paar keer over. Als hij na tien minuten oogcontact zoekt, zie ik dat hij zo grauw is als een vaatdoek. Wat heeft hij toch?
Ondertussen wordt het donker. De moesson stort bakken water uit. We zijn kletsnat, maar onze barang ook. Er is geen ander licht, dan het weinige stadslicht van onze vrachtauto. Geen maan, geen sterren, niets. We hobbelen voort in het duister. Waar zou vader Frans zijn? Zou hij ook al die tijd moeten staan? Waarschijnlijk wel.
In het afgelopen jaar heb ik de oude pater heel goed leren kennen. Ik weet inmiddels meer over hem dan over mijn opa. Hij heeft het ook altijd over 'onze lieven Heer', maar hoe kan hij dat geloven als je ons nu ziet. Pater Frans is toch een knecht van God? Mooie God die zo met zijn knechten omgaat. Waarom zie ik hem nergens staan? Ik ken de pater zo goed, dat ik hem hoor zeggen: Nee, Thomaske, niet God de schuld geven van wat mensen elkaar aandoen! Ik tuur naar boven. Een inktzwarte nacht.

Bestaat die God nou echt? Hij is een mysterie. Je moet het geloven, zegt de pater. Ziet die God ons hier rijden? Kan Hij gedachten lezen? Spreekt Hij Latijn? Als ik echt gelovig was, zou ik nu vast bidden. Voor Hielke en de pater. Maar ik ben niks.

Midden in de nacht komen we aan op een station. We moeten gaan zitten. We horen dat we waarschijnlijk in Ambarawa zijn. We zijn dicht bij de vrouwen. Dat besef maakt ons even dronken. We lachen, wuiven, sommige mannen roepen de naam van hun vrouw. Ik doe zelf ook mee. Uit alle macht roep ik 'mama' maar ook 'Lissie'. Judiths naam durf ik niet te roepen. De Jappen vinden ons veel te druk. Er vallen een paar klappen en dan wordt het vanzelf stil op het perron.

Ik rammel van de honger als de tweede dag begint. De zon komt tevoorschijn. Vogels beginnen uitbundig te zingen. Het plenst nog steeds volle emmers regen. Hielke leunt tegen mijn benen. Zelf zit ik met mijn rug tegen iemand anders aan.
'Waar wachten we op?' vraagt Hielke.
'Op de trein.'
'Waar gaan we dan heen?'
'Dat weten we toch niet.'
'Wat denk je dan?'
'Geen idee.'
'Ik hoop niet dat we op een schip moeten.'
'Nee, dat zal wel niet.'
'Waarom denk je dat?'
'Weet ik niet, zomaar. Probeer wat te slapen.'
Er is iets met Hielke. Het ene moment is hij lusteloos, dan is hij ineens druk en opgewonden. Ik maak me zorgen. Hij slaapt nog niet, ik zie hem voor zich uit staren.

'Hé, Hielke,' begin ik.
'Je zei dat ik moest slapen.'
'Hé, ons zwembad in Jogya was groot, hè?'
Het is een spelletje, een woordspelletje. Vooral als we niets beters te doen hebben. De één begint met de vraag, de ander weet precies wat hij moet antwoorden.
'Monsterlijk groot.'
'En onze proefwerken dan?'
'Die waren monsterlijk moeilijk.'
'En onze meisjes dan?'
'Monsterlijk groot...' Ik voel hem grinniken.
'Nee Thomas... ze waren geweldig mooi.'
Hè, hè, ik herken hem weer. Ik wil mijn benen verschuiven. Man, wat leunt hij zwaar tegen mijn benen aan en hij voelt warm.
'Kun je even rechtop gaan zitten.' Ik tik tegen zijn rug aan. Moet je dit zien! Die slaapt alweer...
Twintig minuten later wil hij water.
'Heb jij nog wat, Thomas?' Dit wordt al de derde keer dat hij een slokje van me leent. Wat heeft die jongen een dorst.
'Ik heb nog maar een beetje.'
'Eén slokje dan?' bedelt hij. Ik haal mijn veldfles tevoorschijn.
'Heus, Hielke, drink alsjeblieft heel erg weinig.'
Of hij me niet hoort of niet begrijpt, mijn fles is leeg als ik hem terugkrijg.

21. De dood

5 februari 1944

De ochtend is al een paar uur bezig, als we een trein in worden geduwd. Vierde klas reizen. Dit is *kelas kambing*. De jaloezieën zijn dicht. Ze kunnen niet open. Terwijl de zon fel brandt, loopt ook de temperatuur in de trein op. Het wordt bloedheet. Ik zweet me kapot. Je moet drinken, vooral voldoende drinken. Maar hoe doe je dat met één veldfles water waar je ontzettend zuinig op moet zijn?
Vlak voor we de trein instapten, hebben we onze veldflessen voor het laatst kunnen vullen met regenwater. We rijden nog niet eens! Ik ben bang dat we met deze hitte veel te weinig water zullen hebben. Ik besluit de fles van Hielke goed in de gaten houden. Hij drinkt nog steeds heel veel.

Ze pesten ons: even rijden we, dan staan we weer uren stil. Het schiet maar niet op. Tegen de avond word ik misselijk van de stank. Natuurlijk zweetlucht, maar ik ruik ook iets anders. Ik kijk wat ongerust om me heen. Is het braaklucht? Iemand verderop heeft overgeven. Dat zal het zijn. Of ruik ik nog iets? Hielke zit naast me. Tegenover ons zit vader Frans. Hij is stil aan het bidden. Ik zie hem kraal voor kraal door zijn rozenkrans gaan.
Als Hielke slaapt, leunt hij met zijn volle gewicht tegen me aan. Hij is wel erg warm en ik ook. Ineens zie ik wat me misselijk maakt. De broek van pater Frans! Die is nat. Maar daar beneden... nee, echt? Zijn sandaal staat in de poep! Merkt de pater daar niets van? Nu pas zie ik ook mijn eigen sandaal. Verdraaid, die vieze derrie loopt precies onder

mijn zitplaats door. Waar komt het toch vandaan? Wie doet nu zo stom?
'Niet te geloven,' stamel ik. Ik heb al een paar keer iemand tegen de wand zien plassen. Het lukt niet om in de overvolle trein bij de poepemmer te komen, die ergens achterin moet staan. Maar om nu je dunne gewoon te laten lopen... Beestachtig toch.
Even later richt Hielke zich op. Hij kijkt wat om zich heen, maar hij is niet helemaal wakker.
'Thomas, man, ik heb toch zo'n dorst. Heb jij nog iets?' Hielke's lippen zijn gebarsten. Wat ziet hij er slecht uit.
'Je mag maar één slokje, beslist niet meer.' Hij knikt en grijpt mijn veldfles al vast. De tuit aan zijn mond en daar begint het klokken.
'Hé joh, laat dat!' Ik probeer meteen de fles te pakken, maar Hielke draait al drinkend weg.
'Hier met die fles!' roep ik. Ik kan wel janken als ik zie hoe slordig Hielke met mijn water omgaat. Er sijpelt van alles langs zijn mond. Kostbaar water valt op de grond. Ik kan het niet meer aan zien. Met een flinke vuistslag sla ik mijn fles uit zijn mond. Hielke kijkt me getroffen aan. Zijn hand trilt als hij hem tegen zijn bloedende lip houdt.
'Verdraaid, Hielke,' huil ik. 'Waarom luister je dan ook niet!' Ik kijk naar de schade. Mijn fles is zeker voor de helft leeg.
'Hier, Thomaske,' zegt pater Frans. 'Ge kunt van mij wel wat water krijgen.' Hij houdt me zijn fles voor. Het is een bijna nog volle fles water. Ik zie om me heen mannen jaloers kijken. Hielke wil die fles grijpen, maar dat voorkomt de pater.
'Nee, niet jij, Hielke. Laat Thomas er maar op passen. Ge kunt het samen delen. Ik behoef niet zo veel vocht.' Zijn stem klinkt zo iel. Ik giet voorzichtig de helft van het water over in mijn eigen fles. Daarna geef ik zijn fles terug. Hij knikt me vriendelijk toe.

'Bedankt, vader Frans,' zeg ik. Een broos gebaar dat het bijna onverstaanbare 'het is al goed, mijn zoon' moet ondersteunen. De reis moet de oude pater erg zwaar vallen. Hij sluit alweer zijn ogen en trekt zich terug in zijn mysterie.

Tegen de avond lijkt Hielke op te knappen. Hij begint druk te praten en heeft honger.
'Nu een bord nasi,' zegt hij hard. Veel mannen moeten hem hebben gehoord. 'Nasi met een gebakken ei en saté. Wat wil jij, Thomas. Saté ajam of saté babi? Niet dat het mij iets uitmaakt hoor. Zeg jij het maar.'
'Je weet toch wel wat ik de lekkerste nasi vind?' zeg ik een stuk zachter.
'Ja maar, ik weet niet of ze dat hier hebben?' Houdt hij me voor gek of is hij zelf...?
'Hoe kunnen jullie over eten praten?' snauwt een man op de bank achter ons. 'Ik zou hier geen hap naar binnen krijgen.'
'O, maar ik wel,' lacht Hielke. Hij stoot me aan. 'Geef mij de portie van die meneer er maar bij! Zeg, heb jij ook nog water voor me?'
Ik wil het hem geven, maar pater Frans heeft het ook gehoord. Hij geeft zijn fles aan Hielke. Ik schaam me dood als ik zie hoeveel Hielke naar binnen giet. Als ik hem tegen wil houden, houdt de hand van de pater me tegen.
'Laat hem,' zegt hij.
'Daar gaat uw water,' zeg ik zacht.
'Hij heeft het nodig. Hielke ijlt. Hij heeft hoge koorts!' De pater buigt zich naar me toe. 'Als je vriend niet voldoende drinkt, gaat de koorts in zijn hoofd zitten.'
Ik vraag me af of die koorts daar inmiddels al niet zit. Normaal gesproken zou Hielke toch niet zo idioot met kostbaar water van een ander omgaan.

Het is een uur stil in onze wagon. De meeste mannen liggen te dutten. Opnieuw wordt Hielke wakker en is hij onrustig.
'Ja man, het ís hier ook warm,' zegt hij. Tegen wie heeft hij het?
'Schuif dat raam eens open!' Hij staat op en wil naar het middenpad lopen waar helemaal geen raam is.
'Ga zitten, Hielke,' zeg ik zacht.
We kunnen elkaar nauwelijks zien. Ik ben doodmoe van dit gedoe met Hielke, maar ik durf niet te gaan slapen. Stel je voor dat Hielke mijn drinken gaat pikken en alles zo naar binnen giet. Ik moet oppassen! Toch moet ik wel even sluimeren, want hij laat me schrikken.
'We hebben een oerbeste kokkie. Die kan lekker koken!' zegt hij veel te hard door de stilte.
'Sst, Hielke, er slapen mensen.'
'Nou, dan ga ik zelf dat raam maar eens even open doen.' Hij staat alweer. Hielke valt eerst tegen mij en dan tegen de pater aan. Hij lijkt wel dronken.
'Zo veel ramen en alles zit potdicht! Welke idioot heeft dat toch bedacht?'
Ik trek hem aan zijn broek terug op zijn plaats. Mijn hand voelt nat aan. Als ik Hielke weer naast me heb, ruik ik voorzichtig aan mijn hand. Stront! Hij ook al! Gore vieze poep. Waar ben ik toch? Ik zou pater Frans willen aanstoten. Hem vragen of dit misschien de hel is... Ben ik echt Thomas Werkman en is er nog Iemand daarboven die ons ziet?
Ik sla dubbel door een felle kramp in mijn buik. Is het spanning of word ik ook aangevallen door die 'medewerkers' van de Jappen: dysenterie,* malaria, tyfus en tering...

* ernstige diarree die gepaard gaat met bloedverlies, kan dodelijk aflopen

'Laat die knaap toch zijn kop houden,' fluistert iemand achter ons.
'Hoor je dat, Hielke,' zeg ik even later. 'Je moet stil zijn. Zitten blijven! Er kunnen hier geen ramen open.'
Hielke heeft niet door wat voor overlast hij anderen bezorgt. Hij is ook maar heel even stil. Even wat dommelen en daarna begint zijn drukte opnieuw.
'Ruik je dat, Thomas!'
'Kop dicht.'
'Kokkie is in de keuken bezig.' Hij snuift luidruchtig en wil weer gaan staan.
Ik hoor iets anders. Dicht bij mij.
'Kom op, jongen, het eten is klaar. Ik hoor de bel van onze kokkie.'
'Is het nu afgelopen daar met die onzin!' roept iemand. 'Anders sla ik zelf zijn bek dicht!'
'Geef ons dagelijks brood, geef ons levend water, geef ons uw leven, geef ons vrede Heer, geef vrede en vrijheid...'
Murmelen. Het is de pater, hij bidt maar en bidt maar. Hielke is in de war, iemand anders wil zijn bek dichtslaan. Ik voel me zo alleen, zo verschrikkelijk alleen en iedereen is gek!
'Zitten, jij!' sis ik kwaad. 'En blijven!'

De tweede morgen komt. De derde dag van ons transport. De toestand is onthoudbaar. Er vallen mannen flauw, sommigen hebben problemen met de ademhaling. De stank is niet meer te harden. Hielke heeft al het water van pater Frans opgedronken. Een stuk verderop in de wagon zijn ze met man en macht bezig een doorgedraaide man tot rust te brengen.
Hielke slaapt eindelijk. De enige overlast is nu het zware leunen tegen mij aan. Ik heb hem net weer een flinke duw gegeven en probeer in een andere houding verder te sla-

pen. Maar er is een geluid. Een vreemd geluid. Ik kijk om me heen en ontdek dat de pater het doet. Als ik wat naar voren buig zie ik dat zijn ogen wijd open staan en toch lijkt hij er niet meer mee te kijken. Alle kleur is weg uit zijn gezicht. Zijn ademhaling gaat stotend, schouders zakken naar beneden, zijn mond hangt scheef. Dit is niet… hij gaat…
'De pater!' Ik spring omhoog en sla alarm. 'Help, alsjeblieft, de pater gaat dood!'
De man naast pater Frans reageert meteen. Hij trekt de pater recht op zijn plaats.
'Probeer hem drinken te geven!' roept een man die al meer instructies heeft gegeven. 'Maak zijn blouse open. Geef hem ruimte en lucht.'
'Ik heb geen water!' Ik ben panisch. Al ons water is op. Van de pater zelf, van Hielke en ook van mij. Hij gaat dood. Voor mijn ogen. Toe nou mensen.
'Wat moet ik doen!'
Er is al water onderweg. Over de hoofden van al die verdorste mannen komt een bekertje mijn richting op. Een heel klein beetje water. Niemand drinkt ervan, ze geven het allemaal door. Ik breng meteen het water aan de lippen van pater Frans. Lippen die niets meer doen. Die scheef blijven hangen, niet in staat om het water binnen in de mond vast te houden.
Er komt een hand op mijn schouder. Op mijn knieën zit ik voor de pater. Ik vergeet de poep.
'Hij is al dood, Thomas!' Frater Guus is bij ons gekomen. Hij sluit de ogen van pater Frans en geeft hem de laatste zegen.
'Nee!' Ik schud mijn hoofd. 'Nee, niet de pater.'
'Deze tocht was veel te zwaar voor hem. Hij was al zo oud, jongen.'
'Nee, niet hij…'

Ik ben in de war, compleet beduusd, en toch zie ik dat Hielke ineens het bekertje water grijpt en snel al het water opdrinkt dat voor de pater bestemd was. Het maakt me furieus. Nog nooit ben ik zo verschrikkelijk kwaad geweest.
'Hufter die je bent!' roep ik. Er zijn meer mannen die vloeken om wat ze Hielke hebben zien doen. Ik bal mijn vuist en wil naar Hielke uithalen, maar een stevige mannenhand heeft mijn vuist eerder te pakken.
'Rotzak! Ik vergeef je dit nooit weer!' roep ik. Tranen lopen over mijn wangen. Iemand trekt me tegen zich aan. Ik jank van ellende.
'Kom, Thomas, kom jongen, ga zitten en beheers je!' Frater Guus klopt op mijn rug. 'Je weet toch dat Hielke ziek is.'
'Ach, barst toch!' Ik kan niet meer beleefd zijn. De rozenkrans van de pater valt bijna uit de levensloze hand. Ik schiet naar voren om de gebedskralen te pakken. Die krans mag in geen geval in de derrie vallen. Frater Guus probeert me te kalmeren. Hoe moet ik kalm worden met een dode pater tegenover me en een ijlende vriend naast me? Met stront aan mijn sandalen, met een stank die misselijk maakt en een dorst die niet te lessen is?
Ik ga in mijn hoekje zitten en laat kraal voor kraal door mijn handen gaan. Bij elke kraal kijk ik even naar het stille gezicht tegenover me. Zijn mysterie hangt nog om hem heen. Ik bid geen rozenkrans, ik zou niet weten hoe dat moet. Ik kijk alleen maar naar de pater. Als ik alle kralen heb gehad, voel ik me toch een stuk rustiger. Uiteindelijk geef ik de rozenkrans terug. Ik stop hem diep in het borstzakje van de pater.
Hielke stoot me aan. Hij weet niet eens dat ik net verschrikkelijk boos op hem ben geworden. Zijn ogen zijn groot, zijn woorden slecht gearticuleerd.
'Thomas, hé, zie je dat.' Hij wijst op de pater. 'Die lijkt wel dood!'

Gestoorde malloot. Ik wil van alles zeggen, maar als ik paniek lees in de koortsogen van Hielke, dan smelt al mijn boosheid weg. Hij is doodsbang voor de dood. Ik kan niet anders dan hem proberen gerust te stellen.
'Hij was te oud voor deze reis!'
Precies hetzelfde als wat frater Guus tegen mij zei. Ik kan hem geen verwijt maken, ik kan hem niet eens schuldig verklaren voor zijn gedrag. Hij is immers zichzelf niet. Ik heb nooit gedacht dat ik zo snel kon switchen tussen haat en liefde. Wat ligt dat dicht bij elkaar. De vrede van de pater is in al deze ellende mij en Hielke nog de baas.
Hielke jankt als een kind om de dood van de pater. Zijn hoofd legt hij voor de zo veelste keer op mijn schouder. Ik zeg er niets van, alleen maar: 'Stil maar, Hielke. Het komt wel goed.'
Helemaal achter in onze wagon, begint er iemand te zingen.
'Hoor, Hielke!'
Meer mannen gaan zingen. Ze zingen voor de pater. Ik zie de monden bewegen. Van de sterkste tot de zwakste. Zelfs Hielke richt zich op. We zijn zingende kambings. Zingende stinkende beesten? Nee, dieren zingen niet.
Dit lied uit verdroogde kelen vertelt me dat mensen geen dieren zijn en het zelfs niet kunnen worden. Wij zijn mensen! Uit ons midden is een man van God, een mens weggegaan. Naar de overkant. Geen oorlog, geen Japanse pesterij kan ons in onze liefde voor de pater stoppen. Wij doen hem uitgeleide! Van aarde naar hemel, van tijd naar eeuwigheid. We zingen het Indische Onze Vader. We zingen het twee keer, zelfs meerstemmig.

22. Witte koelies

7 februari 1944

Met moeite doe ik mijn ogen open. Waar ben ik? Ik probeer me iets te herinneren. Hielke is ziek. Hielke is niet bij me als ik op een laadbak wordt geduwd. Het regent. Dorst. Dood. Ik ben hem kwijt. Tranport, donker.
Ik kijk om me heen. Ik lig in een loods. Hoe ben ik hier gekomen? Mijn matras ligt uitgerold onder me. Wie heeft dat gedaan? Naast me staat mijn rugzak. Ik voel met mijn hand onder mijn matras. Hout. Naast me zie ik een lege slaapplek. Wie ligt daar? Zou Hielke daar liggen? Is hij soms even naar de wc gegaan?
Ik probeer omhoog te komen. Ik voel me geradbraakt. Wat zijn hier veel mensen. Zijn alle mensen uit Salatiga naar deze loods gebracht? Waarom herken ik niemand? Dan zie ik het stapeltje kleren aan mijn voeteneind. Ben ik uitgekleed? Wie heeft dat gedaan? Hoe lig ik er eigenlijk bij? Ik kijk snel onder het laken. Gelukkig! Mijn zelfgemaakte onderbroek heb ik nog aan. Ik probeer omhoog te komen om meer van de omgeving te zien, maar een stevige duizeling laat me meteen weer zakken. Ik voel me flauw en misselijk van de honger.

'Kijk eens aan, je bent wakker!' Er staat een man naast me. Hij heeft nat haar en droogt zijn gezicht en nek af.
'Bart de Lange, je buurman!' Hij wijst de lege plek aan en steekt meteen zijn hand uit. 'Het spijt me voor je als je in het andere kamp meer ruimte gewend was. Hier hebben we maar zestig centimeter per slaapplek. Dat is krap, dat zul je wel merken. Maar vannacht heb je daar geen last van

gehad! Je hebt liggen ronken.'
'Hoe ben ik hier gekomen?'
'Eerst je even voorstellen, knul,' zegt hij. Hij gaat op de achterkant van de slaapplaats zitten.
'Eh, o ja... ik heet Thomas. Thomas Werkman!'
'Oké, Thomas. Hoe je hier bent gekomen?' Hij maakte zijn armen wijd. 'Ik heb je gedragen. Hoeveel weeg je eigenlijk? Het doet me niets om zakken suiker en balen meel te sjouwen, maar jij overtrof al die zakken! Je moet het beter hebben gehad dan wij. Dat kan bijna niet anders.'
'Meent u dat nu? Kon ik dan niet meer lopen, soms?'
'Je was ver van deze wereld. Oververmoeid moet je maar denken. Hoelang zijn jullie onderweg geweest?'
'Drie dagen, meneer.' De tranen springen spontaan in mijn ogen als ik denk aan wat ik allemaal heb meegemaakt in de afgelopen dagen. 'We zaten twee dagen in een trein.' Ik fluister het bijna. 'Dat was heel erg, ik bedoel... echt heel erg.'
Mijn buurman schuift half op zijn bed.
'Ik geloof je direct, Thomas. Wat was die groep stuk, zeg. Jij lag midden op het pad. Je matras lag naast je en je rugzak lag boven op je. Je kon geen woord meer zeggen. Alleen nog drinken en slapen.'
'Ja, dorst...' Flarden blijven bij me naar boven komen. Dorst en dood. Nacht. Wind. Regen en dood. Opengesperde monden om water op te vangen. Druppels likken van je natte armen en dood. Drie mannen bleven achter in de trein, dood. De zieken namen we mee. Ik kan me dingen herinneren, tot het moment dat een hulpsoldaat me sloeg.
'Is Hielke Bakker hier ook?'
'Dat weet ik niet. Ik heb jou gedragen en later je spullen gehaald. Er zijn maar een paar uit die nieuwe groep in deze barak terechtgekomen. De anderen zullen ergens anders zijn ondergebracht. We zitten in dit kamp met een kleine

tienduizend man. Je moet hem straks maar gaan zoeken. Vraag maar eens bij de registratie.'
Hij pakt zijn blouse en trekt die aan. Ik zie dat hij geprobeerd heeft zijn blouse te repareren, alleen op een hele klungelige manier. Dat kan ik beter dan hij. De fraters hebben me ook naaien geleerd. Ik wil het onthouden, misschien kan ik iets terugdoen voor mijn weldoener.
'Zeg knul, ik moet nu eerst aan het werk. Vanavond zie je me wel weer. Ga maar snel eten halen nu het nog kan en geniet van deze dag. Morgen zul je eraan geloven. Dit is een werkkamp. De beroerdste baantjes zijn voor de nieuwkomers. En als je ergens mee zit, ik werk meestal in de buurt van de poort: voorraden sjouwen.'
Hij loopt weg. Hier en daar zie ik dat hij mannen groet. Hoe heet hij ook al weer? Bert? Bas? Ik zak terug op mijn kussen. Mijn hoofd is een zeef, ik vergeet alles. Zei hij nou dat ik op de grond lag te slapen? Ik weet er niets meer van. Ik moet van mijn slaapplank af en proberen eten te krijgen. Ik voel me onzeker en trillerig. Uit mijn rugzak haal ik mijn veldfles en mijn etensblik. Ik trek mijn vieze kleren weer aan en ga op onderzoek uit.
De barak zat vol mannen, maar zodra ik buiten de loods sta overvalt me de drukte pas echt. Vergeleken met het kleine kamp 'Djoeng Eng', ben ik van een dorp in een wereldstad gekomen. Wat een mannen. Tienduizend! Op straat hoor ik een vreemd zoemen. Het blijken de stemmen van duizenden mannen te zijn, zacht, droef en donker.
Ik loop met de stroom mee, maar al snel blijkt dat ik met een groep oploop die op appèl moet komen. Foute plek, dus ik keer terug. Waar is het eten? Ik heb honger. Waar is water, ik wil mijn fles vullen. Waar kan ik me mandiën en mijn kleren wassen? Vlak bij mijn loods vind ik een plek waar voedsel uitgedeeld werd. Ze willen net stoppen als ik mijn etensbakje laat zien.

'Van de nieuwe lichting zeker?' vraagt de man die het eten opschept. Ik krijg het laatste uit de grote *gamèl*. Het is een onbestemd goedje. Mijn eerste associatie is stijfsel of snot. Glibberig en waterig. Is dit geen varkensvoer? Het stinkt gewoon. En dan al die smerige vliegen. Ik wil iets zeggen, maar de man jaagt me weg.
'Niet zeuren, knaap. Ik heb je precies gegeven waar je recht op hebt,' zegt hij.

Ik loop terug naar mijn barak en ga op mijn plek zitten. Met mijn neus dicht – het stinkt – en mijn ogen dicht – omdat het op snot lijkt – begin ik te eten. Het smaakt drie keer nergens naar. Niet zoet, niet bitter, niet scherp, alleen zout. Toch lepel ik door. Het hele blikje lik ik schoon. Ik kan zeker nog wel drie van zulke porties op. Nu moet ik Hielke zoeken. Er zal hier ook wel een ziekenboeg zijn.
Ik loop opnieuw naar buiten. Al lopend kom ik uit bij de poort. Hier ergens moet ook mijn buurman werken. Ik zie hem nergens. Waar zou ik gelegen hebben? Tjonge, als ik de afstand bekijk naar de barak waar we slapen, dan heeft hij mij een flink eind moeten sjouwen. En ik ben zéker zwaarder dan wat balen meel. Ik mag hem vanavond wel extra bedanken. Maar wat is er met Hielke gebeurd? Hielke was de hele tijd al ziek. Zou hij vannacht nog wel hebben kunnen lopen? Dat is toch bijna onmogelijk...
Er staan zowel voor de poort als daarbuiten grote groepen mannen te wachten. Nu pas zie ik hoe omslachtig de Jappen alle mannen tellen. En tellen kunnen die Jappen niet. Het moet steeds weer overnieuw. Wat onzinnig! Op deze manier duurt het uren voor die mannen aan het werk kunnen. Ineens heeft een bewaker mij in de gaten. Hij komt met een stok op me af. Ik moet hier niet blijven staan. Toch fascineert het me. Ik blijf al lopend kijken naar die groep mannen buiten de poort. Het lijken koelies. Ik zie

patjollen, emmers, rieten manden. Net koelies, alleen nu zijn ze blank.
Ik wil verder lopen. De ziekenbarak zoeken. Ineens hoor ik iets. Het lijkt net of iemand mijn naam roept. Ik draai me om en zoek waar het vandaan komt. Vergis ik me? Dan zie ik iemand zwaaien. Wie is dat? Zwaait hij naar mij? Ik houd mijn hand voor mijn ogen om beter te kunnen kijken. De zwaaiende figuur neemt zijn hoofddeksel af. Hij wuift er mee. Zwart haar. Hardjònò? Mijn hart slaat over. Is het echt Hardjònò? Is hij ook opgepakt door de Jappen? Is hij hier, zo vlakbij? Nee, dat bestaat toch niet.
Ineens herken ik hem. Hoe kan ik me zo vergissen. Het is niet Hardjònò, maar Eddi Ram. Alles is in één klap anders. Ik wuif terug, maar toch... Ik lach zelfs, maar vanbinnen scheld ik mezelf uit: ben jij gek geworden om Eddi te verwarren met Hardjònò?
Er rent een bewaker op Eddi af. Hij slaat met zijn stok tegen het been van Eddi aan. Ik pak mijn eigen been vast.
'Hé kerel, laat dat!' mompel ik. Eddi zakt door zijn knieën. Iemand anders tilt hem omhoog. Hij wuift niet meer, maar blijft wel naar me kijken. Hinkelend gaat hij met zijn groep mee. Wat schreeuwen die heiho's. Schreeuwen en slaan, dat is wat ze geleerd hebben van hun Japanse meesters. Ik spuug op de grond en draai me om. Morgen ga ik met hen mee, dan ben ik ook een koelie.

Mijn twee oudere broers Oto en Darbo hebben mijn ouders ook verlaten. Ze zijn in dienst gekomen van de Japanners, een erebaantje. Arme mama. Ze schreef het me en ik weet zeker dat ze huilend de brief heeft geschreven. Van Amat hoort ze niets. Waar hij is, weet ze niet. Ik heb veel medelijden met haar. Moeder huilt, maar moeder Java ook. Wat een ellende zie ik op straat. De keren dat ik als boodschappenjongen eropuit wordt gestuurd. Honderden hongerige

kinderen zwerven op de straten van Jakarta. Het is afschuwelijk om te zien. Ik wil blijven geloven in Soekarno. Nu de afbraak, de pijn van het patjollen van de aarde, straks de wederopbouw en het plukken van de vruchten.
Maar soms denk ik: het dal waar we als volk doorheen moeten, is zo veel dieper dan ik ooit vooraf had gedacht.

23. Bart de Lange

8 februari 1944

Het is donker als hij eindelijk naast me komt liggen. Ik wil hem vragen waar hij geweest is en nog veel meer. Ik kan niet slapen. Alles is hier onbekend, behalve de vieze lucht die vrijkomt zodra er weer een wandluis is doodgeknepen.

Mijn buurman ligt dicht bij me, ik ruik de avondlucht. Hij moet net van buiten komen. Het is verboden om buiten te zijn als het licht uit is. Waar zou hij geweest zijn? De man woelt en draait onrustig op zijn slaapplek. Ineens richt hij zich op, komt met zijn hoofd mijn kant op.

'Hé, je bent nog wakker?' zegt hij zacht.

'Ja, ik kan niet slapen,' zeg ik.

Hij gaat op zijn zij liggen, met zijn gezicht naar me toe.

'Mooi, kunnen we even praten. Vanochtend had ik weinig tijd. Vertel, waar kom je eigenlijk vandaan?'

'Bedoelt u uit welk kamp ik kom of waar ik gewoond heb?'

'Thomas, we zijn mannen onder elkaar.' Hij gooit zijn haren naar achteren. 'Ik ben je slaapmaat. Houd het maar gewoon op Bart. Vertel, waar ben je opgegroeid? Wie zijn je ouders en hoe ben je hier terechtgekomen?'

'Ik weet nog niet of ik dat wel kan.'

'Wat? Zo veel vragen beantwoorden? Ik heb nog veel meer vragen!' lacht hij.

'Nee, ik bedoel dat "Bart" zeggen. U bent zo veel ouder dan ik. En, wilt u niet liever slapen?' In het maanlicht dat door de openstaande luiken naar binnen valt, ontdek ik meer in zijn gezicht. Een scherp, rood litteken op zijn wang.

'Jou mag ik wel!' Hij wijst met een vinger naar me. 'Nee, ik slaap niet veel, Thomas. Hooguit een paar uur per nacht.'
'Wat doet u dan allemaal?'
'Ik dacht dat ik aan jou een paar vragen stelde, vriend! Maar goed, als je het zo nodig wilt weten: ik ben dominee. Overdag werk ik als sjouwer, maar 's avonds besteed ik mijn tijd vooral aan huisbezoeken.'
'Huisbezoeken? Ik zie hier alleen loodsen, barakken.' Mijn grapje mislukt.
'Ach, er is ons al zo veel afgepakt, ik spreek expres van huisbezoek. Vanavond was ik bij een jongeman. Hij sloeg helemaal door. Wat een werk hadden we om hem rustig te krijgen. Nee, Thomas, we zullen niet vaak tegelijk gaan slapen.'
Ik haal mijn schouders op.
'Nu jij! Vertel op. Ik wil alles weten, alles interesseert me.'
'Ik kan onmogelijk alles in één keer vertellen,' zeg ik meteen.
Hij schuift een kussen onder zijn arm en gaat er beter voor liggen. Misschien lukt het me wel hem gewoon Bart te noemen. Een dominee... als slaapmaat. Eerst pater Frans en nu Bart. Maar wat als hij nu ook dood gaat...
'Kijk niet zo moeilijk, Thomas. Kom op, vertel eerst maar waar je bent opgegroeid.'
'In Jogyakarta, maar mijn ouders zijn niet van een kerk en ik ook niet.'
'Ach, jammer,' zegt Bart. Ik kijk hem meteen argwanend aan, maar hij laat er snel op volgen: 'Begrijp me goed. Het gaat om de informatie. Gelovigen zijn vaak goed op de hoogte van hun geloofsgenoten.'
'Hielke Bakker is gereformeerd,' zeg ik meteen. 'Misschien kunt u het hem vragen.'
'Is dat die vriend waar je het vanochtend over had?'
Ik knik.

'Heb je hem al gevonden? Gesproken?'
'Gevonden wel,' antwoord ik, 'gesproken nog niet. Hij was in een diepe slaap en de zuster vond het niet goed dat ik hem zou wekken. Morgen ga ik er weer heen. Hij is ziek.'
'Wat vervelend,' zegt Bart. 'De naam Bakker zegt me niets. Woonde hij ook in Jogya?'
'We zaten op dezelfde school. Zijn vader is dokter.'
'En jouw vader, wat doet hij voor werk?'
'Leraar Javaans. Hij werkte op dezelfde HBS als waar ik naar school ging.' Ik staar naar een roestige spijker waar iemand zijn blouse aan heeft gehangen. 'Het is al even geleden dat ik thuis was en naar school kon. Dat zit me behoorlijk dwars.'
'Een jongen die graag naar school gaat?' vraagt Bart.
Ik kom overeind.
'Natuurlijk!'
Dit voelt aan als thuiskomen. Ik kan iemand vertellen over opa Werkman, mijn plannen van de zeevaartschool op Terschelling. Dat ik ooit kapitein wil worden.
'Wacht even, Thomas,' onderbreekt Bart me, 'je had het over de HBS in Jogya... Ken je dan misschien een meneer Van de Heuvel?'
'Natuurlijk ken ik die! Onze wiskundeleraar. Ik heb nog een ellendige drie van hem staan. Die man kan gewoon niet uitleggen!'
Het gezicht van mijn buurman betrekt.
'Is er iets? Met Van de Heuvel... of zo?'
Hij knikt.
'Hij leeft niet meer.'
'Wat?' roep ik te hard. Er reageert meteen een man aan de overkant. We moeten zachter praten.
'Hij is ziek geworden, vorig jaar is hij overleden...' fluistert Bart.
'Maar die Van de Heuvel zat in dezelfde groep als mijn

vader. Werkman, Herman Werkman?' Ik spreek snel, gehaast, bang. 'Zegt die naam u ook iets?'
'Nee, Thomas. Het zegt me niets.'
Van de Heuvel is dood, en mijn vader dan...
'Ik weet wel dat de Japanners in 1942,' gaat Bart verder, 'een grote groep krijgsgevangenen naar Sumatra hebben verscheept. De zieken bleven hier. Bij die zieken zat Van de Heuvel.'
Hij aarzelt even.
'Misschien zou je hooguit eruit kunnen halen dat je vader destijds nog gezond was en mogelijk verscheept is.'
'Mijn vader hier?' Mijn hand glijdt langs het ruwe bamboe van de achterwand.
'Niets is zeker. Ik ben al twee jaar bezig te achterhalen waar mijn vrouw en kinderen zijn gebleven,' hoor ik Bart zeggen. 'Vanaf begin september heb ik niets meer van ze gehoord.'
Hij gaat op zijn rug liggen, zijn armen onder zijn hoofd gevouwen.
'Vlak voor we weg zouden gaan, ben ik opgepakt. We zouden net naar ons vakantiehuis. In elk geval: weg uit Solo. Het was daar zo onrustig. Ik weet niet of Gonda er ooit uit is gekomen. Ze was ook bijna uitgeteld...'
We kijken elkaar even aan. Ik hoor iets bekends en probeer het thuis te brengen. Bart trekt een eigen conclusie.
'Uitgeteld, zo noemen ze het als een vrouw bijna moet bevallen.' Hij kijkt me niet meer aan. 'Ze zijn elke dag in mijn gedachten. Ik kan alleen maar voor ze bidden. Het vreet soms zo aan me.'
'Gonda de Lange...' Het zegt me iets. Er valt een kwartje. Ik kijk Bart aan en realiseer me dat als het klopt, als het klopt wat ik denk... Dan zit daar de vader van Hilly en Ferdinand, de man van Gonda.
Hij heeft het allemaal niet in de gaten welke opwinding mij

parten speelt. Monotoon herhaalt hij het weinige dat hij weet.
'Het laatste heeft iemand haar in oktober nog gezien, een maand na mijn vertrek...'
Ik tik tegen zijn arm aan en hij kijkt naar me.
'Gonda de Lange?' herhaal ik.
'Ja! Ken jij haar?' stamelt hij.
'Uw zoontje heet Bart-Jan!' fluister ik opgewonden. 'Ja, hij heet: Bart-Jan.'
'Zoontje?' Zijn ogen zijn even achter een lange krul verborgen. 'Je bedoelt... Is het een jongetje geworden?' Zijn gezicht is vlak bij me. Zijn ogen flonkeren vochtig. 'En heb je ook Hilly gezien en Ferdinand? En toen nóg een jongetje?'
Ik kan niets meer zeggen. Door een waas van tranen zie ik dat hij vecht met zijn emoties. Zijn lippen gaan trillen. Hij sluit zijn ogen en vraagt mij opnieuw:
'Je zegt toch niet zomaar iets, hè! Het waren er echt drie? En zij is blond en lang?'
'Echt, Bart!' Ik moet een brok wegslikken. Ik noem zomaar zijn naam. 'Het kan niet missen. Ik heb zelfs een poosje met Gonda opgetrokken. Ik weet het zeker, ze kwam inderdaad uit Solo en Bart-Jan was nog maar een paar maand oud. Het was vlak voor we geïnterneerd werden.'
'Je meent het niet!'
Hij veegt de tranen van zijn wangen, lacht en huilt en bonst tegen zijn borstkas.
'Bart-Jan, hij is naar mij genoemd! Een jongen, o God, wat geweldig!' Bart roept het veel te hard, het gemopper om ons heen wordt steeds luider.
'Stil, jullie twee!' snauwt een man.
'Hé, dominee, kan die effe wat zachter!'
Bart stoot me aan.
'Kom mee. Dit kan ik niet,' fluistert hij. 'Naar buiten! Ik heb het niet meer!'

Maar dat is toch verboden? En toch, als Bart naast zijn bed staat, sta ik al achter hem. In tijden ben ik niet zo opgewonden en blij geweest. Ik herinner me zo veel. Alles ga ik hem vertellen. Nou ja, bijna alles, dat van Judith misschien maar niet. En als Hielke morgen wakker is...

Bart staat stil bij de deur van onze loods. Hij kijkt voorzichtig door een kier of er niemand voorstaat. Niemand op de straat? Niemand op wacht? We glippen weg. Bart trekt me direct mee langs een kleine steeg naar de achterkant van de barak.
'Houd je zo klein mogelijk, laag bij de grond blijven,' fluistert hij. Ik volg hem. Op onze handen en voeten sluipen we gejaagd door de duisternis. Ik doe hem precies na. Bart moet dit vaker hebben gedaan. Ineens trekt hij me mee achter een muurtje. Zijn vinger tegen mijn mond. Heeft hij iemand gezien? Dan hoor ik ook iets. Stemmen. Japanners? Twee soldaten, ze lopen vlak langs ons. Ik zie een schimmenspel van donkere schaduwen op het pad. We blijven tegen de muur gedrukt staan, tot Bart het veilig genoeg vindt.
'Kom!' zegt hij weer. 'Zachtjes, Thomas!' We sluipen weer verder. Langs een muur, een barak of is het iets anders? Ik herken niets in dit schemerdonker. Voor mij is alles vreemd. We staan stil bij een kleine woning. Bart klopt op de houten deur. Drie korte tikken, even pauze en dan weer twee tikken. Ik hoor grendels schuiven en daarna een sleutel omdraaien. De deur gaat open en Bart trekt me mee naar binnen. In het licht van een kleine lamp zie ik verschillende mannen om een tafel zitten. Wat is dit hier? Een vergadering? Een geheime bijeenkomst?
'Bart!' Een lange man met volle witte snor staat op. Wat kijkt die man boos, gespannen. 'Onraad? Zijn er problemen?'

Bart slaat amicaal de arm om me heen en wuift.
'Nee, mijn beste vrienden,' hoor ik hem opgewekt zeggen.
'Ik heb net te horen gekregen dat ik opnieuw vader ben geworden!'
Op slag verandert alles. Zijn dit nog dezelfde mannen? Ze beginnen te lachen en kloppen Bart op zijn rug. Felicitaties, de naam van Gonda en Bart-Jan vallen wel tien keer. De man met de witte snor stapt op Bart af, maar daarna ook op mij.
'En jouw naam is?' vraagt hij. De man is langer dan Bart. Ik krimp ineen onder de scherpe blik van hem. Dit moet wel een kapitein van een schip zijn. Iemand die gewend is om orders te geven.
'Thomas Werkman, meneer,' fluister ik.
'Bouwmeester is de naam!' Meer aandacht krijg ik niet en ook Bart lijkt me voor een moment vergeten te zijn. De mannen kennen elkaar goed, maar wie ze zijn is me nog niet duidelijk. Dan pakt Bart me weer vast. Hij zet me voor zich neer, zodat iedereen nu op me let.
'We hielden in de loods de mannen uit hun slaap. Thomas moet me nog veel meer vertellen. Jullie begrijpen dat ik bij zulk belangrijk nieuws mijn hart moet luchten.'
De mannen lachen en gebaren dat ik moet gaan zitten.
'Laat Thomas ons de rest ook vertellen. Ik wil alles weten wat je met Gonda hebt meegemaakt, Thomas, en alles van mijn kinderen! Is het geen Godsgeschenk?'
'Een gebedsverhoring!' zegt één van de mannen.
'Ik noem het een wonder!' roept Bart.
'Voor een dominee is dat zeker zo!' lacht Bouwmeester.
Ze kijken me aan. Ik voel me verlegen, maar Bart lacht:
'Nou, kom op, Thomas: niet verlegen zijn. Mannen onder elkaar! Vertel op.'
Ik knik. Ja, ja. Een man! Vooruit, weg met die verlegenheid. Ik word volgende maand achttien.

Ik vertel over het vrouwenkamp in Ambarawa. Een paar keer bevestigt Bouwmeester mijn verhaal. Ik vertel ook over mijn moeder en over tante Els. Judith laat ik achterwege, dat is privé. Gonda's aandeel laat ik groeien.
Daarna word ik bestookt met vragen, vooral van Bart. Hij wil zelfs precies weten in welke loods Gonda is ondergebracht. Ik moet het kamp schetsen met mijn vinger. En hoe sliepen ze dan in die loods? Waar lag Gonda, Hilly en Ferdinand en waar lag de kleine Bart-Jan! Ik raak aardig uitgeput van het vertellen. Maar Bart nog niet. Of ik ook de kleur van zijn ogen weet. 'Gonda heeft groen ogen en ik blauwe...' legt Bart zijn vrienden uit. 'En zijn haar? Had hij ook krullen?
'Maar daar heb ik helemaal niet opgelet,' zeg ik verontschuldigend. Als Bart zegt dat hij dat niet kan begrijpen, lachen de mannen hem uit.
'Houd nu toch gauw op, De Lange! Welke jongen van zijn leeftijd let er nu op de kleur ogen van een baby of krullen in het haar?'

24. Verraad

5 maart 1944

Hielke blijft flink ziek. Hij ligt al bijna een maand in het hospitaal. Elke avond ga ik erheen en ontmoet ik daar ook Eddi Ram. Wat Hielke precies heeft is niet duidelijk. Het maakt ook weinig uit. Als je lichaam niet sterk genoeg is om zichzelf beter te maken, gaat het mis. Daar ben ik bang voor. Eddi en ik slepen wat extra eten aan. Gespaard uit onze eigen mond. Maar niets lijkt te helpen.

Vanavond spelen we stommetje. Hielke zegt niets, Eddi zit te frunniken aan zijn vingers en ik droom maar wat. Wat ik ooit ook van Eddi heb gedacht, ik ben blij dat ik hier niet in mijn eentje zit. Er is iets veranderd. Komt dat door het kamp? Of door de oorlog? Of door het verhaal over zijn vader. Hielke vroeg een paar weken geleden hoe Eddi in dit kamp was gekomen. Hij vertelde het ons. Het heeft in het begin van de oorlog gespeeld, vlak daarna is Eddi in dit kamp gekomen.
Ik kreeg het gevoel dat het verhaal met mij te maken had. Dat was niet zo, maar misschien had het wel met Hardjònò te maken. En dat wist ik ook niet zeker, maar de angst alleen al dát Hardjònò ermee te maken had, was reden genoeg om me schuldig te voelen tegenover Eddi.

Eddi vertelde dat de Jappen op een middag, tijdens het lesgeven, de school waren binnengevallen. Ze kwamen voor meneer Ram. Terwijl hij ons dit vertelde keek hij alleen Hielke aan en mij niet. Ik begon me gaandeweg ongemakkelijker te voelen.

'Ze hebben mijn vader gepakt en eerst tegen de grond geslagen.'
'Verdraaid,' siste Hielke.
'Denk je dat hij is verraden?' vroeg ik. Ik ontweek oogcontact tussen Eddi en mij.
'Wie verraadt er nu een leraar van school?' bromde Hielke.
'Wat dacht je?' zei Eddi. 'Natuurlijk is hij verraden en je kunt wel raden door wie. Eén van die jongens uit de kampong, natuurlijk.'
Hier was ik al bang voor.
'Je weet toch zelf ook wel dat er een paar felle rakkers tussen zaten,' hoorde ik Eddi vertellen. 'Ze vonden al een poosje dat mijn vader te pro Nederland was. Op school werd hij door Javaanse jongens geïntimideerd. Ze waarschuwden hem dat hij moest oppassen met wat hij zei en deed.'
'Je meent het niet,' zei Hielke. Er zat iets in mijn keel. Het liet zich niet wegslikken. Mijn mond was kurkdroog. De manier waarop Hielke naar me keek. Hoe Eddi me negeerde. Ik wist waarom ze dat deden. Ze waren het niet vergeten dat Hardjònò mijn vriend was en hoe ik hem altijd verdedigd heb.
'Wat gebeurde er dan?' vroeg Hielke.
Eddi wilde verder vertellen.
'Wacht, ik haal nog even water voor je!' Ik stond met een glimlach op, maar mijn buik verkrampte. Ik rende naar de wc. Verraad op school. Dat had vast Hardjònò gedaan. Eddi zou het ons zo gaan vertellen. Meneer Ram verraden door een jongen uit de kampong! Ik ben de enige van school, die bevriend was met een jongen uit kampong. Zelfs toen die Jappen kwamen zwemmen. Of zelfs tot die keer dat Hardjònò me niet hielp nadat een Jap me tegen de grond had geslagen. Misschien zelfs wel tot dit moment? En waarom? Waarom kapte ik niet met Hardjònò? Omdat ik

maar niet kon geloven dat Hardjònò echt veranderd was.
Ik hing ellendig boven die wc. Een verschrikkelijke stank was om me heen. Mijn ontlasting was waterdun. Ze zouden straks zeggen: 'Zie je nu Thomas, je wilde niet luisteren. Dit krijg je nu met zulke vrienden...' Eddi kon het me zelfs verwijten: 'Ik heb altijd wel gemerkt hoor, dat je in die Hardjònò meer zag, dan in mij...'
Poepen, kreunen, zuchten. Het zweet gutste van mijn gezicht af. Ik liep helemaal leeg. Hardjònò! Hardjònò! Over en uit. Nu niet verder. Ik perste hem mijn leven uit! Het was echt afgelopen! Ik wilde nooit meer aan hem denken... Nooit meer verlangen. Nooit meer hopen. Nooit meer die twee, Eddi en Hardjònò met elkaar vergelijken, nooit meer.
Eerst dronk ik veel water, daarna vulde ik de beker nog een keer voor Hielke. Met lood in mijn benen liep ik terug. Ondertussen was de duisternis ingevallen en de eerste lampen werden ontstoken. Zodra de zon ons verliet, werd het meteen donker. In het hospitaal brandde nu ook een peertje op de zaal waar Hielke lag. Ze hadden op me gewacht.
'O, dat had voor mij niet gehoeven,' zei ik met een uitgestreken gezicht. Blij dat er geen daglicht meer in de zaal was.
'Van mij moest het wel,' zei Hielke. 'Jij moet dit ook horen.'
'Tjonge, wat zie je toch bleek, Thomas?' Eddi klonk bezorgd. Ik schaamde me tegenover hem, meer dan ik hem ooit zou kunnen uitleggen.
'Ik was op het moment dat ze mijn vader kwamen halen, niet bij hem, maar een paar lokalen verderop, bij mevrouw Soetah.'
'Maak dat de kat wijs. Kreeg je nááiles?' vroeg Hielke.
'Natuurlijk niet! Ze gaf ons geschiedenis.'
'Hoe kan dat? Ze is toch handwerklerares?' zei Hielke weer.
'Op deze manier probeerden ze de school draaiend te houden. Het ging best wel.'

Wat een klamme avond. Wat een verhaal. Ik voelde me hondsmoe.
'Er was eerst lawaai op de gang,' vertelde Eddi. Hij zat wat in elkaar gedoken en sprak niet erg hard. Ik moest moeite doen hem te verstaan. 'Er werd geschreeuwd, geroepen, alles ging door elkaar. Later begreep ik dat het mijn vader is geweest die daar door de Jappen gemolesteerd werd. Ze hebben hem kapot geslagen en zo meegenomen. Volgens een paar leerlingen kon mijn vader...' Eddi was vol geschoten. 'Mijn vader, hij eh... papa... hij kon niet eens meer kon lopen. In de gang zag ik later een spoor van bloed...'
Het was zo'n akelig moment. Hielke staarde naar het plafond en ik staarde naar een pluisje op het bed van Hielke. We wisten allebei niet wat we moesten zeggen.

Ik ril opnieuw even bij de herinnering aan dat moment dat Eddi dit aan ons vertelde. We zijn later nooit op zijn verhaal teruggekomen. Toch ben ik vanaf dit moment anders naar Eddi gaan kijken. Misschien uit schuldgevoel, misschien ook vanwege lotsverbondenheid. Hoe je het wendt of keert, we zitten in hetzelfde schuitje, hij en ik. Soms denk ik dat ik Eddi op de man af moet vragen wie zijn vader verraden heeft, maar dat durf ik niet. Ik ben te bang voor het antwoord. Ik ben bang dat ik het niet aankan dat uitgerekend Eddi Ram mij zou vertellen dat Hardjònò een leraar, meneer Ram nog wel, heeft verraden.

Hielke beweegt onrustig. Zijn zware ademhaling haalt me terug uit mijn gepieker. Hij kreunt en probeert te draaien op zijn slaapplek. Eddi voelt even het warme gezicht van Hielke. Hij heeft hoge koorts.
'Paat...' Het lijkt net alsof Hielke iets wil zeggen. Ik voel zijn warme adem langs mijn wang glijden.

‘Hielke?’ vraag ik zacht.
‘Praat!’ Het is niet meer dan een ademstoot, zijn bevel.
‘Natuurlijk! Je hebt gelijk, man!’ zegt Eddi. We gaan meer rechtop zitten. Alle dromerigheid is op slag weg. ‘Wat heb je aan je vrienden, als we je niks vertellen?’ lacht Eddi.
‘Precies, zo is het Eddi!’ Ik ben een meekletser!
‘Even zien.’ Eddi zoekt al naar iets leuks, ‘Thomas, jij moet over die pisangwijn vertellen. Maar eerst meneer ten Have!’
‘Jouw buurman?’ zeg ik tegen Eddi.
‘Oké, ik heb al weleens verteld dat de keurige oude meneer ten Have naast me slaapt. Nu begon het de laatste tijd bij het bed van ten Have erg te stinken.
‘Poep,’ raadt Hielke, zijn stem is nauwelijks hoorbaar.
‘Dat kon ik me van meneer ten Have niet voorstellen. Er is niemand op de hele zaal die zo ontzettend netjes en schoon is op zichzelf.’
‘Dat is toch die man met zijn vlinderstrikje?’ vraag ik.
‘Ja, precies. Je ziet er niemand mee lopen, behalve meneer Ten Have. Maar goed, gisteren ging meneer iets vroeger naar zijn werk dan anders. Dat was onze kans. Meteen hebben de andere buurman en ik het bed onderzocht en weet je wat we vonden?’
We blijven allebei stil, Hielke en ik. Eddi schiet in de lach.
‘Een nest jonge muizen. Geplet onder het gewicht van meneer ten Have. En stinken dat het deed…’
Hielke’s ogen gaan even open. Ik zie een vage glimlach om zijn lippen. Die vreemd draaiende ogen die ons zoeken. Ik wil er niet te veel naar kijken. Het maakt me bang.
‘We hebben ze allemaal keurig verwijderd. Meneer ten Have weet van niks en dat laten we maar zo,’ zegt Eddi. ‘We zijn bang dat hij er anders niet meer durft te slapen!’
Het blijft even stil. Eddi seint dat ik ook iets moet vertellen. O ja, de wijn van Bart de Lange!
‘Ik heb ook nog een mooi verhaal voor je, Hielke. Bart is

bezig wijn te maken van een paar bananen. Die heeft hij kunnen kopen van iemand buiten het kamp. Je weet dat hij veel bij de poort werkt als sjouwer. Die wijn van hem, een mousserende drank, is bedoeld voor de bevrijding! Dat gaat snel gebeuren, volgens Bart. Binnen een paar maand! Hoe lijkt je dat, Hielke?'
Er komt geen reactie. Hoort hij me wel? Is hij weer in slaap gevallen? Ik kijk Eddi even ongerust aan. Hij is zo uitgemergeld. Niets daar in bed herinnert me nog aan de Reus.
'Bah hooom.' Het is niet meer dan een zucht met een klank.
Ik durf niet te vragen of hij het wil herhalen.
'Ja... ik bedoel Bart de dominee,' zeg ik.
'Nee, ik geloof dat Hielke graag wil dat de dominee bij hem komt!' zegt Eddi.
Hielke lijkt te willen knikken, maar een volgend moment begint hij te hoesten. Eddi en ik zijn bang dat hij stikt. Wat een gepruttel, gesputter, gekerm en gekrom.
'Hielke toch...' Eddi heeft zijn arm al onder de schouder van Hielke door en trekt hem omhoog. Ik klop onhandig op de magere latten. Hielke hapt naar lucht.
'Kohoom...' horen we hem zeggen. 'Bah koooo...'
Hij moet zijn mond houden, hij is te benauwd om te praten.
'Sst, Hielke, stil maar,' zegt Eddi steeds. 'Bart komt wel.'
Even later leggen we hem terug. Uitgeput.
'Kunnen we niet beter gaan?' vraagt Eddi zacht. Ik knik naar hem en sta op om mee te gaan. Hielke wordt onrustig. Hij stoot onverstaanbare klanken uit.
'Hij wil jou iets zeggen!' zegt Eddi. 'Houd je sterk, Reus!' En weg is Eddi. Hij laat me zomaar alleen. Ik durf helemaal niet alleen met een half dooie vriend achter te blijven.
'Ba... Bart komen!' Het is nu veel duidelijker. Wat ben ik een schijterd. Ik sta naast Hielke. Zitten durf ik al helemaal

niet meer. 'Ik zal het Bart vragen, hoor. Rustig maar Hielke, rustig maar. Hij komt vast wel even... Vanavond nog hoor...'
Hij zoekt mijn hand. Ik zie het, maar ik durf die broze magerheid niet aan te raken. Hij zweet erg, maar ik zie ook ander vocht. Druppels uit zijn ooghoek, langzaam langs de ingevallen jukbeenderen, via het oor, vallen ze op het kussen.
Hij opent weer zijn ogen. Draait zijn gezicht naar me toe. Het is net alsof hij iets wil zeggen.
'Alsjeblieft,' fluister ik. Hij moet zijn ogen dichthouden. Ik zie zo veel wit en ze draaien zo.
'Thoom, ik... dood...?' Drie woorden maar. Ik versta ze. Ik weet wat hij vraagt. O God, wat moet ik nu zeggen? Hij vecht voor zijn leven. Hij wil me zien. Doet hopeloos zijn best zijn blik te fixeren. Mij aan te kijken. Het lukt hem voor een moment. Staalblauwe ogen... Maar ik kan het niet verdragen. Ik verlies, wend mijn hoofd af en loop zonder nog iets te zeggen weg. Bart gaat diezelfde avond nog bij Hielke langs, maar ik zie Hielke niet levend weer. In de nieuwe morgen sterft hij.

25. Krampen

17 mei 1944

Het hele kamp stinkt! Al dagenlang is het windstil. We zitten onder de luizen. Ik hoop dat het gaat waaien, dat maakt alles frisser. De Tenno Heika, de doorluchtige keizer van Japan, heeft onze status veranderd. Geen burgers meer, maar krijgsgevangene. Alsof we allemaal soldaten zijn geweest. Het was al niet geweldig, nu is het nog erger geworden. Om de meest kleine 'vergrijpen' volgen harde lijfstraffen. De ergste is wel het bamboehok. Daar droogt de zon mannen uit en maakt hen langzaam knettergek. Er gaan veel mensen dood de laatste tijd. Eddi is nooit zonder werk. Hij werkt op de timmerwerkplaats, waar ze lijkkisten maken. Zolang er nog hout is, gaat daar het werk door. Ik zoek Eddi op bij de trap van het hospitaal. Sinds de dood van Hielke blijven we 's avonds hier komen. We zitten het liefst op het stenen muurtje waarmee de brede opgang van het oude monumentale pand is verfraaid. Die anderhalve, twee meter boven de grond, geeft ons het gevoel van privacy.

Eddi is weer met bamboe bezig. Hij maakt er fluitjes van en probeert die te verkopen aan kinderen in het kamp. Dat zijn onze jongste 'mannen', amper tien jaar oud. Bart slaapt nu bij die jochies. Samen met een paar andere mannen, draagt hij extra zorg voor deze kleine jongens. Ik mis hem. Vooral als ik 's nachts wakker word en niet kan slapen.

Eddi groet me niet eens, maar steekt meteen van wal.

'Zeg, Thomas, wist je dat mevrouw Batam zulke fluitjes verkocht in Jogya?' Hij neemt aan dat ik geïnteresseerd ben in zijn snijwerk. 'Zij heeft een paar jaar op de pasar gezeten met fluitjes. Ik ging er bijna elke dag heen om te kijken. Van haar heb ik het geleerd. Moet je kijken!' Hij doet me voor hoe hij voorzichtig de gaatjes verfijnt. 'Dat wist je niet, hè?' lacht hij. 'Ik kende toen Hardjònò niet eens. Wij woonden toen vlak bij de pasar. Ik vond mevrouw Batam heel aardig.'

'Dat is ze ook!' Wat is Eddi druk. Zijn opgewonden gepraat doet me niets.

'Je weet hoe dat gaat, Thomas, met Javaanse moeders. Het begon met 'wil je wat drinken. Een beetje klappermelk misschien?' Later een praatje, soms een snoepje en uiteindelijk hielp ik haar mee fluitjes snijden.'

Ik zit er voor vandaag doorheen. Ik voel me vies, smerig, gepakt door luizen en gammel van honger.

'Een jochie wil er graag eentje voor zijn tamme rijstvogeltje,' vertelt Eddi. 'Ik vraag een cent voor mijn fluitje. Vind je dat te veel?'

'Waarom zou hij er één kopen. Dat beest is immers al tam?'

'Hij hoeft geen goede reden te hebben,' zegt Eddi, 'alleen geld!'

Ik kan er niets mee. Een fluitje, een rijstvogeltje, mevrouw Batam... Wat kan het mij allemaal schelen. Gisteren had ik koorts. Ik ben bang dat ik ziek word. Stel dat ik net zo ziek wordt als Hielke?

'Weet je wie ik hier gezien heb?' vraagt Eddi.

'Magere Hein!'

'Mis! Amat Batam!'

'Je liegt het!' Ineens begrijp ik het. Die Eddi, hij heeft toch veel Javaans bloed in zich: altijd via een omweg je iets duidelijk maken. Daarom begon hij dat praatje over mevrouw Batam.

'Ik lieg niet. Ik heb hem gezien, hij werkt hier als heiho.'

'Nee!' Dit mag niet waar zijn. 'Hoe kun je zo gezellig over mevrouw Batam praten als die Amat...' Ik graai over mijn

kale hoofd. Vanwege de luizen heb ik me kaal laten scheren. Eddi stopt het priegelen. Hij kijkt strak voor zich uit.
'Door hem moest ik weer aan haar denken. Hoe zal zij het vinden dat Amat werkt voor de Jappen?'
Ik haal mijn schouders op. Hoe weet ik dat nu?
'Natuurlijk verdient hij nu geld, maar zouden zijn ouders daar profijt van hebben? We zitten zo ver van Jogya af,' zegt Eddi.
'Waar zag je hem?' vraag ik.
'Gisteren bij het appèl.'
'Ik moet hem niet tegenkomen. Stel je voor dat hij me herkent.'
Wat een ellende. Ik heb er nog een vijand bij! Ik word bang, boos, verward. Het is allemaal veel te veel. Ik verlies de controle over mezelf. Komt het daardoor, dat ik ineens, zomaar, iets vraag wat ik nooit had willen vragen!
'Zeg op, Eddi Ram, en nu eerlijk: wie heeft jouw vader eigenlijk verraden?'
Ik voel spanning in armen, benen. Een ongekende boosheid maakt zich van me meester. Ik zou op dit moment iedereen wel in elkaar kunnen rammen.
'Je bedoelt die jongen uit de kampong?'
'Ja, wie was het?'
Hij wacht te lang! Ik verschuif als een gestresste kip op de stok. Er schiet een gemene kramp in mijn linkerbeen. Ik span het been aan om de kramp te overwinnen.
'Dat weet ik niet. Ik weet niet hoe hij heet.'
Dit is niet waar. Hij spaart me! Ik heb je door, Eddi Ram!
'Natuurlijk weet je dat wel!' sis ik kwaad. Nu pas merkt Eddi mijn boosheid op, hij kijkt me vragend aan. Ik begrijp mezelf niet meer. Ik tril van woede, zomaar. Waar maak ik me zo druk over? Op wie ben ik boos? Op Eddi of op mezelf? Ik wil schoppen, schreeuwen, maar ik mis de lichamelijke kracht om flink kwaad te zijn. Kwaad op de

Jappen, om de honger. Kwaad op de geallieerden, die maar niet komen. Kwaad op Bart, omdat hij is weggegaan, kwaad op stomme, stomme Amat Batam. Ik hoor het hem zeggen: 'Ze zullen komen en alles van jullie afpikken!' En ik ben nog tien keer zo kwaad op die broer van hem, zonder naam...

'Doe even rustig jij,' zegt Eddi fel. 'Het is wat je zeg: ik weet het echt niet!'

'Onzin!' roep ik. 'Je wilt het gewoon niet zeggen. Denk je soms dat ik achterlijk ben of zo.'

'Hé Thomas, toe, wat heb je toch ineens?'

Mijn been! Het gaat helemaal mis. Hij verkrampt nog meer. Ik zit klem. Ik durf het muurtje niet af te springen op één been. De kramp geeft het gevoel dat mijn onderbeen haaks onder mijn knie zit. Ik moet door de pijn heen duwen, maar dat gaat niet. Eddi springt van de muur af en zet zijn schouder tegen mijn voet aan. Hij roept:

'Duw mijn schouder weg, zo hard je kunt.'

'Hardjònò...' kerm ik. 'Je wilt het gewoon niet zeggen dat het Hardjò...' Ik kom er niet uit. Die verrekte kramp snijdt de adem af.

'Zeg geen onzin, Thomas. Eerst dit!'

Het duurt even, maar na een paar keer flink duwen, lijkt de kramp weg te blijven. Eddi begint mijn onderbeen te masseren. Dat helpt. Warme handen, ontspanning, eerst links, daarna rechts, mijn lichaam, mijn emoties... Ik voel het wegzakken. Ik schaam me voor mijn boosheid. Alsof ik boos op Eddi ben...

Na een poosje komt hij weer naast me zitten, pakt zijn fluitje en probeert het fluiten nog een keer. Het klinkt al een stuk beter.

'Hardjònò Batam? Hoe kun je dát nu denken, Thomas?' Ik kan wel door de grond zakken. Wat heb ik gedaan, gezegd, gevraagd? Tegenover Eddi Ram nog wel?

'Gaat het weer een beetje?' vraagt Eddi. Als ik niks zeg, zegt Eddi het nog een keer: 'Thomas, toe, dacht je werkelijk dat Hardjònò mijn vader had verraden?'
'Laten we er maar niet meer over praten,' zeg ik. Ik schaam me zo verschrikkelijk diep. Als iemand aan verraad heeft gedaan, ben ik het dan niet? We zwijgen een tijd. Eddi priegelt door en ik probeer nergens aan te denken.
Er komt een groepje mannen langs. Eén van hen draagt een dode slang. Ze lachen en maken grappen. Dat beest gaat voor een vette paling door en belandt zo in een illegale pan. Eddi probeert het fluitje weer. Hij kan er al verschillende tonen uit halen.
'Maar natuurlijk, dat is waar ook!' zegt Eddi ineens. 'Je weet het misschien niet.'
'Wat weet ik niet?'
'Van Hardjònò natuurlijk!'
'Laat nu maar.'
'Nee, echt, hij zat allang niet meer op school.'
'Wat zeg je? Hardjònò niet?'
'Nee!' Eddi klapt zijn zakmes in en stopt hem weg in zijn broekzak. Het fluitje gaat in het borstzakje van zijn shirt. Klaar!
'Hij is van school gegaan, vlak nadat jullie verhuisd zijn naar dat andere huis. Hij is helemaal uit beeld verdwenen. Ik heb hem al lang niet meer gezien.'
'Maar, waarom? Waarvoor? Heb je gehoord waar hij naar toe is gegaan?'
Eddi springt weer van het muurtje af. Hij helpt me bij het eraf springen.
'Niemand wist er het fijne van. Sommige jongens zeiden dat hij en Amat iets met Soekarno te maken hadden. Anderen zeiden dat Hardjònò bij de trein was gezien. Hij zou naar Jakarta reizen. Hij is in ieder geval weg uit Jogya, maar waarheen en waarom, dat weet ik niet. Van Amat kan

ik nu zeker zeggen: die loopt hier rond...' Eddi is even stil, dan zoekt hij oogcontact, maar ik durf niet. 'Ik geloof nooit dat Hardjònò...' Hij aarzelt even. Ik voel hem kijken. 'Denk jij echt dat hij...'
'Nee,' zeg ik een stuk zekerder. Ik voel ineens de wind langs mijn armen. Sinds dagen. Het gaat weer waaien in het kamp! 'Nee, zo is Hardjònò niet!'

Vanaf mijn raam heb ik zicht op de haven van Jakarta. In de verte, geankerd op een paar kilometer van de kust, liggen schepen te wachten op hun bevoorrading. Elke keer als ik die schepen zie, denk ik aan Thomas. Wat zou hij hier zijn ogen uitkijken. Soms wandel ik langs de kade en dan is het net alsof we er samen lopen. Dan hoor ik hem weer praten over zijn opa in Nederland, over zijn plannen en dan weer dat zuchten over zijn drie op algebra. Ach, die Thomas... Zou hij nog leven? Er gaan veel blanken dood in die kampen, heb ik gehoord. Honger en allerlei ziekten laten mensen sterven als ratten. In de kampen, buiten de kampen. Overal heerst dood en verderf, onder mijn mensen, onder de Indo's, de blanken, de Chinezen. De enigen die de dans lijken te ontspringen zijn de Jappen. Ik kan het niet begrijpen dat Soekarno vrachten vol spullen naar Japan laat gaan, terwijl wij hier zo tekortkomen. Natuurlijk, protest zou de relatie met de Jappen verslechteren, maar toch... Zijn zwijgen komt me zo onrechtvaardig over. Hij komt niet op voor ons. Ze krijgen alles: onze rijst, suiker, textiel, thee, cacao... Wat haat ik dit ellendige gedoe!

26. Schrapen

23 december 1944

We sjouwen achter elkaar aan over de brede weg in het kamp. Bart de Lange loopt voorop. Mijn maag rammelt en is leeg. We hebben net gegeten, maar het is zo weinig dat ik meteen weer honger heb. De enorme drums waar het eten in wordt gekookt, moeten worden schoon gemaakt. Het randje aangekoekte meelpap is met zo veel honger erg gewild. Het is zelfs vechten geblazen wie het laatste beetje uit de pan mag halen. Daarom gebeurt het schrapen bij toerbeurt. Vandaag is Bart de uitverkorene en hij heeft me gevraagd met hem mee te gaan. Het water staat al in mijn mond. Eerst schrapen, daarna samen de pan schoon boenen!

'Ik heb je voorgedragen bij de Technische Dienst,' zegt Bart, terwijl hij voor me uit loopt. Hij neemt niet de moeite zich om te draaien. 'Ze zochten nog een jongen.'

'O.' Voor niets heb ik meer belangstelling. Alle dromen zijn gestopt. Over mijn toekomst, over opa, over Judith, mijn gepieker over Hardjònò, mijn vragen over mijn ouders en Lissie. Ik ben zo leeg als wat.

'We lopen er straks even heen. Het is een buitenkansje voor je, Thomas! Je gaat er ook slapen. Hoe lijkt je dat? In dat kleine officiershuisje. Weet je het nog?'

'Ik geloof het wel.' Hoeveel cassavepap zou er nog in zo'n pan zitten?

'De TD is een leuke ploeg mannen,' gaat Bram verder. 'Je kent Helder en Verweerd nog uit Salatiga. Ze doen belangrijk werk en worden daar ook naar beloond.'

Bart kijkt even om en verwacht vast een blije Thomas,

maar het zegt me niks. Ik wil eten. Eerst schrapen!
'Weet je nog dat ze pompen hebben gemaakt en zo ons drinkwater veilig hebben gesteld?'
Laat hij doorlopen.
'Ik heb tegen Verweerd gezegd: met Thomas krijg je een betrouwbare knul erbij. Dus straks flink aanpakken!'
Dat schreef opa Werkman ook graag.
'Bouwmeester is een eerlijk man.' Bart kijkt alweer om. Ik wil niet onbeleefd zijn en knik even naar hem. 'Dankzij onze kampvader wordt er heel wat corruptie voorkomen. Zoiets is belangrijk, Thomas. Eerlijkheid, vooral als je leiding aan mensen geeft.'
Ik wil hem niet laten merken dat het me geen biet kan schelen wat hij vertelt. Ik ben zo slap als een vaatdoek. 's Nachts word ik vaak wakker door gillende mannen met nachtmerries. Of we moeten ineens naast ons bed staan voor de *Kempeitai*. Of ik word badend in zweet wakker van een nachtmerrie. En dan aldoor maar die honger. Gisteren echt 'wild' gegeten, een flinke rat op ons houtvuur. Slakken zijn vet en eiwitrijk, we eten ook paddestoelen, oppassen dat ze niet giftig zijn. We zijn alles-eters geworden!
'Ben je niet nieuwsgierig naar je eerste klus?'
Waar heeft hij het over? Heb ik iets gemist?
'Kan mij wat,' mompel ik. Ik ben niet ouder dan een koppig kind.
Bart blijft staan en kijkt me scherp aan.
'Luister eens goed naar me, Thomas.' Ik moet naar hem opkijken. Hij doet zijn naam eer aan. 'Ik wil niet dat je zo praat.'
'Ach, ik bedoel het ook niet zo,' probeer ik hem snel. Laten we doorlopen. Straks hebben anderen onze pan geschraapt.
Maar Bart heeft geen haast, hij pakt me vast.
'Stop hier mee! Ik zie het heus wel. Al dagenlang laat jij je kop hangen. Thomas Werkman, wat jij doet is gevaarlijk.

Levensgevaarlijk! Het kan overal, behalve hier in het kamp.'
'Ik begrijp je niet.'
'Je moet vechten om je hoofd boven water te houden.'
Ik knik en speel het brave jongentje. Bart wordt nog bozer.
'Je luistert niet naar wat ik zeg! Je zegt veel te snel "ja, ja!" Ik heb het over de wil te overleven, hoor je dat wel? Zonder die wil kom je dit kamp niet levend uit! Begrijp je?'
Het irriteert me, dit oponthoud.
'O, juist ja. Daarom dus,' mompel ik. Mijn zwartgalligheid wint het van onverschilligheid of beleefdheid.
'Zeg maar wat je zeggen wilt,' daagt Bart me uit.
'Dáárom is Hielke dus dood. Hij wilde vast niet genoeg...'
Zijn hand schiet omhoog. Ik verwacht een pets tegen mijn oor aan te krijgen, maar op het laatst beheerst Bart zich. Hij draait op zijn hakken een keer rond en pakt me daarna stevig vast.
'Thomas!' Zijn stem is hees, zijn hand trilt. 'Thomas! Dat is het, hè? Het is om Hielke?' Zijn stem klinkt een stuk zachter. Ik knipper met mijn droge ogen. Ik wil grijnzen. Het wordt een valse grijns, iets beters krijg ik niet tevoorschijn.
'Ik heb honger,' zeg ik.
'Ja, we lopen door,' Hij houdt zijn arm om mijn schouder geslagen. 'Maar hoe zeg ik het. Je moet niet blijven treuren om Hielke. Het is echt goed met hem.' Hij zegt het, alsof hij gisteren nog een berichtje van Hielke heeft ontvangen. Uit de hemel zeker: 'alles goed hier!'
Bart kijkt steeds naar me. Hij let op me wat zijn woorden bij me doen. Hij moet dat laten, straks ga ik nog janken.
'Ik mis hem en hij is echt niet dood omdat hij niet meer wilde leven. Heus niet!'
'Thomas, zo bedoel ik dat ook niet.' Vlak voor de keuken blijft Bart weer staan. Ik zie de drum al staan. Toe nou Bart... Loop door! Hij praat over de hemel, over God, maar ik let op de pan. Zie je wel: ze pikken uit onze drum. Ze

kijken of Bart het door heeft. Maar Bart let nergens op. Hij wil me troosten, maar ik wil eerst eten. Al het andere kan later wel...
'Thomas, toen ik voor het laatst bij hem was, maakte hij zich zorgen over jou.' Zie je wel, ik heb weer een stuk van Barts verhaal gemist.
'Hielke?' vraag ik.
'Ja, Hielke wist dat hij sterven zou. Hij was er niet meer bang voor. Ik denk dat hij er zelfs naar uitzag om naar de hemel te gaan. Een paar dagen voor zijn sterven had hij in een droom een enorme vogel gezien. Die tilde hem op en nam hem mee...'
Ik staar Bart met een open mond aan.
'Een vogel? Was het een arend?'
'Wat voor vogel het was, wist Hielke niet, maar we wisten allebei dat het een teken was dat zijn sterven dichterbij kwam en dat God hem zou gaan halen. Dat heeft Hielke heel veel troost gegeven.'
Ik zoek in mijn verwarde gedachten naar iets bekends. Heeft Hielke me nu verteld van die arend? Het was iets over God en een roofvogel die zijn jongen op de vleugels draagt. Ik kan niet eens meer behoorlijk nadenken.
'Thomas, ik wil hier samen met jou uitkomen, maar dan moet jij het ook echt willen. Niet opgeven, niet je hoofd laten hangen, niet denken dat het niet gaat lukken. Ik wil dat je samen met mij knokt om te overleven. Dat vraag ik je: Vecht voor je leven!'
Bart meent het zo ernstig, terwijl ik alleen maar aan eten kan denken. Als ik hem weer aankijk, zie ik dat hij mijn blik naar de drum in de open kookruimte heeft gevolgd. Misschien stel ik hem teleur, misschien begrijpt hij nu dat ik doof ben van de honger.
'Sorry, Bart,' zeg ik schuldbewust. 'Ik wil echt wel naar je luisteren. Maar ik heb zo'n honger...'

'Kom, we gaan eten!'

Bart zal als eerste gaan schrapen. Dat vind ik logisch, ondanks mijn watertanden. Ik denk dat ik de beheersing ook zal missen om maar een hap voor hem over te laten. Ik vertrouw Bart meer dan mezelf. Hij heeft niet alleen een sterkere beheersing, hij heeft me zelf meegevraagd.
'Je lepel, Thomas?' vraagt hij. De enorme pan gaat op zijn kant en Bart zit er gehurkt voor. Ik sta te popelen van ongeduld.
'Je bent zo aan de...' gebaart hij met volle mond. Ik heb het al gezien: er zit veel in. Boffen! Voor ons allebei minstens een kop vol. Bart wijst naar iemand die op het pad staat.
'Die jongen daar, ken je die? Hij roept jou!'
Ik kijk. Ja, ik ken hem. Waarvan? Dan herken ik hem. Is dat hem nu echt? Bram! Wat ziet die eruit. Het is dikke Bram niet meer... Hij wuift naar me. Eerst, maar al snel zakt zijn hand. Het wordt een ander gebaar. Niet te geloven: Bram bedelt om eten.
'Hier, breng hem wat!' zegt Bart. Hij houdt me zijn eigen lepel voor met klonterige cassavepap.
'Nee,' zeg ik. 'Nee, niet hij!'
'Waarom niet?' De lepel verdwijnt in Barts eigen mond.
'Hij krijgt niks!' houd ik vol.
'Maar hij heeft honger, net zoals jij! Waar ken je hem van?'
Ik draai me om. Ik wil Bram niet zien. Tjonge, mijn rivaal, zo vermagerd. Alles wat Bram hautain en arrogant heeft gemaakt, lijkt weg.
Bart lacht om me en eet door.
'Jouw beurt,' zegt hij na een poosje. Ik ga er net zo voor zitten, als Bart deed. De pan is zo groot dat je er met gemak een flinke volwassen man in kunt koken. Het valt me meteen op hoe eerlijk Bart in delen is. Precies de helft van de rand is onaangeroerd.

'Zodra de oorlog voorbij is, gaan we samen naar Ambarawa! Naar je moeder en naar Gonda en de kinderen! We gaan ze verrassen, Thomas! Man, ik kan bijna niet wachten tot we hier uit kunnen!'
Bart loopt om me heen. Ik probeer me voor te stellen wat hij ziet: een vies scharminkel, onder de luizen, met een onverzorgde wond op zijn onderbeen. Er zijn hier zo veel jongens, zo veel mannen die zijn vriend willen zijn. Uit al die mensen ben ik het geworden. Op de één of andere manier geeft Bart de Lange mij zijn aandacht, zijn liefde en zijn vaderlijke zorg.
'Waarom doe je dit eigenlijk voor mij, waarom ik en niet iemand anders?'
'Dat is mijn vraag, Thomas!' grijnst Bart. 'Wij lijken op elkaar, jij en ik! Dat denk ik zo vaak als ik met je optrek!'
'Niet waar...' Ik weet niet wat ik hoor. Zelfs het schransen uit de pan stopt voor een moment. Lijken wij op elkaar?
'Ik vraag me zo vaak af als ik de zorg van God over mijn leven ervaar: wat ziet de Heer toch in mij? Je stelt mijn vraag, Thomas! Waarom is God mijn vriend? Waarom zoekt Hij me elke dag op om me te helpen, te inspireren en te bemoedigen?'
'Zoiets bedoel ik toch niet?' zeg ik. Hij tikt met zijn voet zacht tegen de onderkant van mijn voet aan.
'Ik denk het wel. Jouw vraag is mijn vraag en mijn antwoord lijkt op Zijn antwoord toen ik God deze zelfde vraag stelde. Hij zei nota bene dat ik ook op Hem lijk.'
Nu kom ik overeind. Bart meent echt wat hij zegt. Ik ken hem goed genoeg om te weten dat hij over zijn God geen grapjes maakt.
'Dat wist je niet hè?' lacht hij vriendelijk. Ik moet ongelooflijk veel voor hem betekenen. 'De vriendschap met God houdt mij mentaal sterk. Het gaat bij geloven niet om eten of drinken. Geloof in God geeft vanbinnen kracht en dat

helpt je in moeilijkheden overeind te blijven!'

Ineens schiet me de situatie te binnen. Ik weet weer wie dat gezegd heeft over die vleugels van een arend. Tante Els! Het was op die avond dat we *gerampokt* zijn. Zij zei toen precies hetzelfde als Bart nu zegt. Dat geloof niets te maken heeft met een soort garantie voor een bevoorrecht plekje op de wereld, waar gelovigen nooit iets overkomt. Dat alle mensen, gelovig en ongelovig hetzelfde meemaken, maar hoe ze het meemaken kan wel verschillend zijn. Door geloof en door die vriendschap met God, zei tante Els toen, kreeg ze kracht en motivatie en hoop op een hele goede afloop.
Mentaal sterk... Ja! De vriendschap met Bart geeft mij... houdt mij mentaal sterk. Zo is het! Ik voel me warm worden. Ik lijk op Bart. Nou, dát mag ik willen! Misschien vind ik dat nog beter dan lijken op opa Werkman!
'Ik mag je graag, Thomas, en daarom wil ik deze oorlog met jou doorkomen. En dan zie ik uit naar de dag dat we naar Gonda en naar je moeder en zusje kunnen gaan! Wij samen, Thomas! Maar...'
Ik eet meer dan pap alleen.

'Maar, eerlijk is eerlijk,' zegt Bart dan op een plagende toon. 'Ik had die vreemde jongen daar op straat wel wat eten gegeven.'
Wát? Dikke Bram? Staat hij er nog steeds? Laat hij gauw ophoepelen.
Bart schiet in de lach om me.
'Wat heb je toch,' plaagt hij me, 'die jongen lijkt me best aardig.'
Ik frons even mijn wenkbrauwen.
'Nou zeg, kijk niet zo kwaad. Wat heeft hij je gedaan?'
Ik stop een laatste volle lepel pap in mijn mond.

'Hij hleeft mijn meisje befledigd!' Nu het allerlaatste schrapen!
'Zo, beledigd, dat is ernstig,' zeg Bart. 'Heb je dan al een meisje? Hoe heet ze?'
'Judith!' roep ik. Tjonge, wat is die aangekoekte pap lekker. Het is bijna op. Nog een klein beetje. Hier nog en daar nog iets.
'Moet je me nog eens wat over vertellen,' lacht Bart. 'Ach, die jongen loopt weg.'
'Mooi zo!'

*Mijn moeder schreef me dat mijn broers Oto en Darbo waarschijnlijk verdronken zijn. Ze zaten vorig jaar op een schip dat hen naar Zuid-Sumatra vervoerde. Dat erebaantje was verre van eervol. Ze moesten hetzelfde werk doen als de krijgsgevangen. Onderweg is het schip, de Junio Maru**, *getorpedeerd. Ik heb daar destijds wel geruchten over gehoord, zonder te weten dat mijn eigen broers ook op dit schip zaten. Verdronken, waarschijnlijk... Ach, wat blijft er nog over van mijn idealen? Alles brokkelt steeds verder af. Mijn volk lijdt onder de Japanse overheersing. Ze gaan zo krenkend met ons om. Zo erg is het nog nooit geweest onder de Nederlanders. Ik mis mijn moeder. Ik vraag me af waar Amat is en nog vaker waar Thomas zit. Het idee dat Thomas in een kamp uitgehongerd wordt, maakt me radeloos. Thomas die zich een Javaan voelde, die mij zijn broeder noemde... Hoe kunnen we iemand als hij de dupe laten worden van onze strijd om onafhankelijkheid. En wat komt er van die strijd terecht? Wanneer gaan de Jappen weg? Wanneer krijgen wij het zelf voor het zeggen?*

* Junio Maru is een van de grootste scheepsrampen (18/9/44) in onze geschiedenis met meer dan 5600 doden

27. De radio

17 april 1945

De Jappen willen dat de Technische Dienst, de TD, bajonetten gaan maken. Dat is te gek voor woorden. Dat gaan we nooit doen. Bovendien, wat willen ze met die dingen? Ons zeker nog meer pijn doen. De Nippon commandant vindt dat de heiho met zijn houten geweer te weinig respect afdwingt bij de levende skeletten die we onderhand zijn geworden. Daarom moeten er bajonetten op die houten stokken komen. Bizar!
De spanning liep vanmorgen flink op. Verweerd zei direct tegen de Japanse commandant dat de TD deze lange messen niet gaat maken. Dat het lijnrecht in ging tegen een eerdere afspraak tussen de TD en de Japanse legerleiding.
'Wat denkt u wel?' heeft Verweerd gezegd, 'Wapens maken tegen onze eigen mensen! Hoe durft u het aan ons te vragen.' Alles stond meteen op scherp. Dat een blanke zo tegen de Jap inging. Het leverde meteen klappen op en daarna werden we alle acht, de vier techneuten en wij, de helpers, meegenomen naar de wachtpost. Daar volgde nog een flinke aframmeling en toen pas konden de Jappen met ons 'praten'.
Verweerd kreeg de meeste klappen te verwerken. Hij kon bijna niet meer staan. Hij steunde op meneer Tromp, maar bleef volhouden dat de TD de opdracht weigerde. De commandant verloor zijn geduld. Hij schreeuwde dat de vier mannen voor onbepaalde tijd het bamboehok in moesten en wij werden met bamboestokken weggejaagd.
We zijn met vier jongens, Jan, Hans en Timo en ik, de

hulpjes van de TD. Nadat we eerst de wachtpost waren uitgeslagen, zijn we naar het officiershuisje gegaan. Geen van ons vieren wist wat we moesten doen zonder aanwijzingen van Verweerd, onze leider.

Terwijl we net bijkomen van de schrik, wordt er drie keer geklopt. Zacht, hard, zacht. Een teken van een betrouwbare vriend. Timo doet meteen de deur open, het is Bart de Lange.

'Zo jongens, hoe hebben jullie het?' vraagt Bart.

'Weet je al iets? Is al besloten wat we moeten doen?' vraagt Jan en staat op. Hij biedt Bart zijn stoel aan. Er zijn maar vier stoelen en acht slaapplaatsen. Bart gaat erbij zitten en kijkt bezorgd naar Timo. Hij heeft een bloedende neus aan de aframmeling overgehouden.

'We gaan het echt niet doen!' zegt Timo, terwijl hij zijn neus verstopt achter een natte doek. Timo heeft veel van meneer Verweerd. Ik zie bij hem datzelfde verzet.

'Laat die neus eens zien,' zegt Bart, maar Timo schudt zijn hoofd.

'Er is niks aan de hand, meneer. Hooguit wat bloed, meer is het niet,' zegt hij. De doek wordt ondertussen roder en roder.

'Hoelang gaat dit duren, denk je?' vraag ik aan Bart. Een dag in het bamboehok is een marteling. Ik heb er verschillende mannen al gek in zien worden, of letterlijk bezwijken door dorst en hitte.

'Tot ze bajonetten willen maken!' antwoordt Bart.

'Krankzinnig!' roept Hans. Jan valt hem bij dat de Jappen dat wel kunnen schudden. We weten het alle vier zeker: er worden door de TD geen wapens gemaakt.

'Bovendien hoeven ze dit niet eens aan ons te vragen!' roept Timo kwaad. Houdt het bloeden nu nooit op? Wat is de doek doorweekt met bloed en wat is Timo wit.

'Zou jij je niet wat rustiger houden,' zegt Bart. 'Ga toch lig-

gen met die dikke knokkel van je. Straks houd je er nog iets aan over.'
We lachen om Bart zijn woorden, maar Timo trekt zich er niets van aan.
'Mij mankeert niets!' wuift hij de bezorgdheid weg. Ik sta op om te kijken of er nog een schone lap te vinden is voor Timo's bloedneus.
'Het is puur pesten van de Jappen,' hoor ik Timo zeggen. Ik kan niets geschikt vinden voor de neus van Timo. 'De twee mannen uit de smederij kunnen het zo doen. Die doen al maanden niets anders dan sabels maken.'
We zijn het roerend eens met Timo.
'Maar jongens, denk na,' zegt Bart. 'Op dit moment zitten onze beste technische mannen in de bamboe. We zitten klem. De TD kan niet zonder hen!'
'Hoezo niet, wij zijn er toch ook nog,' roept Jan. We schieten in de lach. Die Jan is een leuke vent, maar zo onhandig als wat. Ik denk dat ik een schone 'doek' gevonden heb, of althans wat er voor kan doorgaan.
'Verweerd en Helder moeten vrijkomen en de TD moet die messen maken', zegt Bart. 'De Jappen laten hen liever dood gaan dan gezichtsverlies lijden tegenover ons.'
'Datzelfde zullen Helder en Verweerd ook denken!' onderbreek ik Bart, 'Die gaan ook liever dood dan toegeven aan de Jap!'
'Maar jongens, ze mogen niet doodgaan...' zegt Bart zacht.
'Die Helder is een Friese stijfkop,' roept Jan. 'Die zal heus niet buigen! Ik kan het weten, want mijn vader is een geboren Groninger...'
'Wat een reden!' schampert Timo, 'Mijn vader komt uit Rotterdam. Ik kan je wel zeggen dat een Rotterdammer geen krimp geeft als het eropaan komt!'
'Hier heb je een onderbroek,' zeg ik tegen Timo. 'Houd deze maar voor je neus, dan spoel ik die rode lap wel even

voor je uit.'
'Een onderbroek, van wie? Heb je niets anders?' Timo kijkt kritisch naar het gefrommelde katoen in mijn hand.
'Hij is schoon,' plaag ik.
'Dat mag ik hopen, ja!' mompelt Timo.

Op dat moment horen we buiten opgewonden stemmen. Onze deur wordt open gegooid. Twee heiho's en zelfs de commandant stappen naar binnen. We schrikken ons wezenloos.
'Keirei!' roept Bart als eerste. We springen omhoog en bukken ons, maar ik heb hem met één oogopslag al herkend. Amat Batam! Nee, die niet! Niet hier. Het kan niet beroerder treffen dan dat hij mij gaat herkennen in deze situatie. Mijn linkerbeen verkrampt, alle bravoure is weg. Ik duik achter de brede rug van Jan.
'Bukken!' schreeuwt Timo.
Ik blijf gebukt staan, hoe lang dit ook gaat duren.
'Huiszoeking!' zegt een stem in het Maleis. Ik ken die stem. Van die andere keer. *Ze zullen komen en alles van jullie afpikken en ons teruggeven*! Ik zal het nooit vergeten! Amat Batam!
Met stokken duwen ze ons ruw aan de kant. Er komen meer mannen binnen. Die gaan meteen aan de slag. Ze roepen in het Maleis waar de radio is, waar we het geld hebben liggen. Waar onze wapens zijn? Alsof we dat zullen zeggen! Ze gooien alles omver, een paar stoelen, de tafel. De matrassen worden van de bedden getrokken. Kleren worden uit de koffers gesmeten. Onze gereedschapafdeling, waar we altijd zo voorzichtig mee om moeten gaan, verandert in een puinzooi. Losse planken worden uit de vloer getrokken. En wij blijven maar gebogen staan. Wel twintig minuten lang.

Ik kan hem ruiken als hij vlak achter me staat. Hij is net een roofdier, met felle ogen die kijken of er reden is om toe te slaan. De broer van Hardjònò, mijn bewaker. Grote gestoorde wereld. Zijn moeder houdt van mijn moeder en wij, haar jongens, zijn in staat elkaar te vermoorden. Ik dacht in het huis van Batam vrienden voor het leven te hebben gevonden. De zo vaak bezongen Javaanse trouw... Maar moet je dit nu zien: Ik sta gebogen aan deze zijde, hij staat met een stok aan de andere kant.
Heeft de oorlog ons niet allemaal in een bamboehok gestopt? We zitten klem in een rol die we moeten spelen. Ik tril van angst. Dat mag niet, hij kan het merken. Ik mag ook niet zweten. Ik moet vooral geen aandacht op me vestigen. Stil, gebogen, misschien maak ik zo nog een beetje kans niet herkend te worden.
'Radio!' roept een soldaat weer. Bart krijgt een stomp. Timo's onderbroek wordt voor zijn gezicht weggetrokken. Het bloed uit zijn neus druppelt nu op de grond. Het raast door mijn kop. Ik herinner me wat Verweerd heeft gezegd. De radio mag nooit gevonden worden. Er moet iets gebeuren. Nu! De opdracht van Verweerd. Eén van ons moet het doen. Wie? Er is maar één manier... Ze mogen hem niet vinden. Ze hangen ons alle acht zondermeer op, als de radio gevonden wordt. Maar wie doet er iets tegen? Jan, Hans, Timo misschien? Wie neemt het initiatief? Ik ben door Amat het allerbangst. Timo krijgt alweer een klets met de stok, hij durft de Jap recht in de ogen te kijken. Dat moet je nooit doen, dat is brutaal.
Ik mag niet zo trillen. Jan, toe Jan... let op mijn voet... Ik sein je. Jan seint terug.
'Nee!' schudt zijn voet.
Hans dan? Laat Hans doen wat meneer Verweerd heeft gezegd. Eén van de Jappen verschuift de stoel die vlak bij Bart staat. Onze stoel! Hij mag niet omvallen. Het is nu of

nooit! Ineens doe ik het. Ik richt me op en vraag de aandacht. Een stok slaat al tegen mijn been aan. Amat's stok. Ik voel niets meer, zelfs geen angst. Alleen nog maar de opdracht. Ik dribbel half gebogen naar de commandant en buig diep voor hem.
'Meneer, gaat u toch alstublieft zitten, meneer,' zeg ik zo vriendelijk mogelijk en wijzend op de stoel die net verschoven is. Dat moest ik zeggen, zei Verweerd. 'Uw mannen kunnen het werk doen. Ik zal, als u dat wilt, thee voor u zetten. Dan kunt u even rusten, meneer.'
Amat herkent me. Zijn ogen knijpen samen. Er komt een vals lachje om zijn lippen. Hij heft zijn stok omhoog en wil er een volle mep mee geven, maar de commandant houdt hem tegen.
De commandant wil niets horen van een heiho. Hij stuurt Amat weg, naar buiten en zegt tegen mij dat hij graag een kopje thee wil. Het plan werkt! De commandant stapt naar de aangeboden stoel af en gaat erop zitten.
Ik durf niemand aankijken. Als mijn hand nou maar niet te veel trilt. Het lukt me: thee, extra suiker en slijmerij. Het kan me niets schelen. De radio is ons leven en de commandant beschermt met zijn kont onze radio. We kruipen door het stof, door het oog van de naald... De commandant knikt nog eens tevreden naar me. De radio wordt niet gevonden.*
Ik neem mijn plaats weer in tussen de anderen. Gebogen. Ik zie de dikke teen van Bart op en neer bewegen. Het is zijn jubelteen, zegt Bart vaak. Hij jubelt voor mij. Het angstzweet breekt me uit. Wat heb ik in vredesnaam gedaan? Nu pas besef ik het. Trots en angst wisselen elkaar af. Wat zal Amat kwaad zijn. Hij is nota bene vernederd voor mijn

* De hier beschreven radio, als ook de situatie rond de radio is deels historisch betrouwbaar. De radio bevindt zich tot de dag van vandaag in het militair museum in Bronsbeek, Arnhem.

ogen. Dat komt hard aan bij een trotse hulpsoldaat! Ik ben duizelig en heb natte ogen. Jan jubelt ook. Timo ook. Ik spreek geen tenentaal. Ik ben er doorheen gegaan. Voor het eerst in mijn leven. Echt wel. Dwars door angst en lafheid. Ik ben een man. Even waag ik het opzij te kijken. Bart knikt licht. Ja, ik ben een man!

28. Bevrijding zonder bevrijders

25 augustus 1945

De hele morgen ben ik bezig met een flinke etensdrum. Plaatbewerking noemt meneer Verweerd het. Er is weer een gamèl lek. Wij van de TD moeten alles kunnen repareren. Voor de pan gelast gaat worden, moet ik het roestige ijzer wegbeitelen. Ik zie Eddi over een berg oud ijzer springen. Door honger en ziekte is het lang geleden dat ik hem dat heb zien doen.

'Thomas!' Hij stormt enthousiast op me af. Helemaal uit zijn doen door een vreemde opwinding: 'Moet je nu toch horen, Thomas! Ik ben vrij! Ik mag naar huis!'

Wát? Ik kom langzaam overeind door een pijnlijk rug.

'Ik ga naar huis! Wat zeg je daarvan, Thomas! Naar huis! Hier!' Er wappert een briefje voor mijn neus. 'En dit gaven ze me ook.' Niet te geloven, hij heeft een hele nippon gulden.

'Gaven ze je dat zomaar?' vraag ik. Eddi's ogen glinsteren.

'Misschien mag jij ook wel weg. Waarom vraag je het niet, dan kunnen we samen teruggaan.'

'Eddi...' Ik weet echt niet wat ik moet zeggen.

'We moesten vanochtend allemaal komen.'

'Welke "we"?'

'Alle Indo's. Op het bureau van de Japanse commandant. Daar hoorden we dat we kunnen gaan.'

'Ik snap er niets van.'

'O, Thomas, kon je maar mee. Ik ga naar mijn ouders, zo gauw mogelijk naar Jogya!'

'Maar... Hoe wil je daar komen?'

'Met de trein of zo. Misschien is daar dit geld voor? Zou het buiten het kamp veel waard zijn, wat denk je?'

Er is iets aan de gang. Het heeft allemaal te maken met het geheime wapen van Amerika dat Hiroshima en Nagasaki heeft getroffen. Dat is hard aangekomen. De Tenno Heika wil nu ineens vrede. Hij wil bloedvergieten voorkomen, hoorden we via de radio. Maar we merken er nog niets van. Bloedvergieten? Verweerd zei meteen dat de keizer zijn kogels spaart: hij laat zijn vijanden liever doodhongeren. Moet je zien hoe wij hier rondlopen! Ik kijk naar Eddi, hij is zijn dysenterie amper te boven gekomen. En nu dit weer: Eddi mag ineens het kamp verlaten.
'Je moeder zit echt niet thuis met thee op je te wachten,' zeg ik.
'De commandant zei dat alle Indo's over heel Java gisteren en vandaag vrij zijn gelaten. Iedereen zal hetzelfde doen: naar huis gaan.'
'Maar misschien wonen er nu andere mensen,' zeg ik weer.
Eddi's gezicht betrekt.
'Denk je dat echt?'
Ik haal mijn schouders op.
'Weet ik veel, maar Jogyakarta is wel 500 kilometer hier vandaan,' zeg ik.
Hoe wil hij er komen? Hij kan nog geen uur achter elkaar lopen.

De heiho's zijn met de noorderzon vertrokken. Ik zag ze gaan. Ik was met meneer Tromp bezig de verlichting in de buurt van de poort te repareren, toen ze weggingen.
Meneer Tromp stuurde me juist naar beneden om een paar kromme spijkers recht te slaan op onze werkbank. Ik durfde nauwelijks de trap af te klimmen, zo veel heiho's liepen daar beneden.
'Ze doen je niks meer,' zei meneer Tromp, 'ga maar gauw, Thomas.'
Ik was nog niet van de trap af of daar kwam Amat aanlo-

pen, bepakt en bezakt. Roest dreef in mijn zweterige en samengeknepen handpalm.
'Zo,' zei Amat. Ik durfde niets te zeggen.
Hij stond voor me, wijdbeens, zonder stok, zonder bajonet. Niet groter dan ikzelf. Zijn gezicht kwam naar me toe. Ik zag toen dezelfde moedervlek boven zijn wenkbrauw die Hardjònò ook heeft. Hij lachte vals.
'Als ik jou ooit nog een keertje tegenkom...' Hij zei verder niets, maar de vinger langs zijn hals zei me genoeg. 'Dat beloof ik je!'
'Ik heb je nooit iets gedaan,' zei ik.
Hij spuugde naar me.
'Amat,' schreeuwde iemand bij de poort. 'Schiet op, man!'
Hij liep weg en draaide zich een stukje verder nog een keer om. Weer dat gebaar.
'Laat je niet intimideren,' hoorde ik meneer Tromp drie meter boven me zeggen. 'Die jongen zal nog zwaar boeten, omdat hij gecollaboreerd heeft met de Japanners.'

Eddi loopt naar de straat. We horen lawaai onze richting opkomen. Juichende mannen. Vanaf de straat zien we iets verderop grote groepen onze straat oversteken. Waar gaan die heen?
Eddi leunt op me. Dat springen van zonet is toch zwaar gevallen. Logisch, hij heeft drie weken dysenterie gehad. En in deze conditie wil hij tóch naar huis reizen?
'Begrijp jij het, Thomas, waar gaan ze heen?' vraagt Eddi.
'Kom mee, we gaan kijken,' zeg ik. Ik gooi mijn gereedschap naar de drum en stap over een kapotte fiets heen. De stroom lijkt richting het grote veld te gaan.
De mannen roepen en wenken: 'Meekomen!'
Ik kan maar één conclusie trekken. Nu gaat het gebeuren!
'Misschien kunnen we straks samen naar huis, Thomas.'
'Nee!' Het klinkt botter dan ik wil. 'Als we vrijkomen ga ik

met Bart naar Ambarawa. Dat hebben we allang afgesproken.'
'Dan gaan jullie toch ook met de trein over Jogya? Dan kan ik toch wel met jullie meereizen?'
Op dit moment kan het me niets schelen, die hele Eddi niet.
'Ach, dat weet ik allemaal nog niet,' zeg ik vlak en ik let maar niet te veel op zijn gezicht. Misschien zijn we vrij! We passeren een man die tussen twee vrienden hangt. Zijn benen bungelen slap onder zijn magere lijf. Hij is niet de enige zieke die meegenomen wordt. Iedereen, in welke conditie dan ook, wil hier bij zijn. Dit moet het langverwachte nieuws zijn! Ik sla Eddi even op zijn rug en lach. Gelukkig, hij lacht toch terug.

De Japanse kampcommandant, dezelfde man van onze radio, staat bij meneer Bouwmeester op een verhoging. Een paar mannen manen ons tot stilte. We kijken naar de man die ons kamp met harde hand regeerde. Hij staat er zoals altijd: keurig gekleed, strak in zijn uniform.
Tot mijn verbazing gebruikt hij geen tolk. Alle ellende is begonnen met gebroken Engels, het eindigt in gebroken Engels.
'War is over!' roept de commandant. 'We are now friends! No enemy anymore.' Hij lijkt zelf opgelucht. Dan doet hij iets wat ons pas echt overtuigt. Hij buigt licht het hoofd en geeft meneer Bouwmeester zijn sabel. Niet te geloven, de leiding van het kamp is met dit simpele gebeuren officieel overgedragen.
Even staan we stil, perplex. Iemand zet met een zware bariton het Wilhelmus in. We zingen het allemaal mee, uit volle borst. Daarna breekt een knallend tumult los. Uit duizenden kelen klinkt gejuich. Al onze energie gebruiken we om te springen, roepen, dansen, bidden, juichen. Han-

den zwaaien in de lucht, mannen vallen op hun knieën. Er wordt gekust, mannen omhelzen elkaar, kloppen op elkaars rug. Eddi springt in mijn armen. Vlakbij ons zien we jongens over elkaar heen buitelen. Een 'mikado' van magerheid. De oorlog is voorbij. Deze hongerhel. Ik heb hem overleefd. Bart? Waar ben je?
Dan spreekt meneer Bouwmeester. Hij is zo cryptisch dat we met stomheid geslagen luisteren. 'We zijn vrij, maar nog niet veilig, mensen,' zegt Bouwmeester.
'Snap jij het?' fluister ik naar Eddi. Weg is het blije, het lachen, het juichen.
'Mannen, onze bevrijders zijn er nog niet!' roept Bouwmeester over het veld. 'Japan heeft de vrede getekend met Amerika en Engeland. Ja, de oorlog is over. Ook in Europa. Maar de situatie buiten de kampen is verre van veilig. Op Java heerst onrust! Er wordt geplunderd, geroofd, geramsjt en zelfs gemoord. Er zijn grote politieke spanningen rond Soekarno en zijn aanhang. Ik moet u voor uw eigen veiligheid dringend vragen het kamp voorlopig niet te verlaten.'
Wat is dit voor flauwekul? Vrij, maar nu vrijwillig in dit gore rotkamp blijven? De woede groeit per seconde.
'Alstublieft, mannen: houd uw emoties in bedwang,' roept de kampvader. 'Het is niet anders. De geallieerden zijn met de Japanners overeengekomen dat zij onze kampen zullen beschermen tegen onverlaten. Het Rode Kruis zal zo snel mogelijk hulpgoederen naar de kampen brengen. De Engelse troepen zijn onderweg naar ons toe. Heb nog even geduld!'
Ik kijk om me heen. Overal boze gezichten. Ontzetting, afkeuring en verwarring. Hoe kunnen ze dit van ons vragen. Nog één minuut langer in dit kamp willen blijven, met ook nog eens de Japanners als onze beschermers? Er wordt alweer geroepen. De handen die net nog zo uitbundig wuifden, worden hier en daar vuisten. Er is boosheid, woe-

de, frustratie. Vlak bij ons roept een man, gekleed in een vreemd jasje zonder mouwen:
'Hé Bouwmeester! Weet je nog hoe dit allemaal begon? Hoe kun je ze vertrouwen? Ze lokten onze vrouwen en kinderen in beschermingskampen! En wat hebben ze ervan gemaakt?'
Ik ga Bart opzoeken.

Ik ben gevlucht. Ik kon gewoon niet bij de PNI blijven. De twijfels en de vragen zijn alleen maar toegenomen. Ineens is alles voor me veranderd. Ik loop zelf gevaar. Ik weet te veel en wordt nu door de partij gezocht.
Ik ben er nog bij geweest, toen in de vroege ochtend van 17 augustus Soekarno op de trap van ons kantoor de Republiek Indonesia uitriep. Ik kon niet juichen, niet blij zijn. Ik dacht aan de prijs en alle gevaren die ik voelde. Nooit eerder is Java zo in gevaar geweest, als deze week voorafgaande aan deze oproep. Er heerste pure anarchie op ons eiland. Jonge strijders hebben Soekarno en Hatta zelfs een paar dagen gegijzeld om zo af te dwingen dat Soekarno de onafhankelijkheidsverklaring zou afleggen. Dit is nog nooit voorgekomen. En hij is ook nog gezwicht voor hun druk. Ik kan niet meer in hem geloven als mijn leider. Ik begon kritische vragen te stellen. Toen ging het mis. Ik werd in de gaten gehouden en gewantrouwd. Ik was niet meer loyaal aan de leider. Sprak ik nog wel hun taal, was ik nog politiek correct? Nee... dat ben ik allang niet meer. Sinds die knagende honger, armoede, dood en verderf over heel Java sinds de transporten naar Japan, én de dood van Oto en Darbo, twijfel ik aan alles. Als het me lukt, ga ik naar Jogyakarta. Al kost het mijn leven: ik wil mijn moeder nog één keer zien. Morgen neem ik de trein. Oorlog maakt alleen slachtoffers. Hoe zou het met Thomas zijn. Zou hij*

* zonder enige vorm van gezag, oncontroleerbaar gebruik van geweld

nog leven en als hij nog leeft, zou hij nog weleens aan mij denken? Wat zou de oorlog met hem gedaan hebben. Zou hij nog steeds Javaan in zijn hart zijn? Zou hij zichzelf gebleven zijn, die sympathieke, vredige en dromerige vriend van me…

29. Naar...

2 september 1945

Het is niet te geloven! Bart en ik lopen samen de poort uit. We gaan echt weg vandaag! Naar Ambarawa. Ik heb vannacht amper geslapen. We passeren twee Japanse soldaten die op wacht staan. Zij groeten ons beleefd, wij knikken even, maar buigen niet. Dit is zo verschrikkelijk fijn.
'Goed zo, Thomas! Rechtop lopen!'
'De mooiste dag van mijn leven!' zeg ik.
Vlak buiten de poort is het een drukte van belang. Overal hebben inwoners van Bandoeng kraampjes opgezet waar ze eten aanbieden. Ik snuif diep: Soto, saté, gado gado, nasi! Het doet bijna feestelijk aan, deze spontaan ontwikkelde pasar. Er vindt een levendige ruilhandel plaats. Tegen een stukje textiel een bord eten. Maar wij hebben geen tijd. De trein zal zo vertrekken, we lopen flink door.
'Ik hoop echt dat we voor 5 september in Ambarawa zijn,' zeg ik voor de zo veelste keer.
'Zeurkous! Natuurlijk gaat dat lukken.'
'Je weet dat mijn moeder…'
Bart laat me niet uitpraten.
'We gaan met elkaar haar verjaardag groots vieren, Thomas! Let maar op mijn woorden.'

Gisteren was er een laatste bespreking. Een Chinees had ons uitgenodigd. Het ging voornamelijk om de nieuwe taak die Bart gaat krijgen in een hulporganisatie, maar ik mocht ook mee. Achter de schermen blijkt dat er al heel wat gedaan wordt om de duizenden zwaar ondervoedde

mensen in de kampen zo snel mogelijk beter eten en medicijnen te bezorgen. Bij deze actie nemen ook Chinezen en invloedrijke Javanen het voortouw. Onze Chinees bood aan uitgebreid voor ons te koken. Ik heb sinds lang weer eens heerlijk gegeten. Wat ik minder prettig vond, was dat ook de Japanse commandant was uitgenodigd. Ik hield hem de hele tijd in de gaten. Hij en meneer Bouwmeester maakten samen grapjes. Daar begreep ik niets van. Hoe kon Bouwmeester dat nu doen? Als ik alleen maar dacht aan Hielke en pater Frans... Ik hoorde Bouwmeester vertellen dat hij als jochie van vijf ooit eens de Japanse keizer een hand heeft gegeven. Dat maakt diepe indruk op de commandant.
Bart moest al mijn frustraties aanhoren, maar hij luisterde nauwelijks naar me. Hij mompelde iets over dat ik niet alle Jappen over één kam mocht scheren. Dat er goede en foute Jappen zijn, net als goede en foute Javanen en ook goede en foute Nederlanders, maar ik heb mijn eigen idee hierover.

Ik mag dus mee met Bart. Niet alleen om naar mijn moeder te gaan, maar ik ga Bart helpen bij zijn werk! Hij wordt in de omgeving van Ambarawa verantwoordelijk voor het aankopen van eten en andere goederen voor de verschillende kampen daar. Bart wil gaan wonen in zijn vakantiehuis, dat vlak bij Ambarawa ligt. Mijn moeder, Lissie en ik mogen zolang bij hen wonen. Zolang... Tot we iets weten van mijn vader of terug kunnen naar Jogya, naar ons eigen huis.
'Deze kant op, Thomas!' roept Bart. Hij weet handig door de enorme drukte heen te komen. Ik probeer hem bij te houden. Wat een mensen op het perron. Iedereen wil met de trein mee. Huilende kinderen, vrouwen die op de grond zitten hun baby te voeden. Magere mannen, schaars gekle-

de kinderen. Ik moet de hele tijd tegen mezelf zeggen: de oorlog is voorbij. Er komt geen Jap of *heiho* ons meppen.
Er zijn handelaren op het perron die leuren met treinkaartjes. Wat zijn ze duur. Zou het Eddi wel gelukt zijn om een kaartje te kopen? Met die gulden komt hij niet ver. Bart heeft geld gekregen voor de tickets van de Chinees.
Ik struikel bijna over iemand. Hij stinkt enorm en als ik kijk waar ik over ben gestruikeld, zie ik ineens pater Frans weer voor me. Ik heb geen zin meer in die trein, ik word bang...
'Schiet op Thomas. Wat sta je toch te dralen.' Bart trekt me mee naar binnen. We gaan naar Jogya. Er is geen oorlog meer. War is over! Ik ga naar mama, naar Lissie.
Even later zet de trein zich in beweging. We hebben een goede plek gevonden waar we kunnen zitten. De tocht zal zeker de hele dag duren. Ik zit naast een Javaanse vrouw die me meteen een maïskoekje aanbiedt. Ik weiger, omdat ik misselijk ben.
'Heb je water bij je?' vraagt Bart. Wat is het erg om weer in de trein te zitten en zo veel nare herinneringen te hebben. Het gevecht met Hielke om water. De ramen staan gelukkig open. Koele wind waait erdoor. Ik kan naar buiten kijken, zo veel ik wil. Er is geen dood, geen gillen, geen poep, maar ze zijn er ook niet meer: pater Frans en Hielke.
Ik doe mijn ogen even dicht. Het overvalt me, de pijn van het herinneren. De pater, zijn rozenkrans, die bijna in de poep lag. De hele tijd bad de pater. Zijn laatste water gaf hij weg. Waar is hij nu? Net als Hielke, ook bij zijn God? Hoe zou dat zijn, daar in die hemel?

Als de reis meezit komen we 5 september in Ambarawa aan. Precies op mijn moeders verjaardag. Daar wil ik aan denken. Aan wat er gaat komen. Mama zien, en Lissie. Ik bijt even op mijn lip: en natuurlijk... Judith. Ik heb een hele tijd niet aan haar gedacht, maar sinds het einde van de oorlog ben ik bijna dagelijks weer met haar bezig. Ik hoop haar terug te zien in Ambarawa.

We moeten ons straks melden bij het Rode Kruis in Jogyakarta. Daar zullen we ook slapen en Bart moet daar overleg voeren. We zullen dan een kleine vrachtauto krijgen waarmee Bart voedsel kan vervoeren. Met een volle wagen gaan we dan naar Ambarawa. De trein stopt. Ik ben meteen klaar wakker en alles in me staat op scherp.

'Waarom stoppen we?' vraag ik ongerust.

'Dit is Tjitjalenka,' zegt een man die tegenover ons zit. Hij nam net wel een maiskoekje. 'Het eerste station!' Dat is waar ook. Ik zucht van opluchting. Bart lacht even om me en de Javaanse mevrouw pakt alweer haar mandje met maiskoekjes te voorschijn.

Op dit kleine perron hetzelfde beeld als in Bandoeng. Zo veel mensen die dolgraag mee zou willen reizen met de trein.

'Het zal nog voller worden,' zegt Bart, die bij het raam zit. 'Hé Thomas, volgens mij lopen hier mannen uit ons kamp.' Hij maakt wat ruimte zodat we samen voor het raam kunnen staan. Ik herken iemand van gezicht, Bart ook.

We staan er maar even, dan klinkt alweer de fluit. De trein zet zich opnieuw in beweging. Ik wil weer tussen Bart en de mevrouw gaan zitten, als ik iets bekends zie.

'Bart! Nee, kijk daar eens! Daar zit Eddi!' roep ik. Eddi zit op zijn bagage en hij zit er helemaal alleen.

'Waar zie je hem dan?'

'Daar bij die lantaarnpaal.' De trein rijdt en Bart ziet hem niet.

'Weet je het zeker?' vraagt hij.

'Wat raar, hij was alleen,' zeg ik weer. 'Moederziel alleen, Bart! Waar zouden die anderen zijn gebleven?' Eddi is een paar dagen geleden met zes man naar Jogya vertrokken.

'Zo'n jongen reist echt niet alleen,' bemoeit de onbekende man zich er mee. 'Alleen reizen word heel sterk afgeraden. Misschien zat hij daar te wachten op de anderen.'
'Ja, misschien zat hij bij de bagage te wachten,' zeg ik weinig overtuigd. Ik ga zitten. Ik vind het rot. Eddi zat er zo triest bij. Helemaal niet opgetogen en blij.
'Hij wilde graag met ons meereizen. Lukt het Eddi wel om in Jogya te komen? Hij heeft geen kaartje en geld nog minder.'
'Thomas, probeer positief te denken. Ik geloof ook wat die meneer zegt: Eddi zat vast te wachten op de andere mannen met wie hij onderweg is. Je hebt hem net op een verkeerd moment gezien,' probeert Bart me op te beuren.
'Ik wilde hem ook liever niet mee hebben,' zeg ik. 'Ik ging liever alleen met jou.'
'Dat is niet waar!' zegt Bart. 'We hebben er uitgebreid over gehad, jij en ik. Eddi kon niet mee met ons. Wij reizen in opdracht, weet je nog. En Eddi wilde zelf ook niet langer wachten. Hij wilde het kamp uit, zodra het kon...'
'Dat was heimwee,' zeg ik somber.
'Jij moet niet zo tobben, jongen.' Het Javaanse vrouwtje houdt haar mandje koekjes weer voor. 'Ah toe, neem er nu toch één. Dat zal je goed doen.' Ze lacht. Ik zie haar slechte gebit. Haar haren heeft ze omhoog gestoken in een knoetje achterop haar hoofd. Een sliertje grijs langs haar gezicht.
'Wie ga je opzoeken?' vraagt ze. Ze aait even over mijn onderarm.
'Mijn moeder, mevrouw. Mijn zusje en mijn moeder.'
'En je vader dan?'
'Ik weet niet waar hij is gebleven is, hij moest vechten en...'
'Mijn man ook,' zegt ze. 'Hij zat bij het KNIL en was gestationeerd in Bandoeng.'

Ik durf niet te vragen of haar man nog leeft.
'Vind je ze lekker?' vraagt ze.
'Nou en of, mevrouw. Heel erg lekker.' Mijn vader zei altijd: Niets maakt een Javaanse vrouw blijer dan dat je haar kookkunst waardeert.
'Ah toe, neem jij de laatste dan ook...'
Bart geeft me een knipoog. Ik lach en neem het laatste koekje aan. Het doet me iets, die lieve mevrouw naast me. Af en toe kijk ik haar even aan. Dan lacht ze vriendelijk naar me of ze pakt even mijn arm vast. Ik geniet van deze warmte. Het ontspant me. Lijkt ze niet een beetje op mevrouw Batam, of misschien toch meer op onze Sita? Ja, onze Sita... Zal het nu niet lang meer duren voordat alles weer gewoon wordt?

30. Mama

5 september 1945

We laten de drukkende warmte van de stad Jogyakarta achter ons. Onze oude Buick klimt met een slakkengangetje tegen de berghellingen van de Merbabu. Hoger, steeds koeler. Rechts van me zie ik de Merapi. Hij is me zo vertrouwd. Die altijd brandende vulkaan. Met zijn ruim 3000 meter hoogte is hij vanuit elk punt in Jogya te zien.
Ik ben in een opperbeste stemming. We gaan nu eindelijk mijn moeder en Lissie opzoeken. Ook Bart zit vrolijk te fluiten. Op mijn schoot liggen drie kleine cadeautjes, vier mandarijnen voor mama, een potloodje voor Lissie en ik heb een geluksteentje voor Judith. Gistermiddag toen Bart voor overleg in het Rode Kruis gebouw moest zijn, ben ik in de buurt gaan snuffelen. Bart heeft me wat geld voorgeschoten. Nu kom ik niet met lege handen op mijn moeders verjaardag!
We zijn om zes uur opgestaan. Na een goed ontbijt in de eetzaal van het Rode Kruis, hebben we onze vracht ingeladen. De laadbak zit vol met balen meel, rijst en suiker. Vlak bij Ambarawa moet Bart nog verse groenten inslaan.

'Laat die mandarijnen nu toch eens liggen. Je maakt ze beurs door ze steeds in de hand te houden,' zegt Bart. Hij heeft gelijk en ik stop meteen.
'Zullen ze erg veranderd zijn?' vraag ik.
'Geen idee,' zegt Bart. 'Bart-Jan heb ik nog nooit gezien.'
'Denk je dat zij ook last van luizen hebben gehad. Ik bedoel, Lissie had altijd zo'n mooie paardenstaart.' Ik denk meer aan de paardenstaart van Judith.

'Het zou kunnen,' zegt Bart. 'Misschien wel...'
'Misschien zijn ze ook ziek geweest en mager geworden?'
'Toe nou, Thomas, maak me niet banger, dan dat ik al ben.'
'Jij?' Ik denk dat hij een grapje maakt, maar als ik opzij kijk, zie ik dat het Bart echt menens is.
'Vergeet niet dat ik naast Gonda, ook drie kleine kinderen in het kamp heb, Thomas,' zegt hij zacht.
Ik was het wel vergeten.

Bij een klein plaatsje Banjoebiroe, vlak voor Ambarawa, gaan we van de grote weg af om groenten te kopen. Bart heeft een adres. Op deze velden, rondom Ambarawa, moeten de vrouwen en kinderen gedwongen hebben gewerkt. Op deze manier zorgden de Jappen dat er groenten kwamen in de kampen. Soms... Want het meeste verdween naar de Japanners zelf.
We rijden met een flinke lading verse wortels, tomaten, uien en kool door. Het laatste stuk zeggen we niets meer. Ik kijk even op, als ik het kleine perron herken waar ik met Hielke een nacht heb gezeten. We zijn er bijna, we zijn er bijna... Het liedje dreunt in mijn hoofd.
Bart parkeert de kleine laadauto bij de poort. Bijna op dezelfde plek als waar de vrachtwagen stond, die Hielke en mij naar Salatiga bracht. We stappen uit. Bart zelf loopt meteen door de poort naar binnen op zoek naar het administratiegebouwtje. Ik controleer onze vracht en wacht tot hij meer weet. Het toegangshek, de wachttorens op de hoeken van het kamp, de straat, de vrouwen, kinderstemmen. Ik ben terug in Ambarawa.
'Thomas!' roept Bart. 'Hier moeten we zijn!' Hij staat naast een mevrouw te wuiven. Het eerste gebouwtje bij de poort. Ik loop ernaartoe, maar als ik dichterbij kom en zie wie die lange vrouw is, begin ik te rennen.
'Tante Els!'

'Thomas!'
We vliegen elkaar in de armen. Dat tante Els de eerste is die ik hier tegenkom. Wat geweldig. Ik kus haar verschillende keren op haar wang.
'Thomas toch, jongen, jongen.' Ze knuffelt me, bekijkt me onderzoekend of alle armen en benen er nog wel aan zitten en dan pas lijkt ze gerust. Haar blijdschap ontroert me diep. Ze neemt ons mee naar binnen. Achter de grote tafel moet ze aan het werk zijn geweest. Er liggen verschillende documenten en een potlood. Achter op de wand zijn schema's geprikt.
'Mijn moeder!' zeg ik opgewonden. 'Waar kan ik haar vinden? Ze is immers jarig vandaag, wat kan ik beter doen dan haar persoonlijk te gaan feliciteren!' vraag ik enthousiast.
Haar fiere houding verandert. Alsof een ballon leegloopt. Tante Els wordt ouder, zorgelijker, vermoeider. Ze gaat zitten op de stoel achter haar tafel.
'Thomas toch...' Alle blijheid is weg. Ze wrijft in haar gezicht. Gaat ze nu ook nog huilen? Ik kijk Bart onzeker aan.
'Tante Els,' zeg ik. 'Wat is er?' Bart houdt mij tegen als ik tante Els wil troosten.
'Even geduld, Thomas, laat haar even met rust.'
Ik word nerveus. Heeft het met mijn moeder te maken?
'Als het erg is,' zeg ik, 'dan moet u het zeggen, hoor.'
'Sorry, mevrouw,' zegt Bart een stuk zachter, maar weet u misschien waar Thomas' moeder is en zijn zusje?'
Tante Els schudt haar hoofd, alsof ze verdriet weg kan schudden. Ze pakt het potlood op.
'Je moeder zou vandaag 46 jaar zijn geworden...' Zou? Dat is ze toch geworden? Ik hoor haar nauwelijks. Waarom zegt ze niet dat mijn moeder enorm blij zal zijn me weer te zien? Dat het een grote verrassing is dat ik juist vandaag gekomen ben? Bart staart me aan met grote ogen.

'Ik heb mandarijnen voor haar meegenomen. Wonen jullie nog steeds in loods zes? Moet ik daar zijn?'
'Mandarijnen!' huilt tante Els. Alsof dit het ergste cadeau is wat ik kan bedenken. Het maakt haar nog meer overstuur. Er moet iets heel ergs aan de hand zijn. Iets wat geen mandarijnen nodig heeft om weer goed te komen.
Ik zak naast tante Els neer. Ze trekt mijn hoofd op haar schoot. Ze streelt mijn haar, kust mijn hoofd, alsof ik haar zoon ben.
'Thomas, jongen, ik kan het je bijna niet zeggen. Ik kon niets meer voor je moeder doen.' Ze kijkt me wanhopig aan. 'Je moeder gaf het leven op. Ze wilde niet langer. Ze kon hier zo slecht tegen. Eerst leven met duizend en één angsten om jou en om je vader. Toen kwam de honger en dysenterie.'
Ik bijt op mijn lippen en knik. Ze leeft niet meer. Ze heeft het opgegeven. Ze had wel tante Els bij zich, maar... Nooit je hoofd laten hangen. Levensgevaarlijk noemde Bart het.
'Voor Lissie zal het vast heel goed zijn dat je er bent, maar Thomas... Lieve schat, je moet weten dat het heel moeilijk is geweest. Bereid je erop voor, jongen, dat ook Lissie de oude niet meer is. Mijn eigen meisjes zijn gespaard gebleven voor het erge lot dat je zusje heeft getroffen. Ik kan het je niet...' Tante Els zoekt hulp bij Bart. 'Sorry meneer, u begrijpt me misschien wel?'
Ik heb geen tranen. Iets in mij is heel koud geworden. Ik voel helemaal niets. Ik zie tante Els huilen, ze mag het namens mij doen. Ik heb geen tranen. Het is net alsof het mij niets doet dat mijn moeder dood is. Hoe zag ze er ook alweer uit? En hoe was ze toen ze stierf? En Lissie dan? Lissie is Lissie niet meer. Ben ik nog wel Thomas?
'Wanneer is mijn moeder gestorven?' vraag ik fatsoenshalve.
'Afgelopen mei, Thomas. Ze is aan dysenterie overleden.'
Ik leun tegen haar bonkige knieën. Haar handen zijn voort-

durend om me heen. Ik geef me eraan over. Laten haar handen me toch zeggen hoeveel ze van me houdt. Wat heb ik deze liefde gemist, van een moeder, van een vrouw, van een meisje.
Ik hoor Bart zacht vragen of tante Els misschien ook iets weet van Gonda de Lange en van de kinderen.
'Meneer, is Gonda uw vrouw? Ze leven alle vier, meneer. Ook uw kinderen zijn in goede gezondheid. Gonda en ik hebben veel met elkaar opgetrokken en samengewerkt. U kunt trots zijn op uw vrouw, dat kan ik u wel verzekeren. Wie in dergelijke omstandigheden er nog toe komt om troost en hulp te geven aan anderen, die heeft wat in zijn mars!'
Bart vergeet mij even. Hij lacht breeduit. Ineens krijgt hij haast.
'Ik wil haar zo graag zien,' zegt hij hees.
'Ik loop direct met je mee,' zeg ik. Ik heb hier niets meer te zoeken. De rieten mat op de grond is vergaan. Mijn broek zit onder de strootjes, die ik buiten het huisje eraf klop. Sinds een paar dagen loop ik met een lange broek, op de valreep gekregen van de Chinees uit Bandoeng.
'Graag, Thomas!' zegt Bart. 'Heus, ik kan niet langer wachten!'

Tante Els loopt een klein stukje met ons op. Ze geeft me een arm. Bart loopt voor ons uit.
'Hoe maakt Judith het?' vraag ik haar gespannen.
'Prima Thomas, heel goed, maar je zult haar vandaag niet ontmoeten. Judith is met een paar patiënten mee naar het ziekenhuis in Magelang. Ze komt over een paar dagen terug, vermoed ik.'
'Ach jammer, ik had haar zo graag weer gezien.'
Tante Els knikt, ze drukt vertrouwelijk mijn arm.
'Wilt u haar groeten als u haar ziet. Ik hoop gauw terug te

komen hier. Dan hoop ik haar te spreken. Zegt u haar dat?'
Tante Els kijkt me niet aan.
'Thomas,' haar stem klinkt ernstig. 'Kom nog even bij mij langs voor je weer weggaat, wil je? Ik zal je laten zien waar je lieve moeder begraven ligt. Vraag dat maar niet aan Lissie...' Ze wacht even. 'Geef je zusje de tijd en houd er rekening mee dat er veel gebeurd is in de afgelopen paar jaar. Er is veel geleden, maar ook veel veranderd...'
Ik kus haar vluchtig en hol dan achter Bart aan. Hij is me al zo ver vooruit en loopt maar te zoeken.
Er wappert overal was. Hier en daar zelfs een Nederlandse vlag. Kinderen zitten op de grond. Sommige spelen, anderen zitten alsof ze oude mensjes zijn. Magerheid is troef. Het grootste verschil met ons kamp zijn de paar kijvende vrouwen die we passeren. Bart en ik lachen even naar elkaar. Het gaat over een stukje zeep.
Ineens staat Bart stil. Halverwege loods zes staat een vrouw gebogen over een houtvuurtje. Ze draagt een korte broek en een luchtig mouwloos hemdje. In het vuur staat een klein zwart geblakerd pannetje.
'Gonda!' zegt hij. Ik kijk mee. Nee, dat is Gonda niet. Deze vrouw is grijs en oud... Maar zodra de 'oude' vrouw begint te rennen, zie ik haar jonger worden en herken ik haar stem.
'Bart! Mijn lieve man!' Bart stormt weg. Hij tilt Gonda van de vloer en draait met haar rond. Er springen tranen in mijn ogen. Wat is dit mooi. Zo had ik ook iemand willen weerzien. En ook mijn moeder en ook Lissie. Misschien als ik Judith de volgende keer zie.
'Ben jij het? Thomas?' Iemand tikt me voorzichtig op mijn schouder.
'Yenny!' Alles waar ik op voorbereid ben, niet op Yenny Kochick.
'O Thomas, ik wist het!' roept ze uit. 'Ik wist dat je snel zou

komen! Wat geweldig dat ik je zie!' Voor ik iets kan zeggen, liggen haar armen om mijn hals. Ze kust mijn beide wangen en ik doe spontaan hetzelfde bij haar.
'Hoe kan dit nu? Ben jij hier in het kamp. Ben je niet bij je vader gebleven?' vraag ik.
'Ach lieve Thomas, jullie waren nog maar nauwelijks weg of de Indo's waren aan de beurt. Mijn vader liep geen gevaar als Rus, maar mijn moeder wel.' Ze slaat haar ogen neer. 'Ik weet niet of je wist dat mijn ouders niet getrouwd waren?'
Ik schud mijn hoofd.
'Mijn moeder werkte bij mijn vader als tandartsassistente en ze is bij hem gebleven. Ik ben wel zijn dochter, maar... hij heeft mij nooit officieel erkend.'
Ik staar in de grote bruine ogen van Yenny en probeer te vatten wat dit voor haar moet betekenen.
'De relatie tussen mijn moeder en mijn vader boterde allang niet meer. Toen hij echt last van ons begon te krijgen, liet hij dat steeds duidelijker merken. Het heeft niet lang geduurd toen ze ons kwamen halen en mijn vader ons liet interneren.'
'Had hij het kunnen voorkomen?'
'Als hij mijn moeder had getrouwd wel...'
'Tjonge, ik weet niet goed wat ik daarop moet zeggen, Yenny. Dat wist ik niet.'
'Het maakt nu weinig meer uit. Mijn moeder is erg ziek. Ik heb mijn vader al drie keer geschreven of hij ons wil komen halen, zodat mijn moeder thuis kan overlijden. Ik kan haar thuis ook veel beter verzorgen, dan hier. Ik hoop dat hij dat nog voor ons wil doen.'
'Vast wel!' zeg ik. Ze zegt er niets op. Ik flap eruit wat me te binnen valt: 'Tjonge, ik had er meer op gerekend Judith weer te zien, maar dat ik jou hier zou treffen...'
Het gezicht van Yenny betrekt. Wat is ze mooi, ondanks haar te diep liggende ogen en ingevallen wangen.

'Ik heb jou wel verwacht. Ik wist dat je zou komen. Om je moeder en je zusje,' zegt ze zacht. 'Zo ben je, Thomas, trouw als een Javaan. Wat heb ik veel aan je gedacht...'
Haar woorden verwarmen me. Ze is, voordat Judith kwam, de eerste drie jaren van de middelbare school mijn droommeisje geweest. Ik zie dat ze ouder is geworden, serieuzer.
'O, ik ook aan jou!' zeg ik spontaan.
'O ja?' Ik hoor er iets in. Verwachting? Hoop?
'Natuurlijk, aan iedereen van ons clubje van school. Wat heb ik vaak aan jullie gedacht.'
Ik heb het gevoel dat ik iets niet begrijp. Net alsof we ons afvragen wat we wel en niet moeten vertellen. Ik vraag me af of ik haar moet zeggen dat Hielke niet meer leeft. Wat is nu wijs? Ik kijk maar om me heen en zie Bart gearmd met Gonda de loods inlopen.
'Ik zou erg graag Lissie weerzien, weet je soms waar zij is?'
'Ja hoor, ik zal je meteen bij haar brengen. Kom maar mee.'
Yenny's ogen zijn vochtig. Ze is ontroerd en dat doet mij ook iets.
'Ik weet waar je haar kunt vinden,' zegt ze. 'Bij de kinderen.'
We lopen samen terug naar de grote weg. Passeren ondertussen de gaarkeuken, het melkhuisje, de opslagruimte en komen weer terug bij het lido. Af en toe raken onze armen elkaar licht aan, dat doet me iets. Ik ben te lang alleen onder mannen geweest.
'Ik kan je niet vertellen,' zegt ze wel vijf of zes keer, 'hoe blij ik ben dat ik je weer zie.' Haar ogen blijven glimmen, net natte kooltjes.
'Mijn moeder leeft niet meer,' zeg ik.
'Ik weet het, Thomas,' zegt Yenny. 'We spraken graag met elkaar, je moeder en ik.'
Verrast kijk ik haar aan. We lopen langs een half gesloopte wand van bamboe.

'Ik heb haar verzorgd en ik was bij haar sterven. Ik wilde per sé mijn dienst niet overdragen aan iemand anders. Ik kon het gewoon niet. Ik wist dat je een keer zou komen om haar...'
Ik sta beduusd.
'Dat is ontzettend lief van je,' zeg ik. Trouw als een Javaan, noemde Yenny mij. Zo trouw voel ik me anders helemaal niet, als ik alleen al aan Hielke denk.
'Het heeft je moeder gerustgesteld dat ik haar beloofde jou op te zoeken om nog iets te vertellen over je moeder en dingen die zij belangrijk vond dat je het nog zou horen.'
'Heb jij... Bedoel je nu dat je echte gesprekken met haar had?'
Ze glimlacht even.
'Vind je dat vreemd? Je moeder was een lieve en ook wijze vrouw.'
'Zo heb ik haar nooit bekeken. Meen je dat nu echt?'
Yenny blijft staan. Ze kijkt naar me op. Ze is kleiner dan ik. Het knipje in haar haar is zelfgemaakt, zie ik, van oud ijzer.
'Zou ik in een dergelijke situatie, iets tegen jou zeggen, dat ik niet meen?'
'Nee, natuurlijk, maar wát... ik bedoel vertel dan, waar hadden jullie het dan over?'
Ze klopt op mijn arm en glimlacht.
'We moeten daar meer tijd voor hebben. Het is een lang verhaal. Nu wil je toch eerst je zusje zien? Het komt nog wel en dan zal ik je alles vertellen, oké?'
Ze heeft gelijk, maar ik ben wel ontzettend benieuwd.
'Kijk, Thomas, daar rent Lissie. Zie je haar achter die kinderen aan gaan?' Yenny wijst, maar ik zie alleen maar een groepje jongens rennen.
'Waar zie jij haar dan?' vraag ik. Even kijken we elkaar in de ogen, ze bezorgt me rillingen.
'Die "jongen" daar, dat is je zusje!' Yenny pakt vrijmoedig

mijn hand vast en knijpt erin. 'Je moet weten, dat het heel bijzonder is wat je daar ziet.'
'Hoezo?'
'Omdat ze dat heel lang niet heeft gedaan...' zegt ze.

31. Bloedbroeders

28 september 1945

Lissie wil niet praten, maar ze wil ook bijna niet eten. Gonda schenkt me nog een kop thee in. De gastvrijheid van familie De Lange en hun ruime buitenverblijf kunnen mijn zorgen over Lissie niet wegnemen. Over de houten balustrade van de veranda heen, zie ik haar met de kleine Bart-Jan bij het stroompje verderop in het dal zitten. Samen vissen, met zelfgemaakte hengels. Lissie kan de kleinste zoon van Bart niet gelukkiger maken. Ik merk dat ze goed met kinderen kan omgaan. Even verderop in de grote tuin schommelen Hilly en Ferdinand onder een boom. Op de weg, aan het eind van de naar beneden lopende tuin, zie ik silhouetten van de vrouwen. Ze hebben manden op hun rug en kinderen aan hun hand.

'Het wordt laat vanavond, Gonda. We moeten naar Jogyakarta,' zegt Bart. Hij houdt een map met verschillende brieven op schoot. 'Eerst moeten we medicijnen halen bij het Rode Kruis en daar zal ik vanmiddag overleg hebben met andere RAPWI* hulpverleners.'
'Nog thee, Thomas?' vraagt Gonda ondertussen. Lissie en ik wonen nu bij Bart en Gonda. 'Ik hoop dat jullie wel voor het donker weer thuis zijn.'
Ik hoor haar ongerustheid, maar Bart lijkt er weinig oor voor te hebben. Hij gaat helemaal op in zijn nieuwe werk.

* Recovery of Allied Prisoners of War and Internees, hulporganisatie die zich ontwikkelde vlak na de oorlog en onder toezicht kwam te staan van de Engelsen. De voornaamste taak van de RAPWI was om de kampen te bevoorraden, zolang de geïnterneerden nog niet geëvacueerd konden worden naar veilige landen.

We eten vanochtend buiten. Het kan nog, de regentijd laat op zich wachten. De kinderen hebben al gegeten. Ik smeer nog een boterham.
'Heeft Lissie gegeten, Gonda?' vraag ik.
'Ach, eet jij maar voor twee,' antwoordt Gonda.
'Dat is geen antwoord,' mompel ik. Ze heeft vast weer haar ontbijt overgeslagen. Ik vind het vervelend om ernaar te vragen en om Gonda met mijn zorgen te belasten, maar het laat me echt niet los. Lissie laat haar hoofd hangen en dat is gevaarlijk. Als íemand dat nu wel weet, dan ben ik dat.
'Zouden we niet...' Ik stop even. 'We kunnen misschien toch...' Ik val in herhaling. Gonda kijkt me verdrietig aan.
'Het enige wat je kunt doen, Thomas, is haar tijd geven. Geloof me, ik houd het heus wel in de gaten, maar alles wat ze heeft meegemaakt is nog zo vers.' Ze wijst naar de kinderen. 'Ik hoop dat de kinderen doen wat wij niet kunnen. Helpen haar vergeten wat er gebeurd is en dat ze opnieuw kiest om te willen leven.'
'En we bidden voor haar,' zegt Bart zonder op te kijken van zijn werk.
'Alsof dat helpt,' brom ik.

We zijn allemaal blij dat we de oorlog overleefd hebben, behalve Lissie. Zij zegt openlijk dat ze liever dood is. Ik kan dat niet begrijpen. Ze is niet alleen depressief, maar ook onbereikbaar. Als ik een grapje maak, reageert ze niet. Als ik haar aanraak, loopt ze weg. Ik kan geen kus aan haar kwijt. Gonda volgt mijn blik naar het riviertje, beneden.
'Vertrouwen houden, Thomas,' zegt ze. Ik knik, maar wát is er toch met Lissie gebeurd? Wie heeft haar zoiets ergs aangedaan dat ze zo lang aan het treuren is? Tante Els en Gonda hebben me verteld dat Lissie een poosje uit het kamp is geweest. Ze moest mee naar een huis voor solda-

ten, om daar voor hen te koken en te wassen. Tijdens dat verblijf is er iets meer gebeurd. Toen ze terugkwam in het kamp, heeft ze zichzelf op een morgen kaal geknipt. Iedereen die haar kende was geschokt door dit feit. Verder wil ze niets zeggen over haar verblijf buiten het kamp bij de Jappen.
Ik weet niet wat het beste is, bezorgd zijn of boos worden. Volgens mij zouden mijn ouders haar veel strenger aanpakken. Mijn vader zeker. Dat gedoe met eten weigeren. Dat bestaat toch niet. Het is ook onfatsoenlijk naar Gonda toe. Onze adat! Alsof Gonda gedachten leest.
'Kijk niet zo donker, Thomas. Vergeet niet, ze is nog maar een kind, ze moet nog dertien worden...'
Daarom juist, omdat ze nog maar een kind is! Die pak je aan en voed je op...

Even later reikt Gonda me nog een kleine pisang aan.
'Voor onderweg!'
'Ik wil straks nog een keer informeren naar mijn vader,' zeg ik tegen haar. 'En misschien ga ik ook wel, als ik tijd genoeg heb, proberen een kijkje te nemen bij ons huis in de Kroonprinslaan.'
'Hm,' mompelt Bart. Hij hoort ook alles.
'Ik moet toch weten hoe ons huis erbij staat. Zodra mijn vader bij ons terugkomt, kunnen we proberen ons huis terug te krijgen.'
Gonda knikt, maar Bart fronst.
'Reken daar maar niet te veel op, Thomas. Het wordt steeds onrustiger op straat. Jij moet ook echt voorzichtig zijn.'
'Wat bedoel je?' vraag ik. Ik weet best wat hij bedoelt.
'Er worden onrusten met *pemoeda's* verwacht. Over het hele eiland zijn ze zich aan het groeperen. Die molesteren je zonder pardon, zodra ze je in hun klauwen krijgen.'
'Ik begrijp er niets van,' zucht Gonda. 'Wat bezielt die jon-

gens toch om zo tegen ons tekeer te gaan? Eindelijk zijn we van de Jappen verlost en nu gaan die Indonesische jongens zo'n stennis maken. De zucht naar geweld begrijp ik niet. Het is zeker niet Javaans…'
'Het is maar hoe je het bekijkt,' zegt Bart. Hij slaat zijn map dicht en stopt de spullen in de aktetas. 'De meeste pemoeda's hebben net als heiho's voor de Japanners gewerkt. Daar hebben die jongens hun opleiding gehad. Niet alleen in slaan, schreeuwen en mensen molesteren, maar ze zijn gehersenspoeld met nationalistische ideeën. Azië voor de Aziaten! De Japanse propaganda was erg agressief.'
'Zelfs Hardjònò las die troep,' zeg ik. Ik zie in de verte dat Lissie iets uit het water probeert te halen. Ze buigt zich diep voorover en Bart-Jan klapt in zijn handen.
'Wie is Hardjònò?' vraagt Gonda.
'Zijn beste schoolmakker tot de Jappen kwamen,' antwoordt Bart.
'Dat kan ik zelf ook wel zeggen,' mopper ik. Nu kijkt Bart verbaasd op.
'Het is toch zo?' zegt hij.
'Ja, zo is het,' zeg ik.
'Trek je er maar niets van aan,' zegt Gonda. Ik weet niet tegen wie ze het heeft. 'Vertel jij nu maar verder.'
'Hardònò zat bij mij op de HBS. Een schoolvriend, maar nog iets meer. Ik was erg op hem gesteld. Ik kwam bij hem thuis. Hij was een vriend en dan nog een hele goeie ook. Vrienden zat, maar weinigen hebben het Hardjònò-gehalte. Begrijp je dat?' Gonda knikt even.
'O ja, nou en of ik dat begrijp.'
'Heb ik een Hardjònò-gehalte?' vist Bart meteen bij Gonda.
'Houd op jij,' lacht Gonda, 'voor nog geen vijftig procent!'
Ik schiet in de lach en zie mijn kans schoon:
'Goed zo, Gonda. Hooguit tien, vijftien procent.'
Bart staat op en tikt mij op mijn hoofd.

'Bedankt voor de nieuwe kwalificatie!' Hij loopt naar de kamer.
'Arme Bart,' plaagt Gonda. Ik krijg een knipoog van haar.

'Ik leerde Hardjònò tennissen en de fijne kneepjes van de padvinderij,' vertel ik haar. 'Maar hij leerde mij...' Ik denk even na. 'Eigenlijk alles wat met Java te maken heeft. Misschien vind je het vreemd te horen, maar hij heeft mij besmet met Javaans bloed.' Als ik zie dat Gonda me vragend aankijk, zeg ik het nog eens: 'Ik voel me vanbinnen een Javaan, een blanke Javaan.'
Ik breng een gevoel onder woorden, dat ik voor het eerst uitspreek. Voor het eerst word ik me bewust van dit diepe gevoel.
'Het komt misschien wel door de broederbelofte...'
Dan vertel ik Gonda wat ik in gedachten opnieuw voor me zie. We waren een keer samen, Hardjònò en ik, in een verwilderde tuin, grenzend aan een grote plantage. We zaten vlak bij een beeld dat met zijn voeten in het water stond. Wij leunden ertegenaan, terwijl we aan het vissen waren. We hadden elkaar een spannend indianenverhaal voorgelezen. Het was een leesopdracht voor Nederlands. Toen bedachten we dat wij ook elkaars broeders moesten worden, met een echt bloedverbond. Hardjònò had een mes bij zich. Hij sneed zichzelf het eerst. Daarna ik. Vervolgens drukten we plechtig onze vingertoppen tegen elkaar aan. Het gevoel van toen, voel ik weer een beetje. We waren allebei ontroerd. We speelden niet alsof, we lachten ook niet. Er was ook geen schaamte omdat onze ogen vochtig waren. Omdat onze vingers trilden van emotie. We beloofden elkaar trouw en vriendschap.
Ineens zie ik dat Bart in de deuropening van de woonkamer staat. Hij luistert en wil ons niet storen.
'Ik geloof dat ik hierna Java heb leren kennen, niet als Hol-

lander, maar als Javaan. Hardjònò was mijn broer, Java mijn moeder. We deden samen Javaanse dingen, zoals struinen in tuinen en vogels uit de boom schieten. Ik werd ondergedompeld in zijn gewoonte en gebruiken. Hij heeft mij veel meer beïnvloed dan ik hem. Ik ging anders denken over een gezin, over traditie, over gewoonten, over de adat... Hun sterke intuïtie voor de onzichtbare wereld om ons heen...'

'En nu ben jij dus een blanke Javaan?' plaagt Bart.

'Toe, laat hem,' zegt Gonda. 'Ga door, Thomas, vertel verder.' Bart luistert niet langer en loopt terug naar zijn werkkamer.

'Hardjònò's broer Amat, was een echte oproerstoker, een nationalist. Hij is wel tien jaar ouder dan Hardjònò, maar de helft niet zo slim. Toch ging Hardjònò die nationalistische troep ook lezen. Eerst dachten we dat het om communisten ging, maar eigenlijk zijn nationalisten nog veel erger. Ik vond het altijd een dom gedoe, dat van Soekarno en Hatta, maar door Hardjònò ging ik twijfelen. Blijkbaar is er meer aan de hand dan iets doms... bij die nationalisten.'

'Ik begrijp het ook niet,' zegt Gonda. 'Ik hoop dat de adat zo sterk leeft onder de Javanen, dat de ouderen deze oproerkraaiers tot de orde kunnen roepen. Ze lijken naar niemand meer te luisteren.'

'Amat luisterde in elk geval niet naar zijn vader. Dat was nog voor de oorlog. Ik was erbij hoe hij zijn vader beledigde in mijn bijzijn door niet te luisteren naar hem.'

Ineens schrikken we op van plonzen en gegil. Lissie roept. Bart-Jan schreeuwt moord en brand. Ik zie mijn zusje in het water spartelen. We rennen er meteen heen. Bart-Jan staat er bij te huilen, terwijl Lissie al op de kant klautert. Ze is drijfnat, máár ze lacht. Gonda wil haar zoontje optillen,

maar Bart houdt Gonda tegen. Lissie knielt meteen bij Bart-Jan neer en geeft hem een nat kusje.
'Niet huilen, lieverd,' zegt ze. 'Niet huilen, Lissie is alleen maar nat geworden. Water is toch niet erg?'
'Is alles echt oké met je?' vraag ik ongerust. 'Heb je geen pijn?' Ik heb haar natte schouder vast, maar ze schudt meteen mijn hand eraf.
'Stelletje paniekzaaiers!' zegt ze quasi-boos tegen ons. 'Wat denken jullie nu, dat ik niet zwemmen kan? Ik heb alleen maar een natte jurk, meer niet!'
'Piekzaaier is papa,' praat het jochie Lissie na. We schieten met elkaar in de lach. 'Lissie vis pakken. Bijna hè, Lis? Bijna!'
'Bijna hoor, schat. Ga jij maar gauw met Lissie mee. Gaan we drinken halen bij mama en dan trek ik meteen droge kleren aan.' Lissie pakt Bart-Jan aan de hand en samen lopen ze voor ons uit naar huis terug. Bart geeft me een knipoog.
'Zag je het, Thomas? Ze lachte!'
Ik knik. Maar... mijn hand drukte ze weg.

32. Jogyakarta

28/29 september 1945

Het huis staat er nog. Zelfs de schutting die ik gerepareerd heb, staat nog overeind. Ik zie de grote ficus in de tuin. Het pad durf ik niet op, er wonen nu andere mensen. Oleanders bloeien bij de keuken. De stenen uil staat nog precies op dezelfde plek bij de deur. Ons rotanmeubilair op de veranda herken ik ook. Het muskietengaas bij mijn slaapkamer, met daarachter het gele gordijn. Er is nog steeds iets van 'ons', terwijl ik duidelijk voel dat het anders is. De was aan de lijn is vreemd, de fiets op de grond is ook niet van ons. Een zandbak hadden wij niet, evenmin een kleine keffer die me vanaf het pad staat uit te schelden...

Ik vermoed een Indonesische familie in ons huis, zelfs hier op straat ruik ik de trassi.

Plotseling gaat de keukendeur open. Een Javaanse vrouw met hoofddoek klopt een kleed uit. Dat herken ik: dat vloerkleed... dat komt uit de eetkamer. Ze kijkt ineens op, draait zich om en kijkt me aan. Ik loop snel door. Haar ogen prikken in mijn rug. Ze weet vast wie ik ben en wat ik kom doen! Ik weet het ineens weer: dat kleed heeft mama van opa Werkman gekregen omdat ze het zo mooi vond. Ik moet opa schrijven. Zo gauw mogelijk.

Terug bij de hoofdweg weet ik dat ik in tijdnood kom. Ik had niet moeten gaan. Nu moet ik me haasten om op tijd terug te zijn bij Bart. Ik schop een onrijpe mango voor me uit. Hoe moet het nu verder met ons huis? Waarom horen we niets van papa? Leeft hij nog wel? Zullen we ooit terug kunnen naar ons huis? Ik moet opa schrijven wat er met

mijn moeder is gebeurd. Misschien schrijft mijn vader ook wel naar Groningen? Ineens denk ik aan Eddi Ram. Zou hij al thuis zijn? Ik moet opschieten. Bart wilde niet hebben dat ik deze kant nog op ging. Hij vond het te onrustig in de stad. Ik haast me richting het centrum. Zodra ik het centrum maar weer door ben, dan loop ik geen risico's meer.
Maar nauwelijks ben ik de Oengaranweg gepasseerd, of ik kom regelrecht voor de loop van de pemoeda's terecht. Ze komen ineens de bocht om. Ik spring nog snel aan de kant. Wat gaat het allemaal onverwacht snel. Ik hoor jongens schreeuwen: *'Merdeka! Merdeka!'*
Terwijl ik me klein probeer te maken en me probeer te verschuilen achter de ruggen van nieuwsgierige toeschouwers, zie ik flarden van een bonte optocht voorbijkomen. Opgeschoten jongens met bamboesperen en roodwitte vlaggen. Er snorren zwaarbeladen brommers voorbij en zelfs een kleine vrachtauto draait de hoek om. De laadbak is vol met juichende jongens. Ineens zie ik hem staan, voor in de laadbak: Amat Batam! Nu breekt het angstzweet me helemaal uit. Stel je voor dat de mensenmuur voor me ineens wegloopt of dat ik oog in oog kom te staan met Amat...

Ik blijf zo klein mogelijk en tegen de gevel van een huis gedrukt. Ik smeek de lieve Heer van Bart en Gonda dat ik niet ontdekt word. Dat niemand zal roepen dat hier nog een tòtòk zit.
De vrachtauto stopt en de jongens springen uit de laadbak. Ze lopen intimiderend rond. Er wordt van alles geschreeuwd, het ergste is wel de oproep 'dood aan de Nederlanders!' Hoe overleef ik dit? Ik doe het in mijn broek van angst. Tussen twee kleurrijke sarongs door zie ik dat een oude man aan de overkant van de straat zijn vuist opheft. Hij loopt uitdagend op de jongens af. Ik kan hem zelfs horen roepen. Hij maant ze tot kalmte. Wie denken ze

wel dat ze zijn? Iemand geeft hem een klap op zijn rug, maar de man geeft geen krimp. Hij kijkt de belager aan en roept in de kring van omstanders rond, dat God deze opstand niet duldt. Dat jongeren moeten luisteren naar degenen die boven hen gesteld zijn. Dat valt flink verkeerd. Meteen vallen een paar pemoeda's de oude man aan. Ik durf bijna niet te kijken. Hoewel niemand iets doet om hem te helpen, gonst de verontwaardiging om me heen. Ik zie hem struikelen, opstaan, weer vallen. Ze durven hem, terwijl hij machteloos op de grond ligt, zelfs nog met drie jongens te schoppen. Ik kan het niet aanzien en knijp mijn ogen dicht. O God, als ze me toch ontdekken! Ze zullen me levend villen. Ik trek mijn shirt over mijn blonde haar. Ik wens niet alleen vurig Javaan in mijn ziel te zijn, maar ik wil ook even bruin getint zijn als Hardjònò en Amat. Was ik maar niet blank, als ik maar niet opval... als ik maar niet ontdekt wordt...
Uiterst langzaam beweeg ik naar achteren. Langzaam en laag, kruipend op handen en voeten sluip ik achter de ruggen van de mensen langs. Een spoor van zweet blijft achter op de warme stoep. Hardjònò leerde me ooit onzichtbaar te bewegen, nu doe ik het om uit het zicht van zijn broer te blijven. Zolang ze met die oude man bezig zijn... Misschien kan ik nog wegkomen. God van de pater, God van Hielke, God van Bart, alstublieft, alstublieft... Dan ben ik ineens bij de steeg! Hier kan ik in. De ruimte geeft me de kans om te gaan rennen. Maar rennen valt meteen op. Mensen staren me na, iemand van de pemoeda's ziet een blanke jongen wegrennen. Ik hoor een fluitje, een schreeuw, het starten van een diesel. Ze komen achter me aan.
De steeg komt uit op de Merbaboelaan. Welke kant moet ik op? Ik zie even verderop een muur en klim omhoog. Ik haal mijn hand open aan een stuk glas dat op de muur is gemetseld. Wat kan mij die snee schelen, ik wil niet in de

handen van de pemoeda's vallen. Ik moet eroverheen.
Iemand ziet mij klimmen en schreeuwt iets naar anderen. Het volgende moment spring ik een vreemde achtertuin in. Ik kom precies voor een kleine man terecht. Hij is blank. We staan oog in oog.
'Thomas?'
'Meneer Kochick… u hier?'
'Dat geschreeuw… Zoeken ze jou? Kom gauw mee,' zegt de tandarts. Er klinkt al gebons op de voordeur. Meneer Kochick stopt me snel in de *goedang*. Hij zegt niets, ik hurk meteen neer en hij gooit een doek over me heen. Daarover leegt hij een emmer met stinkend afval. De natte drap doorweekt mijn shirt.
'Wacht hier tot ik je haal,' zegt hij zacht.
De goedang wordt op slot gedaan. Ik slik, tril en transpireer. Ik dwing mezelf om rustig te blijven, maar dat lukt amper. Mijn bloedende hand wikkel ik in een stuk van het doek. Ik hoor stemmen en probeer ze te verstaan. Ik hoor de stem van Amat. Meneer Kochick staat hem te woord. Ik hoor hem roepen dat die verrekte Hollander hier ergens moet zijn. Kochick zegt dat hij er niet van gediend is dat ze zo grof praten. Of hun moeder hem soms niet netjes heeft opgevoed?
'Als ik merk dat hij hier toch is, dan gaat u er ook aan, ondanks die mooie vergunning die u daar hebt,' dreigt een andere stem. Ik hoor ze langs de goedang lopen. Iemand morrelt aan de deur, maar er gebeurt verder niets. Na een poosje gaan ze weg.

Het duurt veel te lang voor meneer Kochick me komt bevrijden. De afspraak met Bart loopt helemaal vast. Hij zal niet weten waar ik blijf. Het is al donker als meneer Kochick me uit de goedang haalt. Hij is nerveus, gehaast. Ik moet zo snel mogelijk weg.

'De chauffeur van mijn huisarts gaat je wegbrengen. Zijn auto heeft een groot rood kruis. Alleen op die manier hoop ik dat we je door de ongeregeldheden kunnen brengen. Wat bezielt je toch, Thomas, om als blanke naar Jogya te komen,' zegt hij verwijtend. 'Als ik niet al die jaren de tandarts van de Japanners was geweest, hadden ze me ook allang het land uitgezet.'
'Ik moet naar het Rode Kruis kantoor,' zeg ik.
'Ja ja, nog praatjes ook. Je hebt jezelf, maar ook mij in groot gevaar gebracht,' verwijt hij me.
'Maar lieve Victor, de jongen is gewond, laat hem toch nog iets eten.'
Er is een vrouw in de keuken. Ik had haar wel opgemerkt, een baboe bij het fornuis, maar wat ze nu zegt is niet bepaald iets wat een baboe tegen haar baas zegt.
'Nee, dat gaat echt niet,' zegt hij. 'Hij moet meteen weg. We lopen groot gevaar.'
'Geef hem dan iets te drinken,' houdt de vrouw aan. Ze lacht even vriendelijk naar me en pakt mijn gewonde hand vast. Wie is ze toch? Ik heb haar nooit eerder gezien bij de familie Kochick. Ze is misschien maar iets ouder dan Yenny en mij. 'Kom Victor, in elk geval een glas drinken. Je weet nooit wanneer hij weer iets te drinken krijgt.'
'Nou, snel dan maar,' moppert meneer Kochick. 'Koude thee, en alsjeblieft Thomas, drink het snel op.'
De vrouw reikt me met een elegant gebaar de thee aan. Het is heerlijk zoet. Ze drukt ook een doek in mijn hand.
'Wikkel daar je hand in, jongen. Hij moet vast gehecht worden. Victor, kun je echt niet eerst even...'
'Nu moet je ophouden, jij. Ik wil hem hier geen moment langer hebben.'
De jonge vrouw haalt haar schouders op en lacht daarna nog een keer naar me, maar meneer Kochick grijpt de beker al uit mijn hand. Ik heb er niet lang over gedaan: één

flinke teug en de beker was leeg.
'Kom snel mee, naar de garage.' zegt meneer Kochick.
Ik moet nog iets vragen. Iets belangrijks. Yenny en haar moeder komen in mijn gedachten.
'Meneer,' probeer ik ondanks alle gehaastheid. 'Ik weet waar Yenny en haar moeder zijn.'
Meneer Kochick schrikt duidelijk. Hij duwt me de keuken uit. Ik kan zijn baboe niet eens bedanken. In de garage staat de auto klaar en de chauffeur. Ik moet op de achterbank gaan liggen. Hij legt zelf een laken over me heen en maant de chauffeur in te stappen.
'Meneer!' De chauffeur gaat al voorin zitten. 'Yenny heeft u al drie keer geschreven! Zal ik haar uw nieuwe adres geven?' Ik gluur onder het laken door.
'Start, Amed, snel!' Dan ineens, vlak voor hij de autodeur voor mijn neus zal sluiten, buigt hij zich naar me toe en fluistert:
'Vergeet wat je hier hebt gezien, Thomas. Vergeet alles, vooral mij. Adieu, jongen!'

33. Tommie

1 oktober 1945

'Judith!' Ik spring uit onze vrachtauto en ren naar het administratiegebouwtje. Bart roept me na of dit soms dé Judith is. Ik heb geen tijd voor een antwoord, maar ren zo hard ik kan. Ik zie dat tante Els Judith aanstoot en mijn kant op wijst. Judith kijkt en begint te lachen. Ze opent haar armen! Hier heb ik van gedroomd.
'Hé Thomas!' groet ze me hartelijk. 'Dat is lang geleden!' Ik sta hijgend voor haar. Als ze een kus op mijn wang drukt, kan ik me niet langer beheersen. 'Judith, mijn meisje toch!' Ik sla mijn armen stijf om haar heen en klem haar tegen me aan. 'Eindelijk, daar ben je!' Ze giebelt in mijn oor.
'O, gekke Thomas, toch.'
'Wauw, laat me je zien, Judith. Er is niets ergs met je gebeurd? Nog helemaal gaaf. Wat ben je mooi...' Achter Judith zie ik een Engelse soldaat uit het administratiehuisje komen.
'Ik ben ook zo blij voor jou.' Ze geeft me spontaan nog een kus op mijn wang en knijpt in mijn biceps.
'Thomas,' ze schept een beetje afstand. 'Even kijken.' Ik draai als een parelhoentje in het rond van pure gekkigheid.
'Wat zie je er goed uit. Je bent veranderd, hoe zal ik het zeggen...'
'Joedith? Who is here?' hoor ik de soldaat vragen.
'Mannelijk! Ja Thomas, dat is het. Je bent een man geworden!' voltooit Judith haar waarneming. Ik voel mijn wangen gloeien. Even kijk ik naar tante Els. Ze knikt lief. Ik wil Judith opnieuw vastpakken en zeggen dat ik over haar ben blijven dromen. Ik wil haar nog een keer kussen, haar aanraken, maar ze draait zich om en loopt bij me weg. Ze stapt

op die vreemde Tommie* af en geeft hem een arm. Hij moet met haar mee naar mij toe.
'This here is a friend of mine: Thomas Werkman. We have lived in one house, his family and mine, for severall months in Jogya. Thomas, mag ik je voorstellen aan mijn verloofde, Pete Cook.'
'Je verloofde?' Tante Els loopt weg. Iemand achter me legt een stevige hand op mijn schouder. Het moet Bart zijn.
'Je verlóófde?' Ik draai me om naar Bart: 'Ze is verloofd! Hoor je dat?'
'Pete is in Samarang gestationeerd,' vertelt Judith met dezelfde opgetogenheid. 'We zijn hier naar toe gereden om hem aan mama voor te stellen. En natuurlijk aan al mijn vrienden. Ik heb Pete ook over jou verteld. Thomas, ik vind het geweldig dat jij als één van de eerste...'
'Stop alsjeblieft,' zeg ik. Ik denk dat Pete als man meer van me begrijpt dan Judith. Hij kijkt me ongerust en bezorgd aan.
'Something wrong, sir?'
'Nou zeg, Thomas, ben je niet blij voor me?' durft Judith nog te vragen. 'Zodra Pete terug kan naar Engeland, ga ik met hem mee. We zullen daar trouwen.'
'Geweldig!' bijt ik haar toe. Ik wil hier weg. 'Bart, moet er nog iets uitgeladen worden of kunnen we meteen naar huis?' vraag ik.
'Er liggen nog een paar balen suiker en rijst op de wagen. Als jij die naar binnen brengt, ga ik alvast met mevrouw Havekamp de bestelling voor de komende week doorlopen. Dan gaan zo snel mogelijk verder, oké?'
Ik loop weg. De verloofden kijk ik niet eens meer aan, maar Judith holt me achterna. Ze pakt mijn blouse vast.
'Thomas, wat doe je vreemd? Ik ben zo blij om je weer te zien.'

* koosnaam voor een Engelse soldaat

'Laat me los,' snauw ik. Eenmaal uit het zicht van die Engelse soldaat, grijp ik haar achter de vrachtauto vast en schud haar door elkaar. Ze roept dat ik haar pijn doe.
'Hoe kun je dit doen?' fluister ik kwaad. 'Ben je soms van steen, of zo. Nou?' Judith probeert los te komen, maar ik houd haar nog steeds in mijn greep. 'Is er nooit iets geweest tussen jou en mij? Stelde dat zoenen van jou niets voor? Heb ik je niet gevraagd mijn meisje te worden? Ik heb nooit een antwoord gehad, Judith, nooit... En nu kom je met een verloofde op de proppen! Jij!' Mijn keel wordt dichtgeknepen van emotie, mijn stem schiet omhoog: 'Jij wilde nog wel mijn grammofoon dicht bij je houden... ja, ja...' Ineens laat ik haar los. Ze wankelt voor mijn ogen. 'Verdorie! Zeg op: wáár is dat ding gebleven?'
'Everything allright, Joedith?'
Daar heb je hem weer. De Tommie. Ik grijp een baal rijst uit de laadbak en slinger die zo hard op mijn schouder, dat het me pijn doet.
'Bram zei het al in Salatiga!' zeg ik, zonder iemand aan te kijken. 'Jij zoende met iedereen. Schiet op, maak je alsjeblieft uit de voeten met die verloofde van je!'
Judith klampt zich aan haar soldaat vast.
'Good luck, mister!' bijt ik hem toe. 'Pas maar goed op dat grietje van je, die vrijt zich zo weer bij je weg.'
'Thomas! Hoe durf je?' roept Judith me na.
Even later klapt de baal meel tussen tante Els en Bart op de grond.
'Hé, kalm aan een beetje,' zegt Bart. 'Ga even buiten wat bedaren, wil je?'
'Hier, jongen, we hebben een kamptoko, koop wat drinken,' zegt tante Els. Ze drukt wat geld in mijn hand. Haar hand wrijft over mijn rug.
Ik bijt mijn onderlip stuk.

Buiten zie ik de legerjeep nog over het zandpad door het open veld rijden. Grote stofwolken laat het achter zich.
Ik loop verloren langs waslijnen, zinken tobbes met weekwas, houten vuurtjes waar rijstpap op pruttelt. Langs spelende kinderen op het veld. De wc stinkt nog steeds. Ik weet niet wat ik moet doen. Alles ligt in duigen. Ik zou met haar trouwen. Ik zou met Judith... Wat ben ik een stommeling geweest door zo over Judith te blijven dromen. Dromen zijn bedrog.
Ik vind de toko, koop wat drinken en slenter langzaam door het kamp. Ik kom uit bij de bosrijke omgeving waar het hospitaal is ingericht. Zusters zijn bezig met patiënten. Sommige zieken zitten buiten in de beschutting van de bomen. Ineens zie ik Yenny lopen. Ze legt een patiënt op een veldbed. Wat een broodmager klein oud vrouwtje. Ik blijf op een afstandje staan kijken. Wat doet ze dat lief. Yenny streelt over het grijze haar en kust voorzichtig het voorhoofd. Het ontroert me. Heeft ze dat ook bij mijn moeder gedaan?
Ik wrijf langs mijn ogen en ontdek dat ze nat zijn. Huil ik? Is het om Judith of om mijn moeder? Ik heb om mijn moeder nog geen traan gelaten. Ik zie Yenny van de ene naar de andere patiënt lopen. Overal laat ze haar lieve lach zien. Overal werken haar handen bijna automatisch: hier wat troost, daar een kussen beter, daar iets aanreikend en die mevrouw krijg een bemoedigend klopje.
Ze is bij mijn moeder geweest toen die stierf. Wat moet ze veel betekend hebben voor mijn moeder. Zo veel liefde, juist als je je rot voelt... De tranen kriebelen me en irriteren me. Ik wrijf en wrijf maar. Gelukkig dat niemand op me let. Ze roepen haar naar het hoofdgebouw. Ik zie Yenny met flinke pas teruggaan.

Vlakbij is een steen, daar ga ik op zitten. Mijn benen opge-

trokken, mijn hoofd leunt op mijn knie. Waarom huil ik nu? Wat doet me het meeste pijn? Toen tante Els me mijn moeders graf liet zien, deed het me niets. Ik hoorde haar liever uit over Judith. Maar ze vertelde niet veel. Dat begrijp ik nu. Ik wil niet huilen om Judith, dus is het om mijn moeder. Ik heb haar verloren. Verlies doet zeer.
Na een poosje slenter ik terug.

Het vrouwtje dat Yenny zo pas op het veldbed heeft gelegd, richt zich op en wenkt me. Ik loop er langzaam op af. Ze zal zich vergissen, ik ken haar niet. Als ik dichterbij kom, noemt ze mijn naam.
'Thomas Werkman!' Nu begrijp ik Yenny: dit is haar eigen moeder, mevrouw Kochick. Ach nee, ze is niet getrouwd en heeft haar eigen naam. Ze steekt haar magere hand naar me uit. Ik aarzel.
'Wat een verrassing jou te zien!' Ze tikt op de rand van haar veldbed. 'Kom zitten, jij. Toe, hier, naast mij.' Ik kan met gemak een plekje op het veldbed vinden. Ze neemt nauwelijks ruimte in.
'Wat fijn je te zien, jongen! Yenny vertelde me al dat ze je weer had gezien. Ze was zo blij en ik ook.' Opnieuw reikt ze me haar magere hand toe. Ik pak hem vast en streel met een vinger het losse velletje over haar botten. Ik weet niets te zeggen. Ik zit nog helemaal in een schimmenspel. Vage bewegingen, contouren van herinneringen en flarden van de werkelijkheid. Mevrouw 'Kochick' praat en praat. Haar stem lijkt op die van Yenny, of is het die van mevrouw Batam. Een lieve stem. Ik luister niet echt, mijn hoofd is bezig met vragen: heeft Judith met me gespeeld? Heeft ze gedaan alsof? Thomas, dit is Tommie, nee, hij heet Pete. Pieter op zijn Engels. Mijn eerste liefde. Ik houd haar in mijn armen, we dansen, we zoenen. Nee, ik ben niet speciaal. Ze voost met elke jongen. Ik zie dat Yenny's

moeder even met haar hand beweegt.
'Jij bent ver weg, jongen!'
Ik staar dromerig in twee warme bruine ogen. Zulke ogen heef Yenny ook. Ze kijkt me liefdevol aan.
'Wat is er toch? Je hebt verdriet, jongen. Ik zie het aan je. Kun je iets zeggen, misschien?'
Ik haal mijn schouders op. Zo moet Lissie zich ook voelen: niet weten hoe je kunt vertellen wat er in je omgaat.
'Het is liefdesverdriet, hè?' zegt de moeder van Yenny na een poosje. 'Ja, het is liefdesverdriet!' Ze knikt heftig met haar hoofd. Op dat moment zie ik weer de jonge 'baboe' in de keuken van meneer Kochick. Ik sla mijn ogen neer.
'Ik dacht het al. Ach, lieve Thomas toch,' zegt ze. 'Lijden om de liefde doet zo zeer. Ik weet er alles van.'
Vogels zingen. Wind ruist door de bladeren. Ik zucht instemmend.

34. Bunuh orang belanda

7 oktober 1945

Bart wil geen inkopen meer doen zonder de bescherming van een Engelse militair. De onlusten nemen steeds meer toe. Op Java lijkt een nieuwe oorlog zich te ontwikkelen. Een oorlog waar vooral burgers slachtoffer worden van geweld. Er worden overal op het eiland aanslagen gepleegd met bommen en granaten. Java is dodelijk verdeeld. De pemoeda's vervolgen niet alleen vreemdelingen, maar onderdrukken ook hun eigen mensen. Ze jagen iedereen angst aan. De Japanners zijn er nog wel, maar op hun bescherming hoeven we niet erg te rekenen. Ze zijn weinig gemotiveerd hun leven voor ons in te zetten. De vaak jonge soldaten willen dolgraag terug naar Japan. Ondertussen nemen Engelse troepen het steeds meer over van de Japanners, maar zij hebben nog lang niet alles onder controle. Java lijkt zich in een vreemd chaotisch machtsvacuüm te bevinden, waar het recht van de sterkste de dienst uitmaakt.

'Ze staan er weer!' zegt Bart. Hij staat in de deuropening van mijn slaapkamer. Sinds een paar dagen staan pemoeda's op de weg te schreeuwen. Ze hebben ontdekt dat hier in dit afgelegen vakantiehuis *Belanda's* wonen. Ik heb al een paar nachten slecht geslapen.
Ik hoor ze ook. Zelfs op tweehonderd meter afstand. Ik hoor trommels dreigend roffelen. Af en toe zie ik door het raam het geflikker van hun fakkels.
'Gonda is bang,' zegt Bart. 'Ze durft hier niet alleen te blijven. Ze vindt dat ik morgen niet het huis uit mag gaan.'

'Lissie vroeg ook al of ze bij mij mag slapen,' zeg ik.
'Kom eens, Thomas!' Hij loopt naar het raam. We staan in het donker. Ze hoeven niet te zien dat we naar ze staan te kijken. Beneden op de weg staan een stuk of zeven jongeren. Hun roep 'Merdeka' kun je nog aanhoren, maar dat grimmige '*Bunuh orang belanda*' voelt heel anders.
'Ze wensen ons dood,' zeg ik vlak.
'Als ze er morgenvroeg nog staan, blijven we thuis. Ik wil Gonda niet alleen laten. Misschien gaat het net zoals gisteren, worden ze over een paar uur moe en gaan ze zelf ook slapen.'
'Zal ik opblijven? Voor het geval ze iets gaan doen?' vraag ik.
'Waar denk je aan?' vraagt Bart.
'Ze hebben fakkels... Stel dat ze daarmee gaan gooien, bijvoorbeeld?'
Bart blijft een tijdje stil. Zijn vingers tikken tegen de muur, in hetzelfde ritme als de trommels buiten.
'Ik blijf wel op. Neem jij Lissie bij je op je slaapkamer. De kinderen slapen bij Gonda.'

Lissie is blij dat ze op een noodmatrasje bij mij mag slapen. We liggen nog maar nauwelijks, of ik hoor haar stilletjes huilen. Zou dat vaker gebeuren, dat ze huilt in bed?
'Wat is er, Lissie?' vraag ik in het donker.
'Ik ben zo bang, Thomas,' fluistert ze. 'Koud en heel erg bang.' Ik hoor iets. Ik draai me om en voel dat ze al naast mijn bed staat. Wat wil ze nu? Wil ze in mijn bed slapen? Ik hoor haar klappertanden.
'Wat heb je toch, Lissie?'
'Ik ben steenkoud!'
'Hoe bestaat het. Nou, kom dan maar...' Ik schuif een flink eind naar de kant. Ze krult zich naast me helemaal op. Zo dicht heb ik nog nooit bij een meisje geslapen. In het kamp

was het ook krap, maar dat iemand zo tegen je aan ging liggen, heb ik nog nooit meegemaakt. Ach, wat rilt ze toch. Ze blijft maar snikken.
'Toe Lissie, niet zo huilen. Ga nu maar lekker slapen. Ik pas wel op je.' Ik sla een arm om haar smalle schouder.
'Bbblijf je echt bij me?' vraagt ze met een iel stemmetje.
'Ja, hoor. Niemand kan je nog zomaar pijn doen. Dan krijgen ze met mij aan de stok! Hoor je dat, Lissie… Lief zusje van me!'
In de verte klinkt: 'Benuh orang Belanda!'

De slaapkamerdeur vliegt open. Even denk ik in een nachtmerrie te zitten. Iemand trekt onze klamboe kapot. Een hand grijpt me vast en trekt me uit mijn slaap en uit mijn bed. Lissie begint keihard te gillen. Ik zie mannen met zwart geverfde gezichten. Dit is geen nachtmerrie, dit is echt.
Een mep tegen mijn ribbenkast. De mannen hebben rode *banda's* om hun zwarte koppen. Het zijn pemoeda's, in mijn slaapkamer. Lissie, mijn zusje… Ik wil naar haar toe en mijn armen om haar heen slaan, maar ik word vastgepakt en meegesleurd…
'Meekomen, jij!'
'Laat me los,' roep ik en meteen zoek ik Lissie. Waar is ze, waarom gilt ze zo, waarom zie ik haar niet?
Ik sla wild om me heen en probeer me los te wringen. Met drie man houden ze me in bedwang. Al mijn tegenwerking levert alleen maar meer klappen op. Ik verlies de strijd tegen de jongens. Ze duwen me naar de veranda. Daar staat Bart, zijn handen zijn vastgebonden. Gonda ligt op haar knieën voor een bewaker. Ze huilt en smeekt om genade. Ze roept dat Bart hulpverlener is. Dat hij dominee is, een godsman. Hebben ze daar geen respect voor? De leider slaat Gonda hard in haar gezicht. Dan zie ik Hilly,

het kleine meisje staat met grote angstogen op de drempel van de ouderslaapkamer. Verdraaid, het kind ziet alles wat ze niet moet zien en ik kan er niets aan doen.

Bart en ik moeten mee. Tussen vijf jongens in lopen we het grindpad af, naar de weg beneden. Daar staan de schreeuwers met hun fakkels, trommels en bamboe speren. Er ronkt een oude diesel. We worden een laadbak op geduwd. Daar zitten meer mannen.
'Waar gaan we heen?' vraagt Bart. Het levert hem meteen een stomp tegen zijn mond op.
'Bek houden, jij!'
De eerste uren zijn we onderdeel van een ware triomftocht! Wij zijn 'buit'. Luid toererend gaan de pemoeda's door de nacht. Wat zijn er veel jongeren op straat. Er wordt feest gevierd, gezwaaid, gejuicht. Af en toe klinken er geweerschoten. Eén jongen in de laadbak schiet met zijn geweer in de lucht. Om ons heen zijn verschillende huizen in brand gestoken.
Naast me begint Bart te bidden. Hij doet het zacht, maar wel verstaanbaar. Ik zie hoe sommige van de andere gevangengenomen mannen zich voorover buigen, om Bart zijn woorden te kunnen verstaan.
'God en Vader van onze Here Jezus Christus, ik bid u voor onze vrouwen en kinderen die we in deze chaos achter hebben moeten laten. Ik smeek u hen te beschermen tegen de mannen van het geweld. Wees ons genadig en bescherm onze geliefden met uw vleugels, o grote God. U behoeder van de mensen. Alstublieft, alstublieft.'
Als Bart 'amen' zegt, hoor ik verschillende mannen ook 'amen!' zeggen. Ik fluister het zelf ook. Voor Lissie. Ik hoop maar dat het gebed gehoord wordt door God. Heel even zie ik iets over de toppen van een grote boom gaan. Wijd uitgespreide vleugels van een roofvogel. Ik schuif iets dich-

ter naar Bart toe en leg mijn hand op zijn gebogen rug.
We stoppen na uren rondjes rijden, uiteindelijk bij de gevangenispoort van het Fort Willem 1 in Ambarawa. Ze noemen dit 'De Boei', het verschrikkelijke hokkenhuis voor criminelen. Gaan ze ons daar in stoppen? Nu breekt het angstzweet me uit.
We moeten vlug de laadbak uitspringen. Met stokken, zoals de Jappen gewoon waren, worden we gedirigeerd naar een klein ijzeren poortje in de buitendeur van het Fort.
'Uitkleden! Lĕkas! Snel, snel! Alleen de onderbroek mag aanblijven. Ik bibber over mijn hele lijf van angst. Onze bewaker, het is iemand van mijn leeftijd, klopt met zijn geweer tegen het kleine poortje aan. Even later gaat het open. We moeten bukken om naar binnen te komen. Bart gaat voorop. Hij is er nog niet binnen, of ik hoor hem schreeuwen van pijn. Nu durf ik al helemaal niet meer, maar ik moet. Een stok slaat me naar binnen toe.
'Vooruit, jij ook!' Nauwelijks door het poortje, of ik beland ik in een regen van stokslagen. Vuisten beuken op mijn lichaam. Voeten trappen me na.
'Bescherm je hoofd!' hoor ik Bart roepen. Ik ren achter hem aan en probeer zo veel klappen te ontwijken. Dit is spitsroede lopen... Ooit geleerd met geschiedenis. Maar waarom? Waarom doen die mannen dit? Waarom slaan ze me? Ik ken ze niet, ik heb ze nooit iets gedaan!
We rennen voor ons leven door twee rijen gevangenen die ons bewerken. Ik verlies mijn evenwicht en struikel. Bart sleurt me mee. Een schop in mijn zij, ik hap naar adem. Een trap tussen mijn benen. Iemand trekt me omhoog.
'Thomas!' Iemand noemt mijn naam. Ik herken iets bekends, maar kan het niet thuisbrengen. Van kijken komt niets terecht, mijn ogen zitten dicht. Ik voel een hand. Is het Bart? Iemand duwt me een richting op. Wie helpt me? Weer een klap. Ik hoor iemand gillen om zijn moeder. Nee,

dat ben ik zelf. Ik wil terugvechten, maar val opnieuw. Blijf van me af! Ik val weer. Dat kan niet, want ik al gevallen. Waar is de grond? Wie laat me zo diep kletteren? Help! Ik val te pletter…

35. De Boei van Ambarawa

16 oktober 1945

Ik voel een natte koele doek. Iemand dept mijn hoofd. Er is water bij mijn mond.
'Bart?' Ik roep hem, maar hoor niets.
'Bart!' roep ik harder. Er is geen geluid?
'Baaart!' Ik voel handen op mijn hoofd, handen bij mijn mond. Ik grijp die hand vast. Ik wil omhoog, ik moet hier weg... Iemand duwt me terug. Ik voel een luchtstroom langs mijn wang, iemand ademt heel dichtbij. Mijn hand gaat erheen. Zachte lippen, stoppels, een mannengezicht. Waar ben ik toch? Ik begin te huilen. Ik kan niet zien, niet horen, misschien ben ik dood? Het is hier aardedonker. Ik word bang en wil huilen, maar ik heb geen kracht...

Als ik me een tijd later weer bewust word dat ik nog steeds leef, kan mijn linkeroog een beetje open. Nu pas zie ik iemand naast me zitten. Zijn hand rust op mijn borstkas, terwijl hij met iemand verderop zit te praten. Ik doe mijn best hem te horen. Hij kijkt me ineens aan.
'Ben je wakker, jongen?'
'Waar is Bart?' vraag ik. Hij wijst en ik probeer om me heen te kijken. Ik krijg vat op mijn omgeving. Ik ben in een donkere lage ruimte, volgestouwd met mannen.
'Wil je iets drinken?' vraagt de onbekende. Hij helpt me overeind. Wat stinkt het hier. Vlak bij me ligt een oudere man. Zijn ogen dicht, zijn mond half open. Zou hij dood zijn? Zijn broek is nat aan de voorkant, om hem heen ligt vieze prut.
'Bart, Thomas is wakker geworden,' zegt de onbekende. Ik

zie een gezicht dichtbij, iemand met een zwaar, gezwollen kaak.
'Thomas, jongen, wat hebben ze ons te pakken gehad!' Het is Bart! Barts blauwe ogen. Hij buigt zich naar me toe.
'Laat me even naast Thomas zitten, wil je Henk?' hoor ik hem tegen de onbekende man zeggen. Die schuift meteen op. We kunnen tegen een muur aan zitten. Dat geeft steun in de rug.
'Tjonge Thomas, dat was heftig gisteren. Ik ben echt bang geweest dat we het niet zouden overleven. Twee mannen, die direct na ons kwamen hebben het niet overleefd. Henk, die man, die hier bij je zat, is arts. Hij heeft de hele tijd voor je gezorgd. Je bent minstens vierentwintig uur van de wereld geweest. Wat heb ik voor je gebeden, jongen.' Hij slikt een paar keer. Zijn onderlip trilt. Is dit om mij? Ik heb hem nog nooit zo emotioneel gezien.
Dan dringt er ineens een verschrikkelijk gekrijs door. Bart kijkt me ongerust aan. Verschillende mannen duiken in elkaar.
'Wat gebeurt er?' vraag ik.
'Ze hebben een jonge Javaan te pakken,' zegt Bart. 'Voor verhoor. Hij komt uit onze cel. Ik heb beloofd te bidden voor hem. We praten zo verder.' Hij sluit zijn ogen en buigt het hoofd. Ik zie zijn mond bewegen, maar hoor hem niet. Meer mannen volgen het voorbeeld. De angst bekruipt me dat ik zelf misschien ook wel gehaald kan worden voor een dergelijk verhoor. Wat doen ze met die jongen, hij gaat tekeer als een speenvarken. Afschuwelijk om te horen. Ik zou ook moeten bidden of zoiets, maar mijn hoofd is zo zwaar, ik ben nog zo moe…
'Laten ze van hem afblijven,' fluister ik. 'Laten ze doodvallen, die rotzakken.' Of dit bidden is en of het helpt, weet ik niet. Maar ik heb ook geen gebedenboek, zoals de pater en ik ben ook geen dominee zoals Bart de Lange, noch opge-

groeid in een kerk, zoals tante Els.
Even is het stil. Bart heft zijn hoofd op. Is het eindelijk afgelopen met het folteren? Meteen volgt er nog een ijselijke gil.
'Hoe kunnen ze dit hun eigen mensen aandoen?' zegt Bart.
Ik heb weleens gehoord dat ze met name inlanders die blanken in bescherming nemen of hen proberen te helpen, extra zwaar straffen. Blanke Javanen bestonden vroeger, toen er nog geen oorlog was. Nu is blank fout! Een verknipte Aziaat is ook fout, maar een volbloed Javaan is ook nog niet voldoende. Je moet ook mee in dit systeem. Dat eisen de pemoeda's. Jij moet blanken haten, je moet Indo's verdenken van pro-westerse ideeën. Meedoen in het circus van haat. Houd het simpel: zwart is in, wit is uit!
Java, mijn moeder. Ooit heb ik zelfs een broederbelofte gedaan…
De grendel verschuift, de deur gaat open. Ze gooien iemand naar binnen. Als een zoutzak valt de jongen op de grond. Zijn gezicht kan ik niet zien, alleen zijn sluike zwarte haar. Een paar mannen leggen hem op een matras. Henk gaat er meteen naar toe om te zien hoe erg de jongen is toegetakeld. Bart ook. Ik blijf in mijn hoek.

De volgende morgen ben ik zo stijf als een plank. De grond is hard om op te slapen. Koud en vochtig. Henk, de dokter, vindt dat we meer moeten bewegen. We moeten, hoe klein onze ruimte ook is, rondjes lopen en rek- en strekoefeningen doen. Hij leert ons ook masseren. We moeten allemaal meedoen. Ik word door Bart onder handen genomen en daarna masseer ik hem. Massage helpt goed, zelfs bij kapotgeslagen ruggen. De vierde dag vraagt Bart aan mij of ik wil proberen met die Javaanse jongen aan de praat te komen.
'Jullie konden wel ongeveer even oud zijn. Ga hem maar

masseren en probeer er iets uit te krijgen. Hij wil tot nu toe zelfs niet zeggen, waarom hij hier vast zit.'
Ik ga er meteen heen. Hij ligt niet meer op een slaapmat, maar net als ik op de grond. We hebben in onze cel maar een paar slaapmatten. Die gebruiken we voor de ergste gewonden en natuurlijk de oudsten onder ons.
De jongen ligt met zijn rug naar me toe, met zijn arm onder zijn hoofd. Niet bepaald een houding om contact te maken. Maar ik heb geen haast, dus wacht ik rustig af. Misschien slaapt hij wel. De rug is bloot. Ik zie flinke striemen. Door massage zal hij zich vast beter voelen. Iemand zingt met een zachte stem. Ik herken de wijs van 'Oh, give me a home…' Een bariton voegt zich erbij met een tweede stem. Het klinkt mooi.
'Wil je soms wat water?' vraag ik na een tijdje. De jongen knikt. Ik haal water bij de latrine en drink zelf ook iets. De jongen kreunt als hij probeert te draaien. Met één hand houd ik het bekertje vast, met de andere hand probeer ik hem steun te geven. Heel langzaam komt hij mijn kant op. Ik wil hem water geven, maar als ik zijn gezicht zie, ook al is het flink toegetakeld, verstar ik ter plekke. Mijn mond zakt open. Het bekertje zet ik op de grond. Ik trek mijn hand weg en zoek houvast tegen de buitenmuur.
Hij volgt me met een vragende blik. Waarom geef je me geen water? Waarom help je me niet? Hij moet wel heel erg suf zijn, maar ik niet… Ik loop weg, kijk om, loop zelfs een stukje terug. Ja, het kan niet missen. Ik heb het goed gezien. Het gaat al mijn begrip te boven, maar op dit moment is de verste hoek van de cel de enige plek waar ik nog wil zijn. Ver bij hem uit de buurt. Dit kan niet waar zijn.

Pas tegen de avond komt Bart bij me kijken. Al die eenzame uren heb ik gebruikt om na te denken. De duivel

bestaat. Hij heeft een macaber plan uitgedacht. Wie anders kan zoiets gemeens organiseren? Met hem en met mij.
'Wat zit jij te kniezen,' zegt Bart. Omdat ik vrij onwillig op hem reageer, komt Bart wat dichter naar me toe. 'Thomas, wat heb je? Wat is er?'
'Niks.'
'Ben je boos?' vraagt hij. 'Is het om die Javaanse jongen, soms?' Ik ben opgefokt. Mijn zenuwen zijn gespannen.
'Nou, zeg,' lacht Bart me uit, 'ik dacht nog wel dat jij iets met Javanen had?' Zijn spot is me net te veel. Alsof er een lont wordt aangestoken bij mijn buskruit. Mijn vuist schiet uit. Voor ik het door heb tref ik Bart vol in zijn gezicht.
'Zeg dat nooit, maar dan ook nooit weer!' schreeuw ik. Er springen meteen twee mannen op me af, die me vastgrijpen. Ik zie bloed uit Bart's neus sijpelen. Ik schop en sla wild om me heen.
'Laat me los,' schreeuw ik in blinde woede.
'Thomas!' roept Bart geschrokken. 'Hé jongen, bedaar even. Dit gaat niet zo. Beheers je alsjeblieft.' Een sterke man knijpt mijn linker bovenarm helemaal af. Mijn tanden knarsen op elkaar van de pijn.
'Laat hem los, hij moet eerst afkoelen,' zegt Bart. Hij gaat staan. Ik ontwijk zijn blik, want ik schaam me rot voor wat ik net heb gedaan. Bart draait me zijn rug toe, de andere mannen niet. Ze kijken me woedend aan. Vooral die sterke Bernard. Dat is een bonk van een man, die elke avond ons het commando geeft: 'Pitten, nu!'
'Je houdt je handen thuis, vriend, of je kunt het hier bij ons wel vergeten!' dreigt hij.
Ik ga weer in mijn hoek, maar nu als een gestrafte. Hoe stom ben ik geweest. Mijn vuist had iemand anders moeten treffen. Die avond wordt er geen rijst aan me gegeven. Ze negeren me, zelfs Bart. Misschien verwacht hij een excuus, maar ik doe niets. Ik isoleer mezelf in een ver, eenzaam

klein hoekje. Logisch dat niemand dit kan snappen, ze weten toch ook niet wat ik weet van die Javaan. Ik zit midden in mijn eigen oorlog. Ik zoek bewapening, ik moet me voorbereiden op een confrontatie. Geheid dat die gaat komen.

Als de volgende dag mijn maag in opstand komt, als het eten weer mijn neus voorbij gaat, de mannen in onze cel met bewegen en masseren beginnen en niemand mij erbij betrekt, knakt er iets vanbinnen. Ik kan mijn isolement niet langer verdragen. Ik kan het al helemaal niet hebben dat ik ruzie heb met Bart. Boosheid verliest zijn kracht. Ik sluip naar Bart toe en fluister, terwijl hij bezig is met de rug van Henk, dat ik hem niet had mogen slaan.
'Die klap was voor die Javaan, is het niet?' vraagt Bart meteen. Hij masseert door zonder me aan te kijken. 'Dat joch lijkt op jou. Hij is net zo eigenwijs en koppig. Ik krijg er geen goed woord uit. Ken je hem?'
'Bart... Het is Hardjònò...'

36. Afrekenen

20 oktober 1945

Bart is tegen haat, ik ook. Maar deze dagen zit ik vol met haat. Ik haat alles, zelfs dit waardeloze stinkhok van drie bij zes. Ik haat Judith en die schele Tommie van haar. Ik haat Amat Batam, ik haat die laffe meneer Kochick. Ik haat de Jappen, ook de Jappen in de cel naast ons. Ik haat Hardjònò! Ik moet met hem afrekenen. In de afgelopen oorlogsjaren heb ik nog nooit zo'n kans gekregen als deze.

Bart zegt dat haat niets oplost. Hij vindt dat ik moet praten, maar Bart kan nog meer willen. Wat valt er te praten? Het doet verrekte pijn wat hij me heeft aangedaan. De hele oorlog heb ik een knagende zeurende twijfel gevoeld: is hij echt zo stom geweest om Soekarno achterna te gaan. Nu wil ik het antwoord niet eens horen. Ik zie alleen maar dat hij verkeerd gekozen heeft, dat hij me uit Java wilde hebben, dat hij me in de steek liet toen de Jappen me op de grond hebben geslagen. Ik weet voldoende. Ik heb geen twijfel meer.

Bart is voor vergeving. Hij is tegen vergelding van kwaad. Kwaad vergelden is geen taak voor mensen, zegt hij, maar voor de overheid. En anders voor God. Pater Frans dacht er net zo over. Het zal wel iets christelijks zijn om zo te denken. Hoe vaak heb ik niet met pater Frans en met Hielke gediscussieerd in Salatiga over dit soort gewetenszaken. Dat kon ik toen nog, maar nu niet meer. Hier en nu geen theorie, maar praktijk. Hij zit hier nota bene gevangen in hetzelfde hok. Nu zal ik hem laten voelen hoe het is om door een vriend genegeerd te worden, verraden zelfs.

Wraak, mijn wraak. Wraak is altijd in overtreffende trap! Niks oog om oog of tand om tand...

Bart komt bij me zitten. Voor de tweede keer deze morgen begint hij over hetzelfde:
'Toe, Thomas, ga naar hem toe en praat met hem,' zegt Bart. 'Die jongen ligt daar dood te gaan van ellende. Volgens mij weet hij drommels goed dat jij hier bent. Hij voelt zich ontzettend schuldig.'
'Dat is hij ook!' zeg ik iets te hard. Meteen kijken een paar mannen onze richting op. Ik lees een waarschuwing: 'Jij komt niet weer aan de dominee.'
'Laat me niet in zijn buurt komen, ik doe hem nog iets!' fluister ik hees.
'Thomas, zeg geen dingen die niet bij je passen. Neem jezelf serieus. Jij bent helemaal geen hater en ruzieschopper,' zegt Bart beslist.
'O nee?' vraag ik, mijn stem schiet uit.
'Hou hier mee op, Thomas! Bovendien weet je te weinig. Hij is niet voor niets zo hard door de pemoeda's onder handen genomen!'
'Denk je dat echt, Bart de Lange?' schamper ik. 'Dat ik te weinig van hem weet?' Dit is mijn kans. Luid en duidelijk, omdat ik wil dat iedereen het hoort: 'Ik weet meer dan genoeg! Hij liet me barsten, terwijl we vrienden waren. Hij moest zo nodig communist worden. Vriendjes met Soekarno!'
Bart kijkt me verbijsterd aan. Ik doe het en ik doe het expres. Ik verraad hem in het midden van mannen die Soekarno's vriendjes wel kunnen villen. Ze reageren meteen. Het geeft onrust onder de mannen.
'Is het een rooie?' hoor ik iemand al vragen.
'Een pemoeda?'
'Zei je Soekarno's vriend?'

Er staan al mannen bij Hardjònò. Intimiderend schoppen ze licht tegen zijn achterwerk aan.
'Afblijven van die knaap!' commandeert Bart. Bernard staat er ook al bij en drukt de mannen bij Hardjònò vandaan. Als Bart mij weer aankijkt, zie ik dat hij woedend is. 'Wat bezielt jou, Thomas?' sist hij in mijn gezicht.
'Laat hij doodvallen!' grom ik.
'Hoe dom ben je, Thomas Werkman! Ben jij niet wijzer geworden in de afgelopen tijd?' Hij bijt me de woorden toe. 'Heb ik je niet meer geleerd dan vuisten gebruiken? Eerst praten, dan oordelen! Hoe kun je dit doen?'
Ik wankel. Ben ik echt wel zeker genoeg van mijn zaak? Heb ik het echt wel bij het rechte eind? Ben ik de opstoker geweest, de verrader, de vijand?
'Al dagen zegt die knul niets,' zegt Bart net zo luid als ik zo pas deed. 'Dit weet ik wel: pemoeda's gooien niet hun vrienden de bak in. Ze molesteren geen fan van Soekarno. Als je dát niet begrijpt, ben je een grote ezel!'
Hij loopt kwaad bij me weg.

De nacht is verschrikkelijk. Ik kan niet slapen. De grond is hard en vochtig en ik heb het koud. Bart ligt naast me te ronken. Hoe kan hij dat toch? Mijn hand glijdt over mijn kin. Ik voel stoppels en haar onder mijn neus. We hebben hier geen scheermogelijkheid. Ineens spits ik mijn oren. Er dringen ongewone geluiden door vanuit de gang. Er lopen mensen, er wordt gefluisterd. Wat gebeurt daar op de gang? Meteen ben ik klaarwakker. Iemand morrelt aan onze grendel. Gaan ze het hok open maken? Moet er iemand verhoord worden? Of worden we bevrijd? Ineens is iedereen in het hok wakker.
'Weg daar!' schreeuwt iemand op de gang. Er volgt een schot en daarna nog één en nog één. Het lijkt erop dat er dichtbij van twee kanten wordt geschoten.

'Plat blijven liggen,' roepen een paar mannen. Ook Bart. Ik lig bij de muur, de meest gevaarlijke plek als het gaat om zwervende kogels. Ik hoor in het Japans roepen en schreeuwen.
'Wie verstaat er iets van?' roept Bart. 'Wat gebeurt er? Wat willen die Jappen?'
'De Jappen naast ons zijn uitgebroken, meneer,' zegt er iemand. Ik herken zijn stem. Hij schuift precies voor me langs en gaat op de smalle plek tussen mij en de muur liggen. Op de gevaarlijkste plek.
'Meneer, ze willen een uitbraak forceren.' Het is Hardjònò... Ik kan hem ruiken, voelen, hij ligt pal naast me, maar richt zich niet naar mij, maar tot Bart, die aan de andere kant van me ligt. Ik lig klem tussen hen beide!
Het schreeuwen, het roepen, het besef dat dodelijke kogels door de muur naar binnen kunnen dringen, neemt voor dit moment al mijn aandacht. We horen andere gevangenen roepen dat hun deuren opengemaakt moeten worden. Dat ze zullen meevechten. Sommige mannen bij ons willen dat ook doen, maar Bart en Henk roepen dat niemand iets moet doen.
'Blijf liggen!' Er wordt geramd op onze deur. Ik tril van angst. Hardjònò ook, ik voel hem trillen. Het is niet meer dan een flits: zullen we hier samen sterven? Hij en ik. Wat een macaber idee. Waarom ligt hij daar, voor me, op de gevaarlijkste plek? Is het zelfmoord? Is het bescherming van mij? Hardjònò leunt wat over me heen.
'Versta je ze?' vraagt Bart aan Hardjònò.
Er rent iemand door de gang. Er valt een emmer om. Vlak voor onze deur klinkt een schot, een ijselijke gil, een bons. Weer Japanse kreten.
'Ze smeken om genade, meneer,' zegt Hardjònò zacht. 'Ze zeggen dat ze zich overgeven.'
'Zie je dat hij zelfs Japans spreekt,' fluister ik tegen Bart.

'Vast geleerd van zijn vriendjes.'
'Thomas, Thomas...' fluistert Bart terug.

Een volgend moment denk ik dat het gebeurt. Dat ze ons allemaal aan flarden schieten. Er volgt een enorme knal. Vlakbij moet een mortiergranaat ontploft zijn. Er valt gruis naar beneden, de muren trillen. Ik krimp ineen, grijp in een reflex de schouders van Hardjònò vast. Het is zo vlakbij. Zodra we beseffen dat we niet geraakt zijn, roept dokter Henk in het donker:
'Iemand geraakt?' Niemand zegt iets.
'Controleer direct je buurman,' roept Bart.
Mijn buurman... Bart vraagt of ik oké ben. Ja! Ik wil het Hardjònò vragen, maar hij schuifelt bij me weg. Ik hoef het niet te vragen... Het zal wel goed met hem zijn. Dood is hij in ieder geval niet.
Het schieten stopt. De strijd lijkt beslecht. Even later roept iemand van de andere kant van de cel: 'Door deze spleet kan ik het plein zien. Ze brengen de Jappen op het plein. Ik zie dat ze onder schot worden gehouden, handen op hun hoofd. Het zijn er nog zes. Ze moeten tegen de muur... Nee... O God, nee, dat doen ze toch niet.'
Ik wil mijn oren wel dichtstoppen. Alsof ik alles zie.
'Ze gaan ze afschieten. Nee! Ja! Toch, dit is verschrikkelijk. Ze gaan het echt doen.'
Vlak bij me ligt een oudere man. Hij kan zijn benen niet meer bewegen.
'En straks wij.' Er stroomt gal in mijn mond.
'Ik kan niet eens meer staan. Misschien mag ik wel tegen de muur zitten.'
Zeven schoten, ik tel ze. Eén te veel... Niet logisch. Wat een vreselijk begin van de dag. Er komt geen eten en geen vers drinkwater vandaag.

Thomas is veranderd. Wat is hij hard geworden. Hij is niet meer zichzelf, de Thomas zoals ik hem ken. Zijn ogen zijn nog steeds vensters, net als vroeger, maar nu is zijn blik gevangen achter traliewerk. Alsof hij zichzelf opgesloten heeft. Ik ben bang, nu hij zo dichtbij is. Wilde hij maar met me praten, wilde hij maar voor heel even naar me luisteren. Dan kon ik hem vertellen wat er gebeurd is, wat er allemaal veranderd is in me en waarom. Bij alle goden die ik ken, laat hij toch niet zo sterk veranderd zijn dat ik me in hem vergis.

37. Vergeving

22 oktober 1945

Oké, het is stom toeval dat Hardjònò in dezelfde gevangenis zit als ik. Gisteren zei Bart dat hij niet in toeval gelooft, maar in God. Volgens hem komt het woord toeval van het Jiddische tuval, dat een ander woord is voor duivel. 'Het is mij om het even,' heb ik hem gezegd. 'Toeval of de duivel... maar wie bedenkt er nu zoiets wrangs?' Bart zag het anders. O ja, hij ziet het altijd anders dan ik.
'Wat voor goeds kan hier dan nog uit voortkomen,' heb ik hem gevraagd. 'Verzoening!' was meteen zijn antwoord. Onmogelijk.
Maar vandaag, dit is al de zesde dag hier, laat ik me overhalen om naar Hardjònò toe te gaan. Bart is ziek geworden. Gisteren hebben we drie mannen verloren aan deze ziekte. Plotseling ontstaat er flinke koorts en verlies je in korte tijd je bewustzijn. Zelfs Henk, onze arts weet niet precies wat het is. We zijn erg bang. Als de ziekte ons allemaal aansteekt, zullen we onherroepelijk eraan dood gaan. Vannacht begon Bart te ijlen. Ik ben de enige die weet waar hij het over heeft als hij Gonda roept of Hilly. Hoewel hij soms verward is, hoor ik hem ook bidden. Vanochtend zag ik hem zomaar wat zitten grijnzen. Het kan bijna niet anders of hij ziet zijn kinderen in gedachten voor zich. Maar zodra hij mij ziet, komt steevast dezelfde zin: Ga praten! Praten met Hardjònò.
Henk vroeg me net of ik het niet terwille van Bart's rust zou willen doen. Nu sta ik voor het blok. Hoe kan ik dit weigeren?
Ik kruip naar de hoek waar Hardjònò zit. Hij zit in elkaar

gedoken. Misschien slaapt hij, misschien niet? Ik tik hem aan. Voorzichtig, met maar één vinger. Hij kijkt op, slaat meteen zijn ogen neer. Schuldbewust. Ik recht mijn rug. Prima, want zo makkelijk gaat het natuurlijk niet, dat samen praten. Laat hij maar beginnen. Niet ik. Hij is langer geworden, steviger ook. Zijn haar is onverzorgd. Hij heeft nauwelijks baardgroei. Het duurt minstens een uur voor hij uiteindelijk iets begint te zeggen. Tenminste, daar lijkt het op.
We kunnen hier niet onder vier ogen praten. Er komen verschillende mannen bij ons zitten. Expres. Ik heb het immers niet verborgen gehouden dat hier een Soekarnovriendje zit.
'Thomas, joh...' Zo stom begint hij. 'Thomas, ik weet niet wat ik moet zeggen.' Een diepe zucht. 'Het spijt me zo. Ik heb... zeker die keer toen met mijn moeder op de pasar... maar gewoon nog veel meer...'
Bart krijgt in de gaten dat hier iets gebeurt en wil er per sé bij zijn. Henk en Bernard helpen hem. Hij gaat vlak bij ons zitten, tegen een houten muur aan.
'Laat hem vertellen,' hoor ik Bart zeggen. 'Toe, jongen, zeg waar je geweest bent.'
Hardjònò kijkt me geen moment aan. Hij frunnikt nerveus aan zijn benen. Zijn hoofd hangt naar beneden. Ik kan hem zo minder goed observeren.
'Wat wil je van me weten?' vraagt hij.
'Verdraaid, vraagt die gek me ook nog wat ik wil weten,' zeg ik kwaad. 'Zit ik daarom hier? Waarom liet je me barsten! Dát wil ik weten!'
'Ik heb me ontzettend vergist,' zegt Hardjònò.
'Je deed net alsof ik niets voor je betekende...' Hardjònò kijkt verschrikt op.
'Ja, kijk nou maar niet zo,' roep ik. 'Ineens telde ik niet meer voor je. Niets van wat we samen hebben beleefd en afgesproken...'

'Maar Thomas, natuurlijk wel...'
'Je liegt!' bijt ik hem toe. 'Een echte vriend doet zoiets niet.'
'Laat me je vertellen wat er gebeurd is,' pleit Hardjònò. 'Dat alles theoretisch klopte, behalve jij, behalve mijn vriendschap met jou...'
'Belachelijk!' zeg ik, maar eigenlijk begrijp ik niet wat hij zegt.
'Waren we geen vrienden geweest, dan was alles zo veel makkelijker geweest... Maar jij, juist jij maakte alles onmogelijk,' zegt Hardjònò zacht. 'Door jou lukte het in ieder geval al niet!'
'Toe maar,' wind ik me op. 'Krijg ik ook nog de schuld!' Ik kijk de kring rond, nu zullen die mannen toch begrijpen hoe verziekt Hardjònò is met zijn Soekarno!
De mannen zeggen niets. Het komt door Bart. Zelfs al is hij verzwakt, hij legt ons nog zijn wil op. Hardjònò schudt zijn hoofd:
'Nee, Thomas, je begrijpt het niet. Je weet niet hoe het gewerkt heeft. De hele oorlog bijna. Ik zat zo met jou... Ik...'
Nu weet ik zeker dat niemand iets van dit gebazel begrijpt.
'Ik weet dat ik mijn ouders verdriet heb gedaan. Ik heb mijn studie opgegeven. Ik heb gezien hoe onze voorraden gestolen zijn door Japanners, ik heb twee broers verloren aan hen...'
Hij wacht even. Ik kijk hem getroffen aan. Zijn broers zijn dood? Hij laat zijn hoofd hangen, ontwijkt oogcontact. Oto en Darbo, zijn ze dood? Ze zijn net even ouder dan Hardjònò, een tweeling. Hij zegt het weer:
'Zelfs al deze moeilijke dingen waren niet het allermoeilijkste!'
Wat?
'Jij... juist jij, jij bleef het allermoeilijkste voor me...'
Nu draai ik door. Ik vergeet de doden. Dit is het stomste wat ik ooit gehoord heb. Hoe kan Bart zeggen dat ik moet

gaan praten. Om zulke onzin aan te horen? Ik verwachtte een excuus, woorden van spijt, maar in plaats daarvan geeft hij mij de schuld!
'Man, wat klets je nu? Hoezo was ik het moeilijkste? Zal ik jou iets zeggen? Ben jij vergeten dat ik de enige van de hele school was, die bij jou thuiskwam? De enige die überhaupt weet wie Oto en Darbo zijn?'
'Ja!' zegt hij duidelijk.
'Ben je vergeten dat jij nooit, maar dan ook nooit bij ons kwam...'
'Ja,' klinkt het een stuk zachter.
'Ben je vergeten dat ik je in het zwembad met mijn eigen lijf heb verdedigd tegenover Hielke en Eddi, die jou in elkaar wilden slaan toen je over Soekarno begon?'
'Ik weet het nog.'
'Weet je wel dat ik niet eens wilde geloven dat jij achter Soekarno aan zou gaan?'
'Ja Thomas, ook dat weet ik.'
'Prima, maar dan ben je vast vergeten dat jij het was, Hardjònò...' Ik prik met mijn vinger in zijn zij. 'Dat jij het was die zei, dat ik uit Java weg moest gaan.'
Hij zegt niets. Zijn bruine ogen zijn groot en vochtig.
'Ja wel, Hardjònò. Jij zei tegen me dat er hier op Java geen plek meer was voor me. Ga terug naar je vaderland! Dat weet je zeker niet meer?'
Hij buigt zijn hoofd en knikt.
Nu ontstaat er geroezemoes onder de mannen die zitten te luisteren.
'Wie maakte er eigenlijk ruzie? Wie schiep er afstand? Jij of ik?' Ik wacht even. Mijn buik doet zeer. Ik ben gespannen, maar knok door. 'Het is belachelijk, Hardjònò, hoe je hebt gedaan en nu praat. Ik was het moeilijkste...' Hij reageert niet.
'Zeg op! Doet het je niks wat ik tegen je zeg?'

Ik geef hem een por.
'Dat lijkt misschien maar zo,' probeert Hardjònò.
Ik krijg geen vat op hem, het maakt me razend.
'Het lijkt maar zo? Het lijkt maar zo?' bits ik. 'Nou, daar op de pasar was het wel even anders! Wat heb je me daar laten barsten, Hardjònò.'
Tegen mijn zin in, hapert mijn stem. Ik slik het weg.
'Ze hebben me verrot geslagen, die Japanse vriendjes... Ik lag daar als een hond op straat. Jij hield zelfs je moeder tegen om me helpen. Vertel mij niet dat ik het moeilijkste ben!'

'Nou zeg, met zo'n vriend zou ik het wel weten,' mompelt Bernard. Hij draait Hardjònò demonstratief zijn rug toe.
'Ben je echt bij Soekarno geweest?' vraagt Henk.
'Ja, meneer.'
'Hoe kun je, jongen? Die man roept al jarenlang de ergste dingen over ons af. Nu hij met die pemoeda's een greep naar de macht doet, valt het land nog meer in een crisis.'
'Ik weet nu zo veel meer, dan een paar jaar terug,' zegt Hardjònò.
'Lekker simpel is dat,' schamper ik. 'Ik kon een paar jaar geleden al wel vertellen wat voor vuile ideeën die lui hadden...'
'Zo simpel ligt het nu ook weer niet,' zegt Hardjònò. Ik wil er meteen opduiken, maar Bernard is me voor.
'Dat zeg je nu wel, maar wat zag je er dan in? Van Soekarno is het me duidelijk: die man wil de macht, maar jij dan? Je zat op de HBS, begrijp ik. Geen domme jongen zo te zien. Hoe kon je nu denken dat wij jullie wilden onderdrukken of jullie rijkdom stelen?'
Hardjònò wil iets zeggen, maar Bernard heft zijn hand op.
'Jij vergeet helemaal dat wij hier in Nederlands-Indië veel goeds hebben gebracht. Ik zit zelf in de wegenbouw, moet

je eens kijken naar de bruggen en wegen die we hier gebouwd hebben. Of naar de bouw van de olieraffinaderijen, naar de mijnen, vergeet niet de ziekenhuizen, alle schoolopleidingen, de kerken en de overheid en rechtspraak niet te vergeten.'
'Mag ik even?' val ik in de rede. Wat kan mij die prietpraat over de politiek schelen. Ik wil weten waarom Hardjònò zegt dat ik moeilijk ben... Dat zei hij toch?
'Meneer, ontwikkeling wil Soekarno ook,' zegt Hardjònò. 'Misschien zullen we er zonder de Hollanders langer over doen, misschien zullen we sommigen dingen ook anders doen, maar meneer, dat is toch niet erg. Een volk als de mijne wil zijn eigen weg zoeken. Mag het in Indonesië een eigen weg gaan? Anders dan hoe Europeanen hun landen organiseren? Mensen verschillen immers, maar rassen toch ook...'
Bernard buigt achterover. Zijn vinger tikt tegen zijn wang. Ik zie hem peinzen. Een paar andere mannen komen overeind.
'Zeg Bart, is die jongen wel echt weg bij Soekarno? Hij praat nog net zo als die communisten.'
'Geen communisten,' zegt Hardjònò, 'maar nationalisten, meneer.'
'Extreem nationalisme zul je bedoelen!' zegt Bernard. 'Ik ben ook trots op mijn vaderland, maar anderen met geweld je land uitjagen is mij een stap te ver!'
Er valt een geladen stilte. Duizenden gedachten spoken door mijn hoofd. Zal ik dit zeggen of dat? Een verwijt maken, kleineren, of beschuldigen?
'Nou, ik kan je in elk geval dit wel zeggen,' doorbreek ik eindelijk de stilte. 'Wat jij gedaan hebt met mij, dat is zo vals, zo gemeen... ik weet zeker, dat ik zoiets nooit, maar dan ook nooit gedaan zou hebben! Zo doe je niet als je vrienden bent!'

Zo, die zit! Eindelijk heb ik het kunnen zeggen, wat ik al jaren wilde zeggen. Ik verwacht geen reactie meer. Ik sta op en wil teruglopen naar mijn plaats, maar tot mijn stomme verbazing, zegt hij ineens:
'Inderdaad Thomas, dat hoop ik van harte. Dat jij zoiets nooit zal doen.' Hoe durft hij? Ik sta met stomheid geslagen. Is het nu nog niet duidelijk hoe ik erover denk?
'Nee,' zeg ik, terwijl ik weer naast hem ga zitten. 'Ik heb er gewoon geen woorden voor. Dat je zelfs je moeder tegenhield toen ze mij wilde helpen, en dat terwijl, terwijl...' Ik haal adem. Vergeten emoties dringen in me om voorrang. Frustratie, rotgevoelens omdat hij me afwees als vriend. Omdat hij me liet zitten, zonder me uit te leggen waarom hij dit deed. Het verdriet golft in me. 'Ik bedoel iemand als jij...' Ik slik nog eens... 'Man, het kón gewoon niet waar zijn. Het vloekte tegen alles wat ik eerder met je heb meegemaakt. Ik begreep je niet. Ik twijfelde zo lang over je, zo lang...'
Ik kan niet verder praten. Ineens komt het te dichtbij. Ik wil die pijn niet voelen. Die rotpijn, omdat hij me verruilde voor Soekarno. Dat hij een Java wilde waar ik niet langer welkom ben.

Ons gesprek houdt de mannen bezig, maar op onszelf letten ze niet meer. Ze praten druk met elkaar over Soekarno en de pemoeda's.
Hardjònò en ik zijn zeker een kwartier stil. Hij frunnikt maar aan zijn benen, zijn tenen, zijn hakken... Af en toe raakt zijn been per ongeluk die van mij aan.
Ineens vraagt hij zo zacht dat alleen ik het kan horen:
'Thomas, je bedoelt te zeggen dat je je erg vergist hebt in mij.'
'Ja, dat kun je wel stellen, ja. Ik dacht dat ik je goed kende.' Ik kijk hem aan. Hij mij niet.

'Misschien heb je beter over me gedacht, dan ik werkelijk ben.'
'Wees gerust,' zeg ik cynisch, 'ik heb ondertussen mijn gedachten over jou wel bijgesteld.'
'Dat kan ik me voorstellen,' zegt Hardjònò zacht. 'Je dacht zeker dat ik ons verbond vergeten was?'
'Je hebt onze vriendschap kapot gemaakt. Expres!' zeg ik bitter. 'Dát had ik nooit van je verwacht. Ik zou nog eerder twijfelen aan mezelf, dan aan jou! Ik weet dat ik soms een lafbek ben, een meeprater, maar jij…'
'Thomas?' Hij zegt het na een poosje. Ik kijk niet eens zijn kant op. 'Thomas, misschien is het te veel gevraagd, maar...'
Ik kijk hem aan. Gaat hij het nu vragen? Dat idiote begrip 'vergeving'? Zijn blik gaat onrustig heen en weer, zijn handen blijven zijn enkels masseren.
'Weet je, als ik aan jou denk, aan jouw karakter…' Hij wacht even. 'Als ik me herinner hoe ik jou heb leren kennen, dan bedoel ik... dan hoop ik…'
'Op vergeving?' raad ik.
Hij kijkt op. Zijn ogen zijn vochtig, zijn lip trilt. Het ontroert me, tegen mijn zin in.
'Nee, iets anders. Ik heb zo gehoopt dat jij jezelf zou blijven, ondanks de oorlog, ondanks alle verdriet dat ik je heb aangedaan. Thomas, je bent geen lafbek. Je bent eerlijk, oprecht. Ik ken niet iemand die zo de moeite waard is als jij. Zo uniek, zo bijzonder…'
'Nou zeg…' Ik ben oprecht verbaasd.
'Ik hoop toch zo dat jij inderdaad niet hetzelfde doet, als ik heb gedaan.'
Mijn mond zakt open. We kijken elkaar even aan. Zijn stem is zwaarder geworden, zijn blik ook. Hij is dichtbij. Dit is Hardjònò zoals ik hem ken! Om dit soort woorden wist hij mij altijd te boeien en te raken. Mijn lip trilt net zoals de zij-

ne, mijn ogen vullen zich met tranen. Of ik het wil of niet, het gebeurt.
Zijn hand komt even op mijn arm. Die aanraking geeft herinneringen. Aan vroeger, aan al die mooie dingen die ik zo lief heb gehad.
De omgeving verandert voor me. Ik ben terug met hem... De kring van mannen wordt een groene wand. De muur achter me wordt het harde steen van een flinke uitstekende rotspartij. We hebben net de kleine bergtop bereikt met een prachtig uitzicht over de kali Tjodé. Een schitterende beschut plekje. Hij noemde dit 'het nest van een arend'. De zon is aan het dalen. We drinken water uit dezelfde fles. We delen samen een pisang. Wij zijn broers. We wijzen en lachen om de blote vrouwen die zich beneden wassen. Zij kunnen ons niet zien, wij hen wel. En we praten. We vragen, we zoeken naar antwoorden. We lachen, we dagen elkaar uit, we duwen en trekken aan een onderwerp net zo lang tot we het genoeg besproken hebben. De herinnering haalt de vraag naar boven, die ik hem zo vaak heb gesteld vooral tijdens dit soort momenten:
'Hardjònò, hoe bedoel je dat?'
Ik ben terug in De Boei. Hij zit met neergeslagen ogen naast me. Ik moet mijn oren spitsen om hem te verstaan.
'Ik bedoel, dat je mij niet óók loslaat,' zegt hij.

38. Ghurka's

25 oktober 1945

Met een smak wordt Hardjònò weer bij ons in het hok gegooid.
'Zes uur!' schreeuwt een bewaker. Bart gaat meteen naar Hardjònò toe. De bewaker maakt een gebaar dat Hardjònò zijn einde tegemoet kan gaan zien. Bart en Henk helpen Hardjònò overeind. Ik wil dichterbij kruipen, maar ik durf niet goed. Wat een vreselijk vooruitzicht. Ze gaan hem doden. Om zes uur... bedoelt de vent nu zes uur vanmiddag of zes uur morgenochtend? Heeft Hardjònò nog een uur te gaan of nog dertien?
'Thomas, pak gauw wat water, wil je?' vraagt Henk. De andere mannen schuiven ook om hem heen. Er is veel veranderd in onze cel. Sinds we weten hoe slecht het er voor Hardjònò voorstaat, wordt hij heel anders bekeken. Ze verdenken Hardjònò van spionage en zullen hem executeren. Morgenochtend, zes uur. De uren gaan tellen. Ik ben koud, rillerig.
Hardjònò kijkt uitdrukkingsloos voor zich als ik hem wat water geef. Hij kijkt me lang aan. Dat maakt me bang. Even later krijgen we eten, tenminste, wat er voor moet doorgaan. Ik schep de helft over in de kom van Hardjònò. De laatste dagen hebben we niet veel gesproken, maar er was weer iets van dat broederverbond terug: over en weer gaven we elkaar van die kleine dingen. Ik kreeg wat water, hij wat van mijn rijst. Ik bood hem een steun aan voor zijn rug, hij masseerde mijn benen.

Als de nacht invalt en Bernard heeft bevolen dat er gepit

moet worden, merk ik dat Hardjònò opnieuw tussen mij en de muur schuift. Ik heb even overwogen of ik deze laatste nacht bij hem zou gaan liggen, maar de angst weerhield me. Wat moet ik doen bij iemand die zijn laatste uren telt. Ik weet echt niet wat ik Djonie moet zeggen.
'Thomas,' fluistert Hardjònò.
'Ja!' zeg ik zacht. We fluisteren zo zacht, dat ik niet geloof dat Bart het in de gaten heeft.
'Als je mijn moeder nog een keer ziet...'
'Alsjeblieft...' vraag ik. Mijn hart klopt in mijn keel. Hij roert iets aan dat ik al tien keer in gedachten voor me heb gezien. Ooit moet ik naar dat kleine huisje met de groentetuin gaan, naar mevrouw Batam om te zeggen: 'Lieve mevrouw, uw zoon is dood...'
Hardjònò weet hoe kostbaar zijn tijd is.
'Ik wil dat je iets tegen mijn moeder zegt als je haar ziet. Mijn lieve moeder...'
Ik kan zijn gezicht niet zien, maar ik vermoed dat hij huilt.
'Hardjònò,' ik schud mijn hoofd. 'Ik weet het niet hoor... Ik ben echt wel een lafbek...'
'Zeg haar alsjeblieft dat ik...' Hij stopt even, ademt diep. Wat heb ik een medelijden met hem. Hij veegt weer in zijn gezicht. Oog om oog... Wat heb ik hem gehaat om niks. Waarom wilde ik hem zelfs hier nog pijn doen en treffen. Nu zou ik mijn koffergrammofoon subiet geven in ruil voor zijn leven! Jammer dat het nergens op slaat.
'Zoek haar voor me op, alsjeblieft,' vraagt hij opnieuw.
'Maar Djonie, toe nou, ik weet toch niet of ik hier levend uit ga komen? Ik bedoel...'
'Jij wel,' zegt hij stellig. 'Jij wel en je gaat echt wel naar Nederland.' Ik zucht.
'Moet ik nog steeds weg van je?' Hij gaat er niet op in.
'Ik weet het gewoon. Ik heb het gedroomd.'
'Leuke dromen...'

'Ja,' zegt hij een stuk rustiger, 'het was inderdaad mooi. Ik heb het gezien. Je gaat lang leven en je zult ook nog heel gelukkig worden.'
Ik blijf stil liggen. Een droom... Wat moet ik daar nu mee? Ik heb geen droom gehad over Hardjònò, maar ik heb ook nooit gedacht dat hij op negentienjarige leeftijd zijn dood in De Boei van Ambarawa zou vinden.
'Mijn moeder moet weten dat ik van haar houd, ja?' Hij klinkt gespannen.
'Ja, Hardjònò, dat weet ze toch.'
'Je gaat wel, hè?'
Ik zucht.
'Natuurlijk!'
'Dan is het goed! Dan moet je haar zeggen dat ze naar haar hart moet luisteren. Niet naar Amat. Ook niet naar mijn vader. Mijn moeders hart is goed. Die moet spreken, niet die anderen. Zeg je dat, Thomas? En ook...'
Ik knik in het donker. Hij kan het natuurlijk niet zien. Ik ben kapot. De kou van de vloer zit diep in mijn botten. Hardjònò heeft haast in het spreken, ik heb geen haast in mijn antwoorden. Dit wordt het einde. Morgen ben ik hem voorgoed kwijt.
'Vertel haar dat ik haar kon horen. Zo vaak was ze dicht bij me. Zeg dat ik naar haar raad heb geluisterd. Dat mag je echt niet vergeten. Het zal haar helpen, begrijp je.'
Hij slikt. Ik hoor het. Hij snikt en snuift zacht:
'Zeg dat ik spijt heb voor haar, dat ik niet thuis kan komen... Dat ik niet zo lang leef dat ik haar...' Zijn stem breekt en klinkt vreemd: 'Ik had haar zo graag als oma willen zien...'
Ik kan mijn tranen niet langer bedwingen. Wat is er nog voor verschil tussen Djonie, mijn Hardjònò, en mij. Tussen een bruine en een blanke Javaan? Zijn dromen over liefde en geluk verschillen niet met die van mij. In een impuls

van diep medelijden gooi ik mijn arm om hem heen en trek Hardjònò tegen me aan.
'Het mag niet gebeuren, Djonie... Ze mogen je niet hebben. Ik wil het niet hebben. Ik ga voor je vechten, hoor. Ik sla ze verrot, die jongens... Ik, ik...' Mijn adem gaat sneller en sneller. Hardjònò legt zijn hoofd tegen de mijne. Hij maakt een zacht geluid bij het huilen. Hier en daar hoor ik iemand snuffen. Zie je wel, er luisteren mannen mee.
Ik leg mijn hoofd op zijn arm. Onze voorhoofden raken elkaar licht, we ademen elkaars adem, maar de vloer geeft geen centimeter mee...

Hoelang we zo liggen, weet ik niet. De tijd is van ons. Elke minuut ervaar ik als een goddelijke gift. Tot het moment dat we ineens een enorme knal horen. Iedereen is klaarwakker. Hardjònò en ik zitten meteen rechtop. Het is zo ongelooflijk hard en dichtbij, dat ik niet anders kan denken dan dat een bom de gevangenis heeft geraakt.
'Zou het de luchtbrigade zijn?' roept iemand. 'Worden we bevrijd?'
'Het is een tank!' De stem van Bernard. Hij staat vlak bij ons voor de deur. 'Hoor maar, het kan bijna niet missen. Ik hoor een dieselmotor.'
'Zouden het Engelsen zijn, misschien?' roept Bart. Hij is op slag een stuk beter dan gisteren en ook helder. Vrijheid? Ik spring op. Komt onze vrijheid eraan? We horen opgewonden stemmen uit de andere hokken. Er wordt overal geklepperd met de ijzeren grendels. Er wordt geroepen en geschreeuwd. Bernard gooit de emmer water leeg en zwaait met het ding keihard tegen de deur aan. Met een paar mannen doet hij een poging onze deur te forceren.
De bewakers zijn er niet of zijn elders aan vechten.
'Eruit! Haal me eruit!' schreeuw ik met de anderen mee. Mijn vuisten bonken tot bloedens toe tegen de muur aan.

Alleen Hardjònò zit nog op de grond. Hij heeft enge wijd opengesperde ogen. Volgens mij: doodsbang.
'Haal ons hier uit. Hallo! Hello, mister Tommie! Here we are!'

Weer klinken schoten. We duiken in elkaar, behalve Hardjònò. Hij blijft precies zo zitten. Stoïcijns. Wat maakt een kogel hem uit, nu of straks.
'Bart, hoor, er rennen mannen op de gang!' roept dokter Henk. Iemand loopt met sleutels te rinkelen. Er gaan deuren open. Gevangenen komen vrij. Er klinkt gejuich en opgewonden geschreeuw.
'Het zijn Ghurka's!' roept Henk. Hoe Henk dat weet, interesseert me niet, ik weet alleen dat de Ghurka's de beste strijders zijn in het Engelse leger.
'Ghurka's, Hardjònò...' probeer ik hem duidelijk te maken. Ik pak zijn schouder beet en schudt hem heen en weer. 'Misschien komen we vrij! Dan schieten ze je niet dood, Djonie. Begrijp je dat? Ze vechten om ons hieruit te halen!' schreeuw ik uitgelaten. Het lijkt net alsof hij me niet meer hoort. Vlak bij ons gaan weer deuren open.
'En nu wij,' schreeuwt Bernard ongeduldig. 'Maak ons los! Hier moet je zijn! Wij nog.' Hij ramt met de emmer opnieuw tegen de deur aan. 'Maak ons los!'
'Ze rennen over de gang. Ze rennen ons voorbij, ze horen ons niet!' roep ik.
'Luister,' zegt Bart. Ik hoor iemand aan onze grendel prutsen. Van opwinding spring ik op en neer. Heel duidelijk horen we gerinkel van een sleutelbos.
'Hij maakt hem open!' roep ik. Bernard duwt me al aan de kant om als eerste eruit te kunnen rennen. Ineens houdt het rammelen op, iemand loopt weg. Het wordt stiller. We horen iemand op de gang roepen dat deze sleutel niet past.
'Nee, niet weggaan!' roept Bernard. 'Probeer het nog een

keer.' We beuken met het hele stel zo hard als we kunnen tegen de deur en de muur. Ze mogen ons hier niet laten zitten. Dit kan niet, helemaal niet voor Hardjònò. Ik krijg het Spaans benauwd. Want stel dat wij, alleen wij uit dit hok, niet vrij gaan komen... Het is vijf uur geweest! Nog een uur te gaan... Straks komt de dagploeg met hun versterking.

'Bart!' Ik zoek hem in mijn wanhoop. 'Bart, alsjeblieft... bid!' Ik grijp hem vast en jank het uit. 'Alsjeblieft, bid wat je bidden kunt! Om Hardjònò, alsjeblieft, laat die God van je ons te helpen! Het mag niet gebeuren...'
Bart trekt me even tegen zich aan. Zijn hand gaat over mijn hoofd heen.
'Thomas, ik bid de hele nacht al.'
Ik ren terug naar Hardjònò. Ik probeer contact te maken. Hij is zo slap als een vaatdoek.
'Djonie, toe, zeg toch iets... Misschien gaat alles goed komen...'
'Mannen, even helemaal stil!' zegt Bart ineens. 'Luister goed, hoor je het?' Dan hoor ik het ook. Er rijdt een zware motor weg...
Ik huil. Sommige mannen zakken diep teleurgesteld terug op de grond. Ze geven het op, die moedige Ghurka's. Ze laten ons zitten... Er is geen sleutel. Maar dan horen we ineens weer een motor. Het geluid wordt harder, duidelijker. Hij gaat niet weg, maar hij komt dichterbij... Hij komt zelfs heel dichtbij, oorverdovend dichtbij. Nee, hij komt haast, of naast, nee, hij komt zelfs door de muur.
'Aan de kant daar,' schreeuwt Henk op het laatst. De mannen bij de buitenmuur springen aan de kant. Met ongelooflijk veel stof en lawaai boort de loop van een kanon zich onze ruimte in. De opening van de loop blijft pal voor Bart in het midden van onze cel staan.

Bart, die nuchtere Hollander, veegt het stof eraf en lacht. We kunnen elkaar nauwelijks zien. Met een paar flinke bewegingen wordt er met de loop van het kanon een gat naar buiten gemaakt. Even later springen we als grijze muizen door dit gat naar buiten. Happend naar adem. Bernard gaat als eerste, hij geeft meteen iedereen een helpende hand. Ik zeul Hardjònò overeind. Henk komt me helpen, want in mijn eentje lukt het niet.
'Hij is in shock,' zegt Henk. 'Helemaal van de wereld.' We duwen hem door het gat. Buiten op het veld staan de Ghurka's, het zijn Indische mannen met Engelse uniformen aan. Sommigen hebben een tulband, anderen lange baarden. Maar ze lachen met ons mee om de bevrijding.
'Your saved, but not safe!' Die kennen we! Dat is de zoveelste keer, dat ik dit hoor.

39. Yenny

14 november 1945

Een beetje vrij. Het houdt maar niet op. Ik zit alweer in een kamp. En weer voor mijn eigen veiligheid. Er is een flinke oorlog aan de gang. Deze keer merk ik er heel wat meer van dan toen de oorlog met Japan begon. Toch is het leven in vergelijking met die laatste week in De Boei, een stuk beter. Ik kan lopen, gaan en staan waar ik maar wil. Elke dag wordt er goed gekookt. Je kunt je hier mandiën, er is zeep! Ik kan mijn kleren wassen. De wc heeft een slot op de deur. We zijn de hele dag aan het werk, als het tenminste niet regent. Ik heb hier mijn eerste sigaret gerookt! We organiseren feestjes als het rustig is. We zijn vrij genoeg om muziek te maken en te dansen op blote voeten in het gras. Ik ben vrij genoeg om brieven te schrijven naar opa Werkman en het Rode Kruis om te vragen of er al iets bekend is over mijn vader. Hier zijn boeken om te lezen en je mag buiten blijven zolang als je maar wilt.
Yenny is hier ook met haar moeder. Ze is aan het werk als verpleegster. Gonda en haar kinderen zijn hier ook, evenals Lissie. Tante Els wil ook hierheen komen, zodra ze haar werk in kamp zes kan overdragen. Dit is een klein noodkampje dat gehuisvest is in een Rooms Katholiek internaat. Net als in Salatiga, ligt deze kostschool erg mooi. Omringd met hoge bomen die schaduw geven, schitterende struiken, een groentetuin, kippen, melkgeiten en een vijver vol grote waterlelies. Het enige nadeel is dat het complex nogal geïsoleerd ligt van het dorp. Maar tot onze geruststelling staan er dag en nacht een paar gewapende soldaten bij de poort.

Bart is weer aan het werk voor de RAPWI. Deze keer wil hij me niet mee hebben. Hij vindt dat ik voor Hardjònò moet zorgen. Hardjònò is door Bart meegenomen naar ons kamp. Hij is nergens veilig, alleen bij ons. Omdat er bijna geen mannen zijn, besliste Bart dat ik samen met Hardjònò de vrouwen moet helpen. Ik was zelf veel liever met Bart meegegaan.
'Jij hebt veel geleerd bij de TD,' zei Bart tegen me, toen ik tegensputterde, 'gebruik die kennis en schakel Hardjònò zo veel mogelijk in. Laat hem maar flink werken voor de kost!'

Nu is Hardjònò mijn schaduw. Hij is nog erger dan Eddi Ram. Wat is hij veranderd. Er is zo weinig over van de spontane Hardjònò van vroeger. Een zwijgzame schaduw, schuchter, schichtig, bang. Iemand die zich snel te veel voelt. Vanmiddag toen we langs het toegangshek liepen, vroeg Hardjònò nog of die paar soldaten wel voldoende waren om ons te beschermen als de pemoeda's ons toch zouden aanvallen. Dat weet ík toch niet. Hij moet gewoon een beetje vertrouwen hebben. En een beetje leuke afleiding. Dat zou hem ook helpen, maar dat doet hij niet. We gaan soms 's avonds dansen, maar Djonie gaat niet mee.

'Oké, zullen we maar weer?' Ik sta op. We hebben net een paar boterhammen op en een glas thee. Er moet hout gekloofd worden. Dat is echt mannenwerk. Ik vind het prima dat we niet veel samen praten. We zijn allebei veranderd, maar samen bezig zijn doet ons goed! We pakken onze bijlen weer. Ik controleer mijn eigen bijl.
'De mijne is scherp genoeg,' zegt Hardjònò. Toch controleer ik zijn bijl ook. Ik ben van de TD. Het volgende uur hakken we erop los. Onze blouses gaan uit, we zweten

ons een ongeluk. Na een tijdje zie ik aan de andere kant van het pad Lissie met een meisje langskomen. Ze zijn op weg naar de groentetuin. Ze praten en lachen samen. Ze kijken onze kant op en giebelen. We staan met ontblote bovenlijven te werken. Blijkbaar maken we indruk. Ze smoezen en Lissie wijst naar ons. Ze zal wel zeggen dat ik haar broer ben. Alweer schieten de meisjes in een giebellach...
Ineens komt er van alles bij me boven. Dingen die we samen hebben meegemaakt: Hardjònò en ik. Dingen van de HBS, toen we nog gewoon schooljongens waren. Dingen die ik niet vergeten ben, dingen die Hardjònò en ik samen beleefden en destijds zo spannend vonden.
'Djonie?' probeer ik. Hij kijkt op. Ik wijs naar de meisjes.
'Waar zouden die twee het over hebben?'
Hij glimlacht even. Zie je wel, hij herkent het ook. Hij weet het vast nog wel.
'Over ons!' zegt Hardjònò. Hij rekt zich even uit. Zijn magere lijf moet vast indruk maken op de meisjes. Ik steek mijn hand naar ze op. Dat levert nog meer gelach en gegiebel.
'Het komt me bekend voor,' zeg ik. 'Mijn zusje is bijna dertien.'
'Eerste jaar HBS!' zegt Hardjònò. We kijken elkaar even aan. Ik gooi een stuk hout voor hem neer.
'Wat had jij het te pakken van dat meisje Brand,' zeg ik. Hij lacht. Ach ja, denk ik, zo kon hij lachen.
'Dat lieg je, Thomas. Jij was degene die verliefd was. Op Yenny Kochick!' zegt hij. Ik geef hem een duw en krijg er meteen eentje terug.
'Je kletst man! Hoe kom je daarbij?' roep ik.
'O Thomas!' Daar heb je weer die lage stem, dat plagende gezicht, de vinger die snel heen en weer gaat. 'Je mag niet jokken! Tot Judith in de klas kwam, heb je nooit naar

iemand anders gekeken dan naar Yenny. En ik mag me vergissen, maar ik zie jullie soms naar elkaar...'
'Maar dat is onzin!' roep ik quasi-boos.
'Ga mij wat vertellen. Wie weet dat nu beter dan ik!' houdt Hardjònò stug vol.
'Ik!' pareer ik hem. Met veel meer energie klieft mijn bijl in een volgend stuk hout. Ik lach nog een keer naar hem en geniet. Zijn we echt wel zo veranderd? Zijn we onszelf door de oorlog kwijtgeraakt? Of is er toch nog een stukje 'mezelf' en een stukje 'mezelf' in Djonie? Iets in ons, dat jaren geleden zo gesteld was op vriendschap met elkaar? Wat is er nog over van onszelf?

Die avond ga ik de tuin in. Hardjònò gaat niet mee. Hij ligt liever wat op zijn bed te lezen. Ik ontwijk hem als hij zo stil is. Daar kan ik niet zo goed mee omgaan.
Achter in de tuin zijn een paar gekleurde lampjes opgehangen. Er wordt muziek gedraaid en gedanst. Mijn koffergrammofoon, wat mis ik dat ding. Als ik Judith nog een keer zie, ga ik hem terugvragen. Ik hoop dat ze hem nog heeft. Tante Els wil ik er niet mee lastig vallen.
Dansen is leuk. Ik ruik saté en nasi goreng. Een paar vrouwen roosteren stukjes vlees. Er wordt gelachen, gepraat. De oorlog lijkt op zulke momenten ver weg. Sommige vrouwen zitten op kleden in het gras, anderen hebben stoelen aangeschoven. Jammer dat Hardjònò niet mee wilde. Dit zou hem vast afleiden van zijn somberheid.
Ik zie Yenny en Lissie samen aan het dansen. Mijn zusje leert Yenny een paar danspasjes. Ik herken ze. Het is de foxtrot. Hoe vaak heeft Judith niet samen met Lissie deze dans geoefend, zelfs in de kleine woonkamer in ons tijdelijk huisje in Jogya. En hoe vaak moest ik niet meedoen, als vierde danspartner. Ineens sta ik op en loop naar het tweetal toe.

'Hé Lis, als jij nu eens iemand anders gaat zoeken, dan zal ik het Yenny wel leren.' Ik zie mijn zusje al kijken met een blik van o, ik begrijp het helemaal!
Yenny lacht blozend.
'Dat komt goed uit, want ik leer het ook veel liever van jou!'
Lissie loopt meteen naar haar vriendin. Ze zal wel weer naar ons gaan wijzen en lachen. Niet handig zo'n jong zusje in de buurt.
'Ah toe, Thomas! Lach even naar me! Je kijkt zo serieus. Vergeet niet hoe belangrijk het is dat Lissie wat plezier maakt, zelfs al is het om jou,' zegt Yenny.
'Je hebt gelijk!' zeg ik vriendelijk en ik doe mijn best mooi met haar te dansen. Er zijn nogal wat ogen op ons gericht, want ik ben de enige man in dit gezellige vrouwenbolwerk. We dansen op een paar makkelijke melodieën. Yenny is een stuk kleiner dan ik. Haar zwarte haar glanst, zelfs met zo weinig licht. Na wat heen en weer praten, begint ze over haar moeder.
'Mijn moeder gaat het niet redden, Thomas.' Ze is ineens een stuk somberder. Zelfs al danst ze in mijn armen en druk ik af en toe haar lichaam tegen die van mij aan, toch kan dat niet een verandering in haar stemming tegenhouden. 'En van mijn vader? Daar begrijp ik ook niets van. Ik wil mama zo graag thuis brengen. Dat ze daar kan sterven, maar ik hoor niets van hem. Straks leeft hij ook niet meer en ben ik een wees.'
Ik knik naar haar, maar ondertussen vraag ik me koortsachtig af wat ik wel en niet moet zeggen. Moet ik het haar vertellen van haar vader? Ik wil alles voor haar doen, behalve haar pijn doen.
'Ik heb hem al vijf keer geschreven.'
Ik houd op met dansen. Het gaat niet.
'Wat is er?' vraagt Yenny. 'Doe ik iets fout? O, je bedoelt

zeker dat ik beter moet opletten en niet zo kletsen?' verontschuldigt ze zich meteen.
'Nee, maar eh... Ik eh...' Ik probeer tijd te winnen. 'Zullen we een stukje lopen, vind je dat goed?'
'Natuurlijk, Thomas, mag ik je een arm geven?' vraagt ze.
'Ja, kom maar.' Ze haakt meteen bij me in en ik druk haar hand. Het is een kleine hand, zo fijn gebouwd en toch zo sterk. Maar is ze sterk genoeg om te horen wat ik haar moet vertellen?

Bij de vijver weet ik een terras. Het ligt er beschut tussen wat grote struiken. Daar gaan we zitten, bij het licht van de wassende maan. Soms plonst het, omdat een vis uit het water springt. Bij de gebouwen roept een tokèh naar een andere tokèh.
'Ik heb je vader gezien,' zeg ik.
'Wat, echt? Serieus?'
'Het is denk ik niet leuk wat ik je moet zeggen,' zeg ik.
'Is hij dood?' vraagt ze zacht.
'Nee, hij is niet dood...' Ik zucht diep. 'Hij heeft me geholpen toen ik in Jogya was. De pemoeda's zaten achter me aan. Maar, eh, hij is verhuisd.'
'O,' zegt ze. 'Wat een opluchting. Daarom reageerde hij dus niet!'
Kan het hier niet bij blijven? Waarom zou ik nog meer vertellen?
'Maar dat is toch helemaal niet erg in deze tijd? Ging het goed met hem? Thomas... Thoom, wil je misschien nog iets zeggen.' Wat is ze toch lief.
'Hij was niet alleen,' zeg ik vlak.
'Was Sala bij hem?' vraagt ze verbaasd.
'Sala? Heet ze zo? Is dat jullie baboe of iemand anders?'
'Onze baboe, maar wat bedoel jij eigenlijk?'
'Nou, die vrouw,' zeg ik. Wat voel ik me onhandig. 'Zij

zorgde wel voor je vader, maar niet echt als een baboe… Meer als familie of misschien zelfs een goede vriendin?'
Nu worden haar ogen groot. Haar lange wimpers gaan op en neer: dicht open, dicht open.
'Bedoel je soms dat die vrouw… nou ja, als vrouw… als zijn vrouw…' Ze slaat haar ogen neer. 'Dan was het niet Sala,' zegt ze. 'Sala is oud.'
Ik vind het zo gênant, ik wil hier eigenlijk helemaal niet over praten. Mijn lijf verlangt naar heel andere dingen.
'Sorry Yenny, misschien had ik het niet moeten zeggen,' zeg ik zacht.
Yenny kijkt een poosje naar de vijver. Haar ogen glinsteren verdacht in het maanlicht.
'Ach, het is goed dat je het zegt. Van mama weet ik dat hij vaker een ander heeft gehad. Een vriendin of minnares… Ik denk zelfs dat mijn moeder er rekening mee hield. Zij liet mij schrijven, zelf schreef ze nooit… We zullen wel niets meer van hem horen.'
'Maar wie doet dat nu? Hij laat jullie hier zitten,' zeg ik donker. Het verdriet van Yenny raakt me. 'Ik zou zoiets dus nooit doen…'
Ze schuift dichter naar me toe. Haar hand knijpt in de mijne.
'Maar jij bent ook zo anders dan mijn vader.' Haar andere hand aait zacht mijn wang. Ik zie nu duidelijker dat ze huilt. Ik zou haar vast willen houden. Willen troosten. Iets zeggen wat haar blij maakt.
'Lieve Thomas, ik hoor dit niet als meisje te zeggen…' ze wacht even. Dan kijkt ze me recht aan. Haar gezicht is naar me opgeheven. 'Maar je moet het gewoon weten. Ik houd zo verschrikkelijk veel van je. Al zo lang ik je ken, heb ik je lief. Ik weet het gewoon zeker: jij bent trouw!' Dan komt ze iets omhoog en beroert heel zacht mijn mond. Zelfs met Judith heb ik niet gevoeld, wat ik nu in me op voel komen.

Zo veel tintelende emoties die mijn lijf en buik in brand zetten.
'Yenny?' Ik schud even mijn hoofd en lach. Ik kan het bijna niet bevatten. Ze houdt van me.
'Meen je dat? Meen je echt, wat je zei?'
'Zou ik over liefde iets zeggen, dat ik niet zou menen, mijn lieve Thomas?'
Er komt rust over me heen. Ik zak wat onderuit en laat Yenny me opnieuw kussen. Haar handen strelen mijn hoofd en nek. Ik voel me echt 'mezelf'. Yenny is mijn liefde en mijn vriend Hardjònò heeft het al die jaren geweten. Hoe bestaat het?
Ik durf haar bijna niet aan te raken, maar kijk even omhoog. Liefde is hemels.

Wat is nog liefde, vaderlandsliefde? Ik kan er niet meer in geloven. Als ik zie wat er gebeurt in naam van vaderlandsliefde, hier op Java...? Domme krachten krijgen vrij spel. Ze grijpen naar de macht met geweld. Net zoals bij Amat. Hij was altijd maar jaloers op mij vanwege mijn verstand. Amat wilde niemand boven zich. Hij moest superieur zijn en dat ging hem lukken bij de PNI. Ineens kon hij me uitleggen wat Soekarno wilde en wat het verschil was tussen kapitalisme en communisme. Amat kreeg praatjes en ook een hoge dunk van zichzelf. Hij werd zo trots op zijn Javaan zijn. Hij werd ook ineens een veel overtuigder moslim dan mijn ouders. O, wat ging hij er prat op dat hij geen christenhond was of nog erger: een polytheïst. Domme krachten die van geen rede willen weten. Hij werd een dappere strijder tegen de blanke uitbuiter, tegen de verrader, de verknipte halfbloed. Hij was moedig, omdat hij geweld wist te gebruiken. Hij voelde zich een held, omdat hij kon doden...
Liefde? Het enige dat mij op de been houdt is de wens mijn moeder weer te zien.

40. Bloedbad

22 november 1945

Het is de hele week al erg onrustig. We zien af en toe Engelsen nerveus heen en weer rijden in hun jeeps. In Ambarawa, maar ook in de omgeving van ons kamp wordt regelmatig geschoten. Heel beangstigend. De pemoeda's zijn akelig dichtbij gekomen. Ze staan al dagen voor het hek om te schreeuwen en ons bang te maken.
Bart de Lange is nog niet teruggekeerd uit Samarang. Gonda maakt zich grote zorgen over hem. Juist nu het zo onrustig is, mis ik Bart erg.
Hardjònò drong vanochtend aan om de vrouwen en kinderen te vragen in het hoofdgebouw te blijven. We durven ze niet meer buiten te laten komen. Samen met Hardjònò loop ik om het gebouw heen, we maken alle luiken uit voorzorg dicht.
Daarna gaan we zelf ook naar binnen. Vanaf de eerste verdieping hebben we goed zicht op de poort. Er zitten drie Japanse soldaten achter een stapel zandzakken. Hun geweren in de aanslag. Zo spannend is het hier nog niet geweest. Sinds Soekarno heeft opgeroepen om alle blanken op Java de zee in te jagen, zijn de onlusten erger dan ooit.
'Hoelang gaat dit goed, Hardjònò?' vraag ik.
Vanuit een raam zien we hoe jonge pemoeda's de Jappen uitdagen en treiteren. De Jappen zelf hebben geen zin in nieuwe gevechten. Het enige wat hen drijft is de dans te ontspringen en veilig terug te mogen naar Japan. Waar blijft de beloofde Britse troepenversterking?

Yenny loopt met Hardjònò mee naar een ander raam.
'Kijk, zie je die groep daar aankomen?' hoor ik Yenny ongerust vragen. Op hetzelfde ogenblik volgt er een schot. Het raam waar ik bij sta, valt aan diggelen. Ik spring net op tijd aan de kant en schrik me een ongeluk. Een kogel is rakelings langs mijn arm gevlogen. Ik voel hitte op de plek waar de kogel mijn overhemd heeft geschampt.
'Ben je gewond, Thomas?' roept Yenny meteen.
'Nee, ik geloof van niet,' zeg ik.
'Buk je, Thomas!' schreeuwt Hardjònò. 'Ze hebben door dat we hier staan.' Op hun knieën schuiven Yenny en hij over de vloer heen. Yenny wil naar beneden, naar haar moeder.
'Dit gaat helemaal fout!' zeg ik als Djonie naast me komt staan. Ik heb me verdekt bij het raam opgesteld en gluur voorzichtig naar buiten.
'Wie schoot er op ons? Heeft iemand een geweer?' vraagt hij.
Ik kruip naar een ander raam. Nauwelijks mijn hoofd boven de vensterbank uit, krijg ik zicht op de toegangsweg naar ons klooster toe. Ik schrik als ik zie dat daar een nieuwe ploeg aan komt lopen.
'Daar komt versterking, pemoeda's uit Ambarawa,' zeg ik.
Hardjònò komt voorzichtig bij me staan en hij ziet wat mij hopeloos maakt.
'Dat zijn zwaar bewapende jongens,' zegt Hardjònò zacht. 'We zitten als ratten in de val, Thomas.'
We zien een groep van tien, misschien twaalf jongeren aankomen. Ze zijn al dichtbij. Ik zie hun zwartgeverfde gezichten. Bladeren onder hun zwarte banda's gestoken. Bewapend met speren en dolken. Twee dragen geweren over hun schouders. Hun vuisten gaan dreigend omhoog. Ze roepen en schreeuwen.
'Dit is een speciale gevechtseenheid,' zegt Hardónó. Hij kijkt me even aan. 'Ik ben bang dat het nu erg moeilijk gaat

worden, Thomas.' Ik knik en kijk weer naar buiten.
'Zie jij die Jappen nog ergens?' vraag ik. De poort is dicht, maar er is niemand meer bij het wachthuisje of achter de zandzakken. Een paar jongeren hangen aan de gesloten poort en proberen eroverheen te klimmen.
'Wat willen ze nu? Zullen ze echt op vrouwen en kinderen gaan schieten?' vraag ik zacht. 'Als het ze om jou en mij gaat, zullen we ons dan maar overgeven?'
Hardjònò schudt zijn hoofd.
'Nee, Thomas, ze willen bloedvergieten! Dit soort jongens wil alleen maar zo veel mogelijk blank, koloniaal bloed vergieten... Zo veel mogelijk...'
Ik weet het echt niet meer. Ineens zie ik beneden bij de poort jongens rennen.
'Djonie... kijk!' Geschrokken grijpt ik zijn arm vast. 'Daar gaat het hek! Ze breken erdoorheen!'

Nu haasten we ons naar beneden. Yenny is daar druk bezig de vrouwen te kalmeren. Kinderen worden gevraagd bij hun moeder te gaan zitten. Als ik Yenny aankijk, wil ik haar vasthouden en kussen, maar ik beheers me en zeg:
'De pemoeda's komen eraan.'
'Pemoeda's?' vraagt ze overbodig.
Dan gooit ze zich tegen me aan.
'Houd me nog één keer vast, Thomas... Heel stevig, alsjeblieft.'
Ik trek haar tegen me aan en kus haar zwarte haren.
'Lieve Yenny,' zucht ik.
Waarom is Bart hier nu niet. Of een man als Bernard of iemand anders. Waarom moet ik nu leiding geven aan iets wat me veel te groot lijkt. We moeten het met z'n drieën klaren. We hebben niets om ons te verdedigen.
Er wordt al gebonsd op de luiken. Ze zijn al bij de deur. Ze zijn om het huis. Overal proberen ze binnen te dringen.

'Djonie, dit gaat niet,' roep ik opnieuw. 'Laten we ons overgeven.' Yenny krijst het uit als ze dat hoort: 'Nee! Thomas! Nee!' Haar moeder roept haar weer. 'Hardjònò, hij mag zich niet overgeven. Ze schieten hem dood.' Dan rent ze snel naar haar moeder toe. Ik zie hoe de oude vrouw erg veel moeite heeft met haar ademhaling.

Ik draai me om en loop naar de deur. Hardjònò loopt met me mee.

'Toe, laat ze buiten, Thomas, als ze binnen zijn slachten ze ons af.'

'Maar ze kómen toch binnen. Hoor dan zelf! Misschien sparen ze de anderen, als ze ons hebben.'

Er worden verderop in de grote kamer luiken weggebroken. Er rinkelt glas. Ik kijk Hardjònò nog een keer aan. Wat ziet hij bleek. Iemand probeert door het raam naar binnen te komen. Weer hoor ik bij de deur iemand schreeuwen dat we open moeten doen.

Verstop je, snel,' zeg ik gejaagd. 'Als ze jou zien... jij krijgt als eerste een kogel. Ik wacht nog even en open dan de deur. Wegwezen!'

Hij wil niet, maar ik geef hem uit alle macht een duw. Hij struikelt bijna.

'Weg jij, rennen...'

In plaats van te rennen, stuift hij op me af en drukt een kus op mijn wang. Daarna rent hij weg. Ik kijk hem na. Bijna hadden ze het gewonnen van ons tweeën, bijna... Wat we ook verliezen vandaag, niet onze vriendschap! Mijn wang gloeit. Het is hen niet gelukt. Ik wacht tot ik Hardjònò niet meer zie, dan stap ik op de grote massieve en zo kolossale deur af.

'Vlug! Maak open!' schreeuwt iemand in het maleis.

Ik denk aan Bart. Rust en gezond verstand. Proberen de gemoederen te bedaren. Dan denk ik aan de God van Bart. Ik vraag hem: help me alsjeblieft!

Mijn angst voel ik niet meer. Ik roep dat ze even geduld moeten hebben. Dat ik de sleutel heb en open zal doen. Ik kijk om naar de groep vrouwen en kinderen die achter me op de grond zitten. Yenny kan ik niet vinden.
De sleutel draai ik om en ik open de deur. Meteen duwen ze me aan de kant en omsingelen de vrouwen die met hun kinderen. Een pemoeda houdt mij onder schot.
'Armen op je hoofd!' schreeuwt hij.
'Naar buiten allemaal!' roepen de aanvoerder. 'Op het gras gaan liggen! Allemaal!'
Iedereen gaat naar buiten. Sommigen rennen me voorbij, anderen lopen gewoon. Ik zie kans om Yenny te helpen met haar moeder, zodra ik haar zie. Samen tillen we de oude vrouw, ze kan geen stap meer zetten.
Wat er precies in me gebeurt, weet ik niet, maar ik ben ontzettend helder en kan snel denken. We leggen Yenny's moeder neer. Ik wil meer mensen helpen, maar er wordt geschoten. Zijn de Jappen toch nog ergens in de buurt om ons te beschermen. Ik kijk even omhoog naar het dak. Zou Djonie veilig zijn?
'Liggen!' wordt er geschreeuwd.
Yenny draait zich naar me toe en verstopt zichzelf in mijn armen. We liggen intiem tegen elkaar aan verstrengeld, pal naast haar moeder.
'Ik houd van je!' fluister ik. 'Yenny, je wordt geen wees, hoor. Ik zal voor je zorgen.'
Er klinkt weer een schot. We drukken onze hoofden tegen elkaar aan, zo vlakbij. Ze moeten recht op iemand in de groep hebben geschoten. Over de schouder van Yenny zie ik een vrouw een paar meter verderop omhoog komen. Helemaal buiten zinnen. Ze zwaait met haar armen door de lucht.
'Mijn jongen!' krijst ze 'Ze hebben mijn jongen doodgeschoten!'

Meteen volgt weer schot. Ik zie de vrouw achterover vallen. Ze valt met haar lichaam half op haar jongen.
Als ik Yenny aankijk, boren haar ogen zich in de mijne.
'Dit is niet te vergeven, Thomas! Hoe durven ze? Moordenaars.' Ik voel haar lichaam trillen van boosheid. 'Waar is Djonie?'
'En Lissie?' vraag ik meteen. Ik wil omhoog om rond te kijken waar Lissie is, maar Yenny klemt zich aan me vast en trekt me terug.
'Niet omhoog, Thomas, ze schieten je dood.'
'Maar ik moet weten waar Lissie is. Ik heb het haar beloofd. Lieverd, blijf stil liggen, ik zal heus voorzichtig zijn, maar ik moet naar mijn zusje.'
'O, God...' Ik zie pemoeda's met handgranaten zwaaien. Gaan ze die echt gebruiken? Dan is alles tevergeefs. Dan is dit het einde.
'Ik heb Lissie gezien, Thomas. Ze ligt pal achter ons, misschien vijf meter hier vandaan.'
Yenny huilt.
'Ik heb het beloofd, ik moet naar haar toe,' zeg ik opnieuw. Yenny knikt, kust me opnieuw. Ik voel haar duwen en dan weer me vastgrijpen. Ze wil me bij zich houden, maar Lissie mag nu niet alleen zijn.
'Toe dan maar, Thomas, maar wees heel voorzichtig. Ik zorg voor mama.'
Ik maak me zo plat mogelijk. Ik schuif letterlijk over de lichamen van de kinderen en vrouwen heen. Hoe ongepast, maar ik kan niet anders. Als we sterven, dan moet ik bij Lissie zijn. Ze mag nu niet alleen zijn. Mijn hart, mijn liefde... Alles lijkt uit elkaar te scheuren. Ik hoor een enorme knal. Door de verplaatsing van luchtdruk wordt ik weggeslingerd. Ze hebben het gedaan, ze hebben granaten midden in de groep weerloze mensen gegooid. Meters verder val ik met een smak op de grond. O God. Mijn oren

suizen, ik zit helemaal onder klodders bloed.
'Thomas!' De stem van Lissie. Ze ligt vlak bij me. Ik kruip snel naar haar toe.
'Lis!' Ik tast met beide handen over haar lichaam heen.
'Ben je gewond? Lis, ben je geraakt?'
Ze schudt haar hoofd.
'Heb je pijn, Lis?'
'Thomas, o mama, o mama, o... kijk dan nou eens, Thomas...' Ze slaat haar handen voor haar ogen. Ik draai me om en zie achter me één bloederige massa in beweging komen. Het tafereel is niet om aan te zien. Ik houd mijn hand voor Lissie's ogen.
'Draai je om, Lis,' schreeuw ik. Vrouwen onder het bloed, kinderen gillen. Iemand loopt zonder een arm. Een buik lijkt open gereten. Dit is afschuwelijk.
'Lissie, alsjeblieft, beloof me, niet kijken. Blijf hier zitten, ik moet...' Tranen stromen, mijn stem breekt stuk.
'Yenny,' zegt Lissie zacht.

Dan ren ik terug. Op dat moment zie ik hoe een paar jeeps vol Engelse soldaten het terrein op stuiven. Meteen ontstaat er op het pad naast het bleekveld een vuurgevecht met de pemoeda's. Deze zijn volkomen verrast door de Engelsen. Ze lijken in extase te zijn. Uit de jeeps springen Ghurka's...
Ik kom op de plek waar we net samen lagen. Alleen de moeder van Yenny ligt er. Ze is dood. Niet gewond, wel dood. Maar Yenny? Waar is ze? Haar schoen ligt er wel. Ik kijk rond en zie haar verderop liggen. Ook Yenny moet een paar meter verderop zijn geslingerd. Ze ligt buiten de groep bewegende, huilende, gierende mensen. Zo stil ligt ze daar, alsof ze slaapt. Ik ren naar haar toe en kniel neer. Ze is geraakt. Haar blouse is open gescheurd. Bloed gutst onder haar blouse vandaan.
'Yenny!' Ik schreeuw het uit. Ze doet haar ogen open en

kijkt me zo helder aan. Ze glimlacht. Haar ogen en haar gezicht zo ontroerend mooi, alsof ze helemaal niet gewond is.

'Ik heb dorst, Thomas!' fluistert ze. 'Zo'n dorst...' Ik wil meteen water halen, maar haar hand ligt op mijn arm. Spreken lukt haar niet meer, maar haar ogen zeggen me voldoende. Ik moet blijven. Ik zie in haar ogen iemand die zichzelf is en ook dat ze heel veel van me houdt. Ik kus voorzichtig haar mond, haar voorhoofd.

'Lief...' Het woord komt niet verder. Ze zakt weg, het leven uit.

Ik hoor een dof bonzen in mijn oren. Daarna suizen van waterstromen. Genadeloos is de dood. Ik pak de hand van Yenny en druk hem tegen mijn borst. Ik hoor niets meer, buig me voorover en leg mijn gezicht voor het gezicht van het meisje dat al heel lang van me hield, zonder dat ik het wist.

'Thomas?' Iemand raakt mijn schouder aan. 'Kom je, Thoom?'

Hoelang lig ik hier?

'Ze is dood, joh, toe, ik vind dit zo akelig.' Hoe lang zit ik hier al? Is dat Lissie?

'Laat hem nog even...' hoor ik Hardjònò zeggen.

'Djonie, leef jij nog?' Hij helpt me overeind. Ik zie dat er ik verschrikkelijk smerig uitzie.

Ik kijk om naar Yenny.

'Ze hield van me,' zeg ik zacht.

'Ze hield al heel lang van je,' zegt Hardjònò zacht.

Even kijken we elkaar aan.

'Kom mee, de strijd is voorbij. In huis is er drinken. Straks zullen we haar begraven, maar eerst moet je drinken, Thomas.' Hij slaat zijn arm om me heen, aan de andere kant van hem loopt Lissie.

'Ik kon je eerst niet vinden, man...' Hij drukt mijn schouder. 'Maar Lissie wist zeker dat je nog leefde.'
Wat een doden liggen nog op het veld. Moeders, kinderen, oud, jong, weerloos, onschuldig. Verderop wordt er al een begin gemaakt met het graven. We zullen zeker twintig mensen moeten begraven. De pemoeda's, jonge jongens van mijn leeftijd, met een leven voor zich, hebben hun zinloze slag geslagen. Ze zijn in geen velden of wegen te bekennen.
Het is goed dat Hardjònò me steunt, ik voel me tot op het bot verdoofd.
Als we bijna bij het hoofdgebouw zijn, zie ik een Ghurka op ons afkomen.
'You there!' zegt hij, terwijl hij me aanwijst. 'You are Thomas Werkman.'
'Ja, dat ben ik.'
'Come with me, mister. I have an important message for you!'
We lopen achter de man aan, het hoofdgebouw weer binnen. Hier zijn de gewonden. Onvoorstelbaar, wat een ellende. In een flits zie ik Gonda de Lange zitten. Naast haar zitten Hilly en Ferdinand en ook Bart-Jan. Alle drie lijken het overleefd te hebben.

De soldaat beduidt dat ik een kamer in moet lopen. Hij wil Hardjònò en Lissie tegen houden.
'No, I do not come without them!' zeg ik. We mogen samen naar binnen. Het moet de werkkamer van moederoverste geweest zijn. Een groot donker bureau. Daar achter een groot beeld van Christus aan het kruis. Hij bloedt ook... In vredesnaam waarom?
Op het grote bureau staat een kandelaar met kaarsen die niet branden.
'You know Bart de Lange, and you know also his wife and

children?' vraagt de commandant.
'Yes I do, sir,' zeg ik.
'Okay, you go away, as soon as possible. Together with the family of Bart de Lange. We have order to bring you to Samarang. As fast as you can.'
'Sir, I do not go without my sister,' zeg ik.
De commandant aarzelt even. Ik houd mijn arm stijf om Lissie heen. Ze houdt me bij mijn vieze overhemd vast en rilt als een rietje.
'And he, who is he?' vraagt de commendant. Ik zie dat Hardjònò argwanend wordt opgenomen. Hij zou een gevangen genomen pemoeda kunnen zijn. Hardjònò kijkt me aan.
'Hij gaat ook met ons mee!' flapt Lissie eruit. 'Hij is je vriend, Thomas.'
We kijken elkaar aan, Hardjònò en ik. Er heeft een aardverschuiving plaats gevonden en wij schoven mee. Hoe verscheurd de wereld ook is, wij zijn terug bij onszelf en op onze plek.
'Correct sir, this is my friend. He must go with us. He is a very special one!'
Terwijl de commandant overleg voert, kijken Hardjònò en ik elkaar aan. Er glijdt een voorzichtige glimlach over Hardjònò gezicht. Ook zonder woorden begrijpen we elkaar.

41. Vaderland, moederland

8 januari 1946

Hardjònò en ik lopen langs een grote kade. Een groot wit passagiersschip ligt aan wal. Overal ruikt het naar vis en liggen netten te drogen. Op dit moment is het even droog, maar we zitten midden in flinke buien van de Moesson. De zilte zeelucht prikt in mijn ogen en in mijn longen. Het zout slaat wit uit op de bruine lippen van Hardjònò. Mijn haar zal vast rechtop staan in de wind.
Twee weken geleden zijn we vanuit Samarang in Batavia aangekomen. Nadat Bart gezorgd heeft dat we op een passagiersschip werden ingeschreven, zijn we eropuit gegaan om onderdak te vinden.
Batavia is overvol. Geen slaapplaats onbezet. Nadat de Britten de weg tussen Ambarawa en Samarang met luchtaanvallen vrij en veilig hebben gemaakt, is een grootscheepse evacuatie aan de gang. Duizenden vrouwen en kinderen worden het gevaarlijke oorlogsgebied uitgehaald. Of we willen of niet, nu is er geen andere weg meer dan op het schip gaan en naar Nederland varen. Verdreven uit Java, de zee in of de dood.
Ik wilde helemaal niet weg, maar ik kan Lissie niet alleen laten. Zolang we niks weten van mijn vader, ben ik verantwoordelijk voor haar.
Het feit dat ik meereis, heeft Bart geholpen bij zijn beslissing voorlopig nog op Java te blijven. Lissie en ik zullen Gonda zo veel mogelijk helpen met de verzorging van de kinderen tijdens de reis. Op haar beurt zal Gonda ons meenemen naar familie in Utrecht. Vandaar gaan we proberen contact te leggen met opa Werkman. Zodra het lukt zullen

Lissie en ik doorreizen naar Groningen. Als opa nog leeft en als hij ons kan herbergen...
Bart spreekt van 'terugreizen', maar ik reis niet terug. Dat ik ooit als baby daar geboren ben, zegt mij helemaal niets. Het is het land van mijn vader, maar die is weg. Het land van mijn moeder, maar zij is dood. Het enige lichtpuntje is mijn opa...

We moeten over een zwaar zwart scheepstouw stappen, Hardjònò en ik. Het is de lijn tussen wal en het grote schip. Een gespannen lijn!
'Moet je voelen, wat een stuk touw,' zeg ik. We blijven even staan. Hardjònò probeert het touw op te tillen. Het is zwaar, dik en stevig. Ik kijk ernaar en merk dat mijn ogen vochtig worden. Ze gaan straks dat touw losgooien.
'Thomas?' Hardjònò ziet mijn ontroering.
Ik heb straks geen binding meer met Java, met mijn moeder, met het huis waar ik ben opgegroeid, met Yenny, met Hielke, met mevrouw Batam, met Eddi Ram en met zo veel andere mensen met wie ik heb samengeleefd.
'Het gaat er toch van komen, hè?' zegt Hardjònò zacht.
Dag lieve moeder, dag mijn moederland... Ik ga weg, je bloedeigen zoon. Ver van hier, ver van Java. Ik laat twee moeders achter. Ik knik even en probeer mijn emoties te bedwingen.

Op de kade is het een komen en gaan van mensen. Hier en daar wordt hartstochtelijk afscheid genomen. Mensen wuiven en roepen naar elkaar. Sommige mensen zien elkaar hier terug. In de verte vaart een groot passagiersschip de haven uit. Een scheephoorn brengt de laatste groet.
Vannacht kon ik niet slapen. Hardjònò ook niet, ik merkte het aan zijn onrustig draaien. Het schip dat ons naar Nederland brengt, ligt al een paar dagen in de haven. Wij zullen

met de U.S. Amhust Victorie varen. Deze Victoria schepen brengen vluchtelingen naar Australië, Ceylon, Amerika, maar ook naar Nederland.
Bart zal straks zelf de hutkoffer van de familie De Lange op het schip brengen. Hij zal zijn kinderen voor het laatst onderstoppen en dan het schip weer af gaan. Het is moeilijk te begrijpen dat Bart ervoor kiest om op Java te blijven. Hij neemt zo veel risico's. Maar hij wil blijven helpen. Hij gelooft vast en zeker dat de geallieerden de rust terug zullen brengen op Java. Inmiddels zijn er ook schepen met Nederlandse jongens onderweg naar Java. Nederland laat Java niet zomaar los. Hardjònò is minder zeker van een mogelijke overwinning op Soekarno en de pemoeda's. Gisteren hebben we nog een keer met elkaar gediscussieerd over alle politieke veranderingen. Volgens Hardjònò is er geen weg terug. Het zelfbewustzijn is wakker geworden onder de jongeren. Het is aangewakkerd door de propaganda van de Japanners. Zelfs Hardjònò blijft echt geloven in deze onafhankelijkheid van Nederland.
Ik begin zijn wens beter te begrijpen, al zie ik niet hoe dat allemaal zou moeten plaatsvinden. Hoewel het erg gevaarlijk is voor Hardjònò, wil hij daarom ook nog niet weg. Hij zal bij Bart blijven. Hardjònò wordt de nieuwe hulp. Daarmee staat hij net als Bart onder de bescherming van de Britten. Ik weet zeker dat Bart als een vader voor mijn vriend zal zorgen, zoals hij ook voor mij heeft gezorgd. Hardjònò heeft deze vriendschap met Bart hard nodig, want wat is er momenteel voor hem nog over op Java? Ook hij is alles kwijtgeraakt aan thuis, liefde, vriendschap en relaties. Voorlopig zal hij zelfs zijn moeder niet kunnen gaan bezoeken. Jogyakarta is onbereikbaar. In de sultanstad heeft Soekarno het voor het zeggen.
Lissie is de enige die juist heel graag van Java weg wil. Ze kan bijna niet wachten tot we aan boord gaan. Alles op

Java heeft een donkere bijsmaak gekregen. Als ik mijn zusje goed begrijp, snakt ze naar een andere wereld waar ze een nieuwe start mag maken.

We gaan samen op de kade zitten. Onze benen over de rand. Een zwerfhond komt bij ons snuffelen. Hardjònò aait de hond. Dit wordt ons laatste gesprek. Ons laatste uur samen.
'Ik zal je missen!' zegt hij. Hij steekt zijn vinger naar me uit. Ik weet wat hij bedoelt. Ik druk mijn vingertop ertegenaan. Onze broederbelofte. Als dat eenmaal met bloed getekend is, is dat voor altijd voldoende, volgens Winnetou.
'Vergeet je me niet?' vraagt Hardjóno.
'Wat denk je? Ik zal je nooit, nooit vergeten!' Hij glimlacht.
'Geef je vaderland een kans, Thomas.'
'Dit is mijn land, Hardjònò,' zeg ik koppig. 'Hier hoor ik, net zo goed als jij!'
'Maar daar ben je straks veilig!'
'Dat zit me het meest dwars. Ik veilig, maar jij nog lang niet,' zeg ik. 'Wat ga je doen als er vrede op Java komt?'
'Ik wil ooit de politiek in. Een bestuurder worden. Mijn land dienen. Maar eerst moet ik net als jij de HBS afmaken...'
'We winnen heus wel en dan kun jij weer naar de HBS in Jogya. De Jappen hebben het uiteindelijk ook verloren,' zeg ik om hem op te beuren. Hij schudt zijn hoofd.
'Je vergeet de macht van een groot volk. Wat moet een handjevol Nederlandse soldaten beginnen tegen miljoenen Javanen?'
'Nee, hè,' zucht ik.
'De grote vraag is, als we zelfstandig zijn en als Soekarno de macht heeft, ben ik dan nog welkom hier? De Soekarno die ik heb leren kennen is een man met een eigen interpretatie van wat democratie heet.'

‘Wat ga je dan doen?’ vraag ik.
‘Dan moet ik politiek asiel aanvragen.’ Hij verbaast me. Politiek asiel? Wat is dat en hoe weet hij dat? ‘Het is iets wat speciaal in leven is geroepen voor mensen die in hun vaderland niet langer veilig zijn. Je kunt asiel aanvragen in Nederland of in Amerika of Engeland.’
‘Maar Djonie, dan kun je ook naar Nederland komen…’ Ik meen het. ‘Dan zijn we daar samen.’ Hij glimacht even.
‘Naar dat land van sneeuw en regen?’ plaagt hij.
‘Oké, maar ook een land waar je veilig bent. Waar het niet uitmaakt of je honderd procent Aziaat bent of maar voor vijftig procent.’

Ineens valt het stil tussen ons. Het gaat harder waaien. Wolken komen vanaf de zee het land op en nemen de zon weg. Zal het hier straks ook regenen? We lopen een stukje en kopen een paar pisangs voor onderweg. Ik besef nauwelijks dat ik straks echt afscheid moet nemen. Vlak bij het schip zullen we de anderen ontmoeten. Lissie wandelt met Hilly en Ferdinand een flink stuk voor Bart en Gonda uit. Verderop is een grote loopplank waar ik straks overheen moet.
‘Ik weet wat jij straks in Nederland gaat doen,’ zegt Hardjònò ineens.
‘Zo, heb je weer gedroomd?’ vraag ik plagend.
‘Nee, maar ik ken je!’ lacht hij. ‘Ik weet bijna alles van je. Je leven, je dromen, je liefde en wat je worden wilt. Eerst ga je je opa opzoeken, je gaat die drie op wiskunde ophalen en dat gaat je lukken ook. Je maakt met succes de HBS af. Daarna vaar je naar dat eiland dicht bij Nederland om de zeevaartschool te volgen en daarna… Als je eenmaal kapitein of stuurman bent geworden, kom je hierheen. Laat het me weten en ik zal op de kade staan om je te verwelkomen. Op een goede dag zien wij elkaar terug!’

'Misschien gaat het zo, maar soms weet ik het niet meer, Hardjònò.' Ik zucht even. 'Ik heb de laatste paar dagen zo vaak aan Yenny gedacht. Dat ik haar leven had willen redden, maar niet wist wat ik moest doen met iemand die zo gewond was. Misschien wil ik liever dokter worden of zoiets.'
Hij glimlacht.
'Praat straks eerst maar eens met je opa, misschien word je dan weer enthousiast om te gaan varen.'

We delen een pisang. We drinken water uit dezelfde veldfles. Ik wil de fles nog even vullen voor we aan boord gaan. Je kunt nooit weten.
'Hardjònò, mocht je ooit mijn koffergrammofoon vinden...'
'Dan kom ik hem hoogstpersoonlijk naar je toe brengen!' zegt Hardjònò.
'Nee!' Ik leg mijn hand op zijn arm. 'Nee, dan is die voor jou! Hij moet ergens zijn. Ik gaf hem aan Judith om me niet te vergeten...'
Ik kijk hem aan. Wat zal ik hem missen. Weer kan ik niet genoeg knipperen met mijn ogen om de vochtigheid erin af te laten nemen.
'Zonder grammofoon zal ik je ook nooit vergeten,' zegt Hardjònò. 'Maar ik beloof je dat ik zal uitkijken of ik hem terug kan vinden.'
Het water klotst tegen de kade op. Zeevogels scheren over ons hoofd. Ik leg mijn hand op zijn arm. Hij schuift een stukje naar me toe en slaat zijn arm om mijn schouder. We zijn voor heel even weer twaalf jaar. Of waren we al dertien toen we vrienden werden?
'Ik vind het ontzettend jammer dat ik weg moet.'
Hij knikt begrijpend.
'Om jou, om alles hier. Ik vind het heel erg.'
'Ik weet het,' zegt Hardjònò.

Ik sta op en zeg dat het tijd is. Dan zegt Hardjònò: 'Thomas. Misschien, ik weet het nog niet zeker... Maar misschien kom ik nog wel naar Nederland. Dan wordt jouw vaderland mijn moederland.'
'Als dat zou kunnen, broer!' lach ik.
De laatste meters op Javaanse bodem lopen we met de armen om elkaars schouders.

Verklarende woordenlijst

Adat: omgangsvormen
Akela: leidster bij de padvinderij
Baboe: Hulp in de huishouding, kinderverzorgster
Banda: haarband
Banzai: Hoera, we hebben gewonnen!
Barang: bagage, spullen
Belanda: Nederlander / Blanke
Bunuh orang belanda: dood de blanken / dood de Nederlanders
Desa: dorp
Emper: overdekte gang of buitenkamer / gang
Gajong: waterpannetje
Gamèl: grote etensdrum of etenspan
Gerampokt: overvallen, in elkaar geslagen
Ghurka: Brits-Indisch soldaat
Goedang: voorraadruimte
Grobak: platte houten laadwagen, meestal getrokken door twee ossen.
Heiho: hulpsoldaat, plagend ook wel stokpaardje genoemd
Jamboree: ontmoetingsfeest van padvinders
Kali: rivier
Kambing: geiten
Kampong: dorp
Kebon: tuinjongen
Keirei!: oproep om te buigen voor een Japanner
Kelas kambing: de goedkoopste klasse (letterlijk: geiten-vervoer-klasse)
Kempeitai: Japanse (geheime) politie
KNIL: Koninklijk Nederlands Indisch Leger
Koelies: arbeiders, loonslaven

Lĕkas!: opschieten, snel!
Lido: het veld waarop appèl werd gehouden
Mandiën: wassen, baden
Merdeka!: vrij zijn, hier in de betekenis van: onafhankelijk zijn
Nippon: Japans
Pak: beleefde benaming voor een oudere man
Pasar: markt
Patjol: schep om de aarde te bewerken.
Pemoeda's: letterlijk 'jongeren'. Bedoeld worden hier geradicaliseerde jongeren, die in groepsverband geweld zijn gaan gebruiken tegen alles wat blank, Nederlands of Europeaans was.
PNI: Partai Nasional Indonesia, de politieke partij van Soekarno en Hatta, opgericht op 4 juli 1927
Roedjak: Indische groente
Selamat pagé: een vriendelijke groet
Tenno Heika: Hirohito, de Japanse keizer
Tokèh: soort hagedis die vaak op het dak zit
Tòtòk: volbloed Europeaan, blanke, Nederlander

Verantwoording

Het schrijven van dit boek heeft me betrokken bij een indrukwekkende geschiedenis. Indonesië, Java en Nederland, wát hebben die met elkaar te maken?

Indonesië heeft me altijd geboeid. Vanaf de dag dat ik als zesjarig meisje een gezin leerde kennen dat pas uit Indonesië was gekomen. Het zal 1962 zijn geweest. Ik rook bij hen iets wat ik niet kende. Het zat in het eten, in hun meubelstukken, de geur hing in hun kleding. Ik zag en proefde iets tropisch, iets van het verre Indonesië.

De politieke verhoudingen zijn erg complex. Er zijn veel verscheurende dingen gebeurd, maar er is ook iets wat Nederlanders met Indonesië samenbindt. De geschiedenis heeft een slechte kant van kolonisatie, de jappenkampen, de politionele acties, de onafhankelijkheidsstrijd waarbij zowel veel onschuldig Nederlands, als ook veel onschuldig Indonesisch bloed is vergoten. Maar er is ook een positieve kant, waar liefde, relaties en vriendschap de dienst uitmaakten.

De geschiedenis houdt ons een spiegel voor. Het verdriet van Thomas staat symbool voor het verdriet dat honderdduizenden Nederlanders moeten hebben gevoeld, toen ze verjaagd werden uit Indonesië. Zij werden de 'allochtonen', toen wij deze nare kwalificatie van mensen nog niet eens kenden!
Mag het verhaal duidelijk maken dat Thomas even oprecht was in zijn liefde voor Java als Hardjònò.

Thomas Werkman is een verzonnen persoon. Toch zijn veel feiten en gebeurtenissen in dit boek gebaseerd op historische momenten uit het leven van een plaatsgenoot van me, de heer J.R. Mellema, arts in ruste. Op mijn website www.gerryvelema.nl is een uitgebreidere verantwoording te lezen.

Ik zal als na-oorlogse Nederlandse auteur altijd beperkt en in gebreke blijven bij het schrijven over een voor mij onbekend land in een totaal andere tijd. En toch hebben Thomas en Hardjònò mij iedere keer aangemoedigd eraan te blijven werken. Ik hoop van harte dat het niet voor niets is geweest. Dat het mijn lezers zal overtuigen dat liefde voor een moederland net zo oprecht kan zijn als liefde voor een vaderland. En vooral dat vriendschap nog sterker is!

Roden 2008, Gerry Velema